COLLECTION FOLIO

Richard Wright

Black Boy

Jeunesse noire

Traduit de l'anglais
par Marcel Duhamel
en collaboration
avec Andrée R. Picard
Préface
de Dorothy Canfield Fischer

Gallimard

Titre original :

BLACK BOY

© *Éditions Gallimard, 1947, pour la traduction française.*

Richard Wright, premier grand romancier noir, est né en 1908 à Natchez dans le Mississippi, une région où la ségrégation raciale sévit à cette époque avec violence.

Il raconte dans *Black Boy* sa découverte de la vie dans un climat de terreur : les événements tragiques dont sa famille et ses amis sont les victimes lui inspirent un étonnement qui devient vite une prise de conscience du racisme contre les Noirs. L'accès à la richesse et à une vie seulement décente est interdit aux Noirs, qui sont condamnés à la résignation ou à une soumission sournoise pour survivre. Richard, enfant, se refuse à comprendre et à admettre. A quatorze ans, il écrit une longue nouvelle toute secouée d'indignation, aussitôt publiée par un journal local. Nouvelle stupeur : sa famille d'un puritanisme stérilisant et ses amis s'écartent de lui ; il a osé exprimer ce qui ne doit jamais être révélé au grand jour : la révolte des Noirs. Richard souffre d'une solitude qui n'a d'égale que sa faim. Il part dans le Nord chercher du travail et s'installe à Chicago dans un quartier sordide.

Son premier roman, *Native Son* (Un enfant du pays), paru en 1940, lui confère une renommée immédiate. *Black Boy* (1945) confirme son talent et sa réputation. Pour la première fois un grand romancier parle de ses frères noirs et attire sur eux l'attention des intellectuels et du public.

La nostalgie, le réalisme savoureux, une angoisse communicative le font comparer à Dostoïevski. Malgré son succès, Richard Wright quitte son pays et s'installe à Paris, sur la Rive gauche. Il est accueilli par Sartre et le groupe des *Temps modernes*. Son troisième grand roman, *The Outsider* (Le Transfuge), paraît en 1953. De nouvelles tendances se font jour, influencées par les idées en cours. Wright est déchiré entre son pays natal qui l'a marqué de façon indélébile et l'Europe dont la découverte le fascine.

Il publie de nouveaux ouvrages, des reportages de voyages en Afrique, en Indonésie et en Espagne. Après sa mort, survenue en 1960, on publie un roman de jeunesse situé à Chicago et un recueil de nouvelles.

Richard Wright a ouvert la voie aux écrivains de couleur. Ses successeurs se nomment James Baldwin, LeRoi Jones, Chester Himes.

A Ellen et Julia
qui vivent toujours dans mon cœur.

Ils trouvent l'obscurité en plein jour. Et ils marchent à tâtons en plein midi, comme si c'était la nuit...

Job.

PRÉFACE

Il y a plus de quatre-vingt-cinq ans, Olivier Wendell Holmes disait avec noblesse : « Il est tellement plus facile de condamner une âme à la perdition ou de dire des prières pour son salut que d'endosser la faute de l'avoir laissée croître dans l'abandon et courir à sa perte. La loi anglaise n'a commencé qu'à la fin du XVIII siècle à concevoir l'idée que le crime n'est pas nécessairement un péché. Les limites de la responsabilité humaine n'ont jamais été convenablement étudiées. »

Si le docteur Holmes vivait encore, il serait fier, comme je le suis, d'avoir l'occasion d'attirer l'attention réfléchie des Américains intelligents et moralement responsables sur l'histoire franche, terrible, déchirante, de l'enfance et de la jeunesse d'un Nègre, telle qu'elle a été décrite par Richard Wright, cet auteur américain d'un rare talent.

Arlington, Vermont.

Dorothy Canfield Fischer.

CHAPITRE PREMIER

Par une matinée d'hiver, aux jours lointains de mes quatre ans, je me tenais planté devant une cheminée et je me chauffais les mains au-dessus d'un petit tas de charbons ardents en écoutant le vent siffler devant la maison. Toute la matinée, ma mère m'avait grondé, me recommandant de me tenir tranquille et de ne pas faire de bruit. Et j'étais irrité, énervé et impatient. Dans la chambre voisine, grand-mère était couchée, malade ; nuit et jour, un docteur la soignait et je savais que je serais puni si je désobéissais. Incapable de tenir en place, j'allais à tout instant à la fenêtre tirer les longs rideaux blancs et mousseux que l'on m'avait défendu de toucher, et je contemplais avidement la rue déserte. J'avais une envie folle de courir, de jouer et de crier, mais l'image du vieux visage blême, ridé et sévère de grand-mère, entouré comme d'un halo par une cascade de cheveux noirs et reposant sur un immense oreiller de plumes, me remplissait de crainte.

La maison était silencieuse. Derrière moi, mon

frère — d'un an plus jeune que moi — s'amusait paisiblement par terre avec un jouet. Un oiseau tournoya devant la fenêtre et je le saluai d'un cri joyeux.

« T'es fou de crier comme ça, dit mon frère.

— Oh ! la ferme ! » répondis-je.

Ma mère fit brusquement irruption dans la chambre et referma la porte derrière elle. Elle vint vers moi et me menaça du doigt.

« Tu vas voir, si tu continues à faire du potin ! chuchota-t-elle. Tu sais très bien que grand-mère est malade, alors tais-toi ! »

Je baissai la tête et me mis à bouder. Elle s'en alla. Je me sentais prêt à hurler d'ennui.

« J' te l'avais bien dit, jubila mon frère.

— Oh ! la ferme ! » répétai-je. Désœuvré, j'allais et venais à travers la pièce, cherchant ce que je pourrais bien faire, redoutant le retour de ma mère, furieux de me voir abandonné.

La chambre n'offrait rien d'intéressant, à part le feu, et je me trouvai finalement debout devant les braises incandescentes, fasciné par le frémissement du charbon rougeoyant. L'idée d'un nouveau jeu se forma dans mon esprit et peu à peu s'y implanta. Pourquoi ne pas jeter un objet dans le feu et le regarder brûler ? Je cherchai autour de moi. Il n'y avait que mon livre d'images et ma mère me battrait si je le brûlais. Alors ? Je furetai par la chambre et finalement je découvris le balai dans un réduit. C'est ça... Qui se soucierait de quelques bouts de paille brûlés ? Je sortis le balai, en arrachai une

14

poignée de paille et la jetai dans le feu ; je la regardai fumer, noircir, flamber et se transformer enfin en petits fantômes blancs qui se tordaient et s'évanouissaient après une dernière convulsion. C'était passionnant, de brûler de la paille ; j'en arrachai encore une poignée et je la lançai dans le feu. Mon frère vint près de moi, attiré par le pétillement de la flamme.

« Ne fais pas ça, dit-il.

— Pourquoi ? demandai-je.

— Tu vas brûler tout le balai.

— Tais-toi, fis-je.

— Je le dirai, menaça-t-il.

— Et moi, je te taperai », répondis-je.

Mon idée se développait, s'épanouissait. Je me demandais maintenant ce que deviendraient au juste les longs rideaux de mousseline blanche si j'y mettais le feu avec une poignée de paille. Essaierais-je ? Bien sûr.

J'arrachai plusieurs brins de paille et les exposai à la flamme jusqu'à ce qu'ils prissent feu ; je me précipitai vers la fenêtre et je mis la flamme en contact avec l'ourlet des rideaux.

Mon frère secouait la tête.

« Nan ! » dit-il.

C'était trop tard. Des cercles rouges commençaient à dévorer le tissu blanc ; et soudain une gerbe de flammes jaillit. Stupéfait, je reculai.

Une langue de feu s'élança vers le plafond ; je me mis à trembler. Bientôt une nappe jaune éclaira la pièce. Je voulus crier, mais j'avais trop peur. Je cherchai mon frère, il avait disparu. La moitié de la pièce était déjà en flammes. La fumée m'étouffait, le feu me léchait le visage et je toussais éperdument. Je me ruai dans la cuisine ; elle était déjà pleine de fumée. Ma mère n'allait pas tarder à sentir la fumée, à découvrir l'incendie, et j'allais recevoir une raclée. J'avais fait quelque chose de mal, quelque chose que je ne pouvais cacher ou nier. Oui, je me sauverais et je ne reviendrais jamais. Je sortis en courant de la cuisine et je m'enfuis dans la cour de derrière. Où aller ? C'est cela, sous la maison ! Personne ne me dénicherait là. Je me coulai sous la maison, rampai jusqu'au trou noir d'une cheminée de briques, et là, je me roulai en boule, me recroquevillant pour me faire le plus petit possible. Il ne fallait pas que ma mère me trouve et me fouette à cause de ce que je venais de faire. D'ailleurs, tout cela n'était qu'un accident ; je n'avais pas vraiment eu l'intention de mettre le feu à la maison. J'avais simplement voulu voir comment ça ferait quand les rideaux brûleraient. A aucun moment l'idée ne me vint que j'étais caché sous une maison en flammes.

Sur ces entrefaites, un martèlement de pas retentit juste au-dessus de ma tête. Puis j'entendis des hurlements. Un peu plus tard, la cloche des pompiers et le claquement des sabots des chevaux me parvinrent de la rue. Oui, ça au moins c'était un feu, un feu comme le jour où j'avais vu une maison brûler de haut en bas sans laisser d'autres traces qu'une cheminée noircie. L'épouvante me paralysait. Au-dessus de ma tête, un bruit de tonnerre secouait la cheminée à laquelle je me cramponnais. Les hurlements s'accentuèrent. J'eus la vision de ma grand-mère couchée dans son lit, incapable de bouger, avec des flammes jaunes dans ses cheveux noirs. Ma mère avait-elle pris feu ? Mon frère brûlerait-il ? Peut-être que tout le monde allait brûler dans la maison ! Pourquoi n'avais-je pas pensé à tout cela avant de mettre le feu aux rideaux ? J'aurais voulu devenir invisible, cesser de vivre. Au-dessus de moi, le branle-bas et le vacarme s'accentuèrent et je me mis à pleurer. Il me semblait que je me cachais depuis des siècles, et lorsque le tintamarre et les cris s'éteignirent, je me sentis abandonné, solitaire, rejeté de la vie à tout jamais. J'entendis des voix toutes proches et je frissonnai.

« Richard ! » appelait ma mère d'un ton affolé.

Je vis ses mollets et le bas de sa robe se déplacer rapidement dans la cour. Ses plaintes étaient empreintes d'une angoisse dont la profondeur me prédisait que la punition serait à la mesure de son intensité. Puis je vis le visage tendu de ma mère inspecter le dessous de la maison. Elle m'avait trouvé ! Je retins mon souffle et j'attendis qu'elle m'ordonne d'aller vers elle. Son visage s'éloigna ; non, elle ne m'avait pas vu, recroquevillé dans le coin obscur de la cheminée. Je me cachai la tête dans les bras et restai à claquer des dents.

« Richard ! »

Je discernais dans sa voix une détresse aussi aiguë

17

et aussi douloureuse que la brûlure du fouet sur ma chair.

« Richard ! La maison brûle ! Oh ! trouvez-moi mon enfant ! »

Oui, la maison brûlait, mais j'étais résolu à ne pas quitter mon abri. Finalement, je vis un autre visage scruter le dessous de la maison ; c'était celui de mon père. Ses yeux avaient dû s'habituer à l'obscurité, car je le vis qui me montrait du doigt.

« Le voilà !
— Nan ! braillai-je.
— Viens ici, mon garçon !
— Nan !
— La maison est en feu !
— Laisse-moi. »

Il vint en rampant jusqu'à moi et m'empoigna par une jambe. Je me cramponnai de toutes mes forces au rebord de la cheminée de briques. Mon père tira violemment sur ma jambe et je m'agrippai désespérément.

« Veux-tu sortir de là, espèce de petit crétin !
— Lâche-moi. »

Je ne pouvais résister à la force qui s'exerçait sur ma jambe et mes doigts lâchèrent prise. C'était fini. Je serais battu. Cela m'était égal maintenant. Je savais ce qui m'attendait. Il me traîna dans la cour, et à l'instant où sa main me lâcha, je me mis debout d'un bond et je partis comme une flèche, m'efforçant d'esquiver les gens qui m'entouraient, galopant vers la rue. On m'attrapa avant que j'eusse fait dix pas.

A partir de ce moment, les choses se brouillèrent dans ma tête. Parmi les pleurs, les cris et les propos affolés, j'appris que personne n'avait péri dans l'incendie. Mon frère, à ce qu'il semblait, avait en fin de compte suffisamment surmonté sa frayeur pour avertir ma mère, mais pas avant que la moitié de la maison au moins n'eût été détruite. Grand-père et mon oncle, se servant du matelas comme d'un brancard, avaient enlevé grand-mère de son lit et l'avaient mise en sûreté dans une maison voisine. Ma longue absence et mon silence persistant avaient fait croire à tous pendant un moment que j'avais péri dans les flammes. « Tu as failli nous faire mourir de peur », bougonna ma mère, tout en dépouillant de ses feuilles une branche d'arbre qu'elle préparait à l'intention de mes côtes.

Je fus fouetté si fort et pendant si longtemps que je perdis connaissance. Je fus battu à en perdre les sens, et plus tard je me trouvai dans mon lit, braillant comme un possédé, décidé à me sauver, me débattant comme un forcené entre les mains de mon père et de ma mère qui essayaient de me faire tenir tranquille. La peur me cernait de tous côtés comme un brouillard. On fit venir un médecin, je l'appris par la suite ; il dit que je devais garder le lit et que j'avais besoin de repos et de calme, que ma vie en dépendait. J'avais l'impression que mon corps était en feu ; je ne pouvais pas dormir. On me mettait des blocs de glace sur le front pour faire baisser la fièvre. Chaque fois que j'essayais de dormir, je voyais au-dessus de moi deux immenses sacs blancs qui ballottaient comme les pis gonflés d'une vache. Plus tard, lorsque mon état empira, je voyais les sacs en plein jour, les yeux grands ouverts, et j'étais saisi d'effroi en imaginant qu'ils allaient tomber et m'inonder de quelque immonde liquide. Nuit et jour, je suppliais mon père et ma mère d'enlever ces sacs, les montrant du doigt, tremblant de terreur parce que j'étais seul à les voir. D'épuisement, je me laissais glisser vers le sommeil et soudain je me mettais à hurler jusqu'à ce que je fusse de nouveau complètement réveillé ; j'avais peur de m'endormir. Le temps, finalement, m'emporta loin des sacs effrayants ; et je guéris. Mais le souvenir de ma mère qui avait failli me tuer m'obséda longtemps.

Chaque événement parlait un langage occulte et chaque minute de vie intense révélait lentement sa signification cachée. Il y eut l'émerveillement de voir pour la première fois une paire de chevaux pommelés, noir et blanc, genre montagnard, trottant sur la route poudreuse dans un nuage de poussière crayeuse.

Il y avait le ravissement de voir de longues rangées droites de légumes rouges et verts s'étendre au soleil jusqu'à l'horizon lumineux.

Il y avait le baiser léger et frais de la sensualité quand la rosée matinale effleurait mes joues et mes mollets dans mes courses à travers les sentiers verts du jardin mouillé.

Il y avait le vague sens de l'infini lorsque je

contemplais les eaux jaunes et endormies du Mississippi, du haut des escarpements verdoyants du Natchez.

Il y avait les échos nostalgiques que je percevais dans les cris des bandes d'oies sauvages volant vers le sud à travers l'âpre ciel d'automne.

Il y avait la mélancolie harcelante de l'odeur âcre et forte de la fumée du bois d'hickory.

Il y avait le désir lancinant et irréalisable d'imiter l'orgueil puéril des moineaux qui se pavanaient et se trémoussaient dans la poussière rouge des routes campagnardes.

Il y avait la soif d'identification que dégageait en moi la vue d'une fourmi solitaire se hâtant avec son fardeau vers un but mystérieux.

Il y avait le dédain qui m'envahissait lorsque, torturant une délicate écrevisse d'un rose bleuâtre, je la voyais se pelotonner craintivement dans la vase sous une boîte de conserve rouillée.

Il y avait la splendeur douloureuse des masses incandescentes de nuages pourpre et or qu'enflammait un soleil invisible.

Il y avait la terreur liquide dans l'éclat rouge sang que laissait derrière lui le soleil couchant reflété dans les vitres carrées des maisons de bois blanchies à la chaux.

Il y avait la langueur que je sentais en moi en entendant frémir les feuilles vertes dans un bruissement de pluie.

Il y avait le secret incompréhensible que recelait la blancheur mystérieuse d'un champignon vénéneux caché dans l'ombre obscure d'une souche pourrie.

Il y avait la sensation de mort sans mourir que j'éprouvais en regardant un poulet sauter aveuglément après que mon père lui eut arraché le cou d'une rapide torsion du poignet.

Il y avait la bonne blague que j'estimais que Dieu avait faite aux chiens et aux chats en les forçant à laper leur lait à petits coups de langue.

Il y avait la soif que je ressentais en regardant couler lentement le jus clair et doux de la canne à sucre sous le pilon.

Il y avait l'affolement éperdu qui me monta à la gorge et envahit mon sang lorsque je vis pour la première fois les replis flasques et nonchalants d'un serpent à peau bleue dormant au soleil.

Il y avait la stupéfaction muette de voir un goret percé jusqu'au cœur, plongé dans l'eau bouillante, gratté, fendu, étripé et suspendu, tout sanglant et la gueule béante.

Il y avait mon amour pour la royauté muette des grands chênes moussus.

Il y avait le signe de la cruauté cosmique que je percevais en contemplant les solives d'une cabane en bois tordues par le soleil d'été.

Il y avait la salive qui se formait dans ma bouche chaque fois que je sentais l'odeur de la poussière d'argile battue par la pluie fraîche.

Il y avait la notion brumeuse de la faim, quand je respirais le parfum de l'herbe saignante, fraîchement coupée.

Et il y avait aussi la lente terreur qui s'infiltrait dans mes sens quand de vastes brouillards d'or émanaient des cieux lourds d'étoiles et baignaient la terre pendant les nuits silencieuses...

Un jour, ma mère m'annonça que nous irions à Memphis en bateau. Nous devions partir sur le *Kate Adams,* et dès lors mon impatience me fit trouver les jours interminables. Je me couchais chaque soir avec l'espoir que le lendemain serait le jour du départ.

« Comment il est grand, le bateau ? demandai-je à ma mère.

— Comme une montagne, me répondit-elle.

— Est-ce qu'il a un sifflet ?

— Oui.

— Est-ce que le sifflet marche ?

— Oui.

— Quand ?

— Quand le capitaine le fait marcher.

— Pourquoi on l'appelle le *Kate Adams ?*

— Parce que c'est le nom du bateau.

— De quelle couleur qu'il est ?

— Blanc.

— Combien de temps on restera sur le bateau ?

— Toute la journée et toute la nuit.

— On va dormir sur le bateau ?

— Oui, quand nous aurons sommeil, nous dormirons. Et maintenant, tais-toi. »

Pendant des jours et des jours, je rêvai d'un immense bateau blanc flottant sur une vaste étendue d'eau, mais lorsque ma mère m'emmena à

23

l'embarcadère le jour du départ, je vis un minuscule bateau complètement crasseux qui ne ressemblait pas du tout à celui que j'avais imaginé. J'étais déçu, et quand arriva l'heure de monter à bord, je me mis à pleurer ; ma mère crut que je ne voulais pas aller avec elle à Memphis et je ne sus lui dire la cause de mon chagrin. Je me consolai en me promenant sur le bateau et en regardant les Nègres qui jetaient les dés, buvaient du whisky, jouaient aux cartes, se balançaient sur des caisses, mangeaient, bavardaient et chantaient. Mon père me descendit à la salle des machines, et le va-et-vient des pistons me captiva des heures de rang. A Memphis, nous habitions une maison de brique à un seul étage. Les maisons de pierre et les rues cimentées me semblaient mornes et hostiles. L'absence de verdure donnait à la ville un aspect isolé, mort. L'espace habitable consistait pour nous quatre — ma mère, mon frère, mon père et moi — en une cuisine et une chambre à coucher. Devant et derrière la maison s'étendait une cour pavée où nous pouvions jouer, mon frère et moi. Mais j'hésitais longtemps avant de m'aventurer seul dans les rues de la ville étrangère.

C'est dans ce taudis que je pris pour la première fois conscience de la personnalité de mon père. Il était concierge de nuit chez un droguiste de Beale Street, et ne prit d'importance et ne devint pour moi un objet de contrainte que le jour où j'appris qu'il m'était défendu de faire du bruit pendant qu'il dormait dans la journée. C'était lui qui faisait la loi dans la famille et jamais je ne riais en sa présence. Je me glissais timidement sur la porte de la cuisine et je contemplais la masse imposante de son corps à demi affalé sur la table, à l'heure des repas. Pénétré de crainte respectueuse, je le regardais lamper sa bière, à même le seau, s'empiffrer voracement, soupirer, roter, fermer les yeux, et finalement s'assoupir en dodelinant de la tête sur sa panse rebondie. Il était obèse, et son ventre ballonné débordait constamment de sa ceinture. Il resta toujours pour moi un étranger, plus ou moins hostile et distant.

Un beau matin, alors que mon frère et moi jouions derrière la maison, nous trouvâmes un petit chat perdu qui miaulait à fendre l'âme. Nous lui donnâmes quelques miettes de nourriture et nous le fîmes boire, mais il continuait de miauler. Mon père s'amena en caleçon, titubant lourdement, encore à moitié endormi, par la porte de la cuisine et nous ordonna de nous taire. Nous lui répondîmes que c'était le petit chat qui faisait tout ce bruit, et il nous dit de le chasser. Nous essayâmes de faire partir le petit chat, mais il ne voulait rien savoir. Mon père intervint.

« Allez, ouste ! » cria-t-il.

Le petit chat squelettique s'attardait, se frottait contre nos jambes avec des miaulements plaintifs.

« Tuez-moi cette maudite bête ! grogna mon père. Faites ce que vous voulez, mais débarrassez-moi de ça ! »

Il rentra dans la maison en grommelant. Je lui en voulais d'avoir crié et cela m'agaçait de ne pouvoir lui montrer mon ressentiment. Comment lui rendre la monnaie de sa pièce ? Ah ! oui… Il avait dit de tuer le chat, alors je le tuerais ! Je savais qu'il n'avait pas vraiment voulu me dire de tuer le chat, mais ma profonde haine pour lui me poussa à le prendre au pied de la lettre.

« Il a dit qu'on tue le petit chat, dis-je à mon frère.

— Il le pensait pas vraiment, repartit celui-ci.

— Si, il le pensait. Moi, j' vais le tuer !

— Mais c'est à ce moment-là qu'il va brailler, dit mon frère.

— Il pourra pas brailler s'il est mort.

— Il a pas vraiment voulu dire qu'on le tue, protesta mon frère.

— J' te dis que si ! Tu l'as bien entendu ! »

Mon frère se sauva, effrayé. Je trouvai un morceau de corde et j'en fis un grand nœud coulant que je passai autour du cou du chat. Puis je glissai la corde sur un clou et j'arrachai l'animal du sol. Il haleta, bava, tournoya, se plia en deux, battit désespérément le vide de ses griffes et finalement sa bouche s'ouvrit toute grande, laissant pendre une langue blanche et rose. J'attachai la corde à un clou et je me mis à la recherche de mon frère. Il était tapi dans un coin de la maison.

« Je l'ai tué, chuchotai-je.

— T' as mal fait, dit mon frère.

— Maintenant, papa va pouvoir dormir, dis-je, tout content de moi.

— Il voulait pas vraiment que tu le tues, répéta mon frère.

— Alors pourquoi qu'il m'a *dit* de le faire ? »
demandai-je.

Mon frère ne sut que répondre ; il fixait craintivement le chat qui se balançait.

« Le petit chat va se venger sur toi, dit-il.

— Il ne respire même plus, ton petit chat.

— Je vais le dire », fit mon frère en se sauvant
dans la maison.

J'attendis, résolu à me défendre à l'aide des
paroles inconsidérées de mon père ; je jouissais par
anticipation de la satisfaction que j'aurais à les lui
répéter, bien que je fusse conscient du fait qu'il les
avait prononcées dans la colère. Ma mère accourut,
s'essuyant les mains à son tablier. Elle s'arrêta et
pâlit quand elle vit le chat pendu au bout de la
corde.

« Au nom du Ciel, qu'est-ce que tu as fait ?
interrogea-t-elle.

— Le petit chat faisait du bruit et papa m'a dit
de le tuer, expliquai-je.

— Petit imbécile ! fit-elle. Ton père va te corriger !

— Mais il m'a dit de le tuer.

— Veux-tu te taire ! »

Elle me saisit par la main et me traîna jusqu'au lit
de mon père et lui raconta ce que j'avais fait.

« On n'est pas idiot à ce point-là ! gronda mon
père.

— Tu m'as dit de le tuer.

— Je t'ai dit de me débarrasser de lui.

— Tu m'as dit de le tuer, ripostai-je d'un ton assuré.

— Sors d'ici ou je vais t' flanquer une paire de baffes ! » beugla mon père d'un air dégoûté ; après quoi il me tourna le dos et se renfonça sous les couvertures.

Ce fut ma première victoire sur mon père. Je lui avais fait croire que j'avais pris ses paroles à la lettre. Il ne pouvait me punir maintenant sans compromettre son autorité. J'étais heureux parce que j'avais enfin trouvé le moyen de le critiquer ouvertement. Je lui avais fait comprendre que s'il me battait pour avoir tué le chat, je n'attacherais plus désormais aucune valeur à ses paroles. Je lui avais fait comprendre que je savais à quel point il était cruel, et cela, sans lui donner la possibilité de me punir.

Mais ma mère, plus imaginative, riposta en mettant ma sensibilité à la torture ; elle me montra l'horreur morale que comportait l'acte de supprimer une existence. Pendant tout l'après-midi, je fus en butte de sa part à des paroles calculées pour engendrer dans mon cerveau une horde de démons invisibles qui s'acharnaient à tirer vengeance de ce que j'avais fait. A la tombée de la nuit, l'angoisse me saisit et j'eus peur d'entrer seul dans une chambre vide.

« Jamais tu ne pourras racheter ce que tu as fait, dit ma mère.

— Je regrette, marmonnai-je.

— C'est pas avec des regrets que tu ressusciteras le petit chat », fit-elle.

Puis, juste au moment où j'allais me coucher, elle proféra une injonction qui eut le don de me paralyser ; elle me commanda de sortir dans le noir, de creuser une tombe et d'y enterrer le chat.

« Non ! » hurlai-je, certain que si je sortais de la maison, quelque esprit malin allait me sauter dessus et m'escamoter.

« Allons, dépêche-toi d'aller enterrer ce pauvre petit chat, ordonna-t-elle.

— J'ai peur !

— Et tu crois qu'il n'avait pas peur, le petit chat, quand tu lui as passé la corde autour du cou ? demanda-t-elle.

— C'était un chat, répondis-je en manière d'excuse.

— Mais il était vivant. Es-tu capable de le ressusciter ?

— Mais puisque papa m'avait dit de le tuer », dis-je, m'efforçant de rejeter le blâme sur mon père.

Ma mère m'allongea une grande claque sur la bouche.

« T'as pas fini de mentir ! Tu savais bien ce qu'il voulait dire !

— C'est pas vrai ! »

Elle me mit une petite bêche dans la main.

« Va là-bas, creuse un trou et enterre le petit chat. »

Je sortis en trébuchant dans la nuit noire ; j'avais les jambes en flanelle et je sanglotais de peur. Je

29

savais que j'avais tué le chat, cependant les paroles de ma mère le faisaient revivre dans mon esprit. Qu'est-ce qu'il allait me faire quand je le toucherais ? Est-ce qu'il n'allait pas essayer de me griffer les yeux ? Je m'avançai à tâtons vers le cadavre du petit chat ; ma mère était demeurée derrière moi, invisible dans l'obscurité, et sa voix, comme désincarnée, me stimulait.

« Maman, viens à côté de moi, suppliai-je.

— Tu n'es pas resté à côté du petit chat, pourquoi veux-tu que je reste à côté de toi ? demanda-t-elle sur un ton de mépris, du fond des ténèbres menaçantes.

— J' peux pas le toucher », dis-je en pleurnichant.

Je sentais les yeux pleins de reproches du petit chat me fixer avec intensité.

« Détache-le ! » commanda-t-elle.

En frissonnant, je défis la corde à tâtons et le chat tomba sur le sol avec un bruit mat qui devait se répercuter dans mon esprit durant des jours et des nuits. Puis, obéissant à la voix immatérielle de ma mère, je me mis en quête d'un coin propice, je creusai un trou peu profond et y enterrai le petit chat. Au contact du cadavre roide et glacé, j'eus la chair de poule. Quand j'eus achevé l'enterrement, je poussai un soupir de soulagement et m'apprêtai à rentrer à la maison, mais ma mère me prit par la main et me ramena devant la tombe du petit chat.

« Ferme les yeux et répète après moi », ordonnat-elle.

Je fermai énergiquement les paupières, ma main cramponnée à la sienne.

« Notre Père qui êtes aux cieux, pardonnez-moi, car je ne savais pas ce que je faisais...

— Notre Père qui êtes aux cieux, pardonnez-moi, car je ne savais pas ce que je faisais, répétai-je. Soyez miséricordieux et épargnez ma vie, bien que je n'ai pas épargné celle du petit chat... Et pendant mon sommeil, cette nuit, ne venez pas m'arracher le souffle de la vie... »

J'ouvris la bouche, mais cette fois aucun son n'en sortit. Mon cerveau était glacé d'horreur. Je me voyais en train d'étouffer dans mon lit, de mourir dans mon sommeil. Je m'arrachai à ma mère et je me sauvai dans la nuit en pleurant et en tremblant d'épouvante.

« Non », sanglotai-je.

Ma mère m'appela à plusieurs reprises, mais en vain.

« Enfin... tâche que ça te serve de leçon », conclut-elle au bout d'un moment.

J'allai me coucher tout contrit, en souhaitant ne plus jamais voir un chat de ma vie.

La faim s'insinua en moi si lentement que tout d'abord je ne compris pas ce que signifiait cette sensation. La faim m'avait toujours plus ou moins talonné pendant que j'étais en train de jouer, mais à présent il m'arrivait de me réveiller la nuit et de la trouver installée à mon chevet, me fixant de son œil sinistre. La faim que j'avais connue jusqu'alors n'était pas cette étrangère, féroce et hostile ; c'était une faim normale qui m'avait poussé à réclamer sans arrêt du pain, et lorsque j'en avais mangé une croûte ou deux j'étais satisfait. Mais cette faim d'un nouveau genre me déconcertait, me terrifiait, me rendait irritable et exigeant. Maintenant, chaque fois que je demandais à manger, ma mère me versait une tasse de thé qui faisait taire un moment les clameurs de mes entrailles ; mais peu de temps après je sentais la faim qui me tenaillait les côtes et tordait mes boyaux vides à m'en faire mal.

Le vertige me gagnait et ma vue se brouillait. Je jouais avec moins d'ardeur, et pour la première fois de ma vie je dus m'arrêter pour réfléchir à ce qui m'arrivait.

« Maman, j'ai faim.

— Alors saute et attrape un croquin, dit-elle pour essayer de me faire rire et penser à autre chose.

— Qu'est-ce que c'est un croquin ?

— C'est ce que mangent les petits garçons quand ils ont faim.

— Quel goût ça a ?

— Je ne sais pas.

— Alors, pourquoi tu m' dis d'en attraper un ?

— Parce que tu m'as dit que tu avais faim », répondit-elle en souriant.

Je sentis qu'elle me taquinait et cela m'irrita.

« Mais j'ai faim, je veux manger.

— Faudra que tu attendes.

— Mais je veux manger maintenant.

— Il n'y a rien à manger, me dit-elle.

— Pourquoi ?

— Parce que c'est comme ça.

— Mais je veux manger, dis-je, commençant à pleurer.

— Eh ben, faudra que t'attendes, répéta-t-elle.

— Mais pourquoi ?

— Faut attendre que le bon Dieu nous envoie de quoi manger.

— Quand c'est qu'Il va nous en envoyer ?

— Je ne sais pas.

— Mais j'ai faim ! »

Elle posa son fer à repasser et me regarda avec des larmes plein les yeux.

« Où est ton père ? » me demanda-t-elle.

Je la regardai d'un air effaré. Mais oui, au fait, mon père n'était pas rentré coucher à la maison depuis fort longtemps et j'avais le droit de faire autant de bruit qu'il me plaisait. Bien qu'ignorant le motif de son absence, j'étais content qu'il ne soit pas toujours là en train de me hurler aux oreilles et de m'imposer sa contrainte. Mais il ne m'était jamais venu à l'idée que son absence nous vaudrait de ne plus rien avoir à manger.

« Je ne sais pas, répondis-je.

— Qu'est-ce qui apporte à manger à la maison ? me demanda ma mère.

— Papa, répondis-je. Il a toujours rapporté à manger.

— Eh bien, ton père n'est pas là en ce moment.

— Où il est ?

— Je ne sais pas, répondit-elle.

33

— Mais j'ai faim, dis-je en geignant et en tapant des pieds.

— Tu attendras que j'aie trouvé une place et que j'aie gagné de quoi acheter à manger », dit-elle.

Les jours passaient, et peu à peu l'image de mon père s'associa aux affres de la faim, si bien que chaque fois que j'avais faim, je pensais à lui avec une profonde amertume biologique.

Ma mère trouva finalement du travail comme cuisinière et nous laissa tous les jours seuls au logis, mon frère et moi, avec une miche de pain et un pot de thé. Quand elle rentrait le soir, elle était fatiguée et déprimée, et elle pleurait beaucoup. Quelquefois, quand le désespoir la prenait, elle nous appelait auprès d'elle et nous parlait des heures durant, nous racontant que nous n'avions plus de père désormais, que nos vies ne seraient plus celles des autres enfants, qu'il nous faudrait apprendre le plus vite possible à nous débrouiller tout seuls, à nous habiller, à préparer notre nourriture ; que nous devions assumer la charge du logis pendant qu'elle travaillait. A moitié effrayés, nous promettions solennellement. Nous ne comprenions pas ce qui s'était passé entre notre père et notre mère et, en définitive, le seul effet de ces longues conversations fut de nous remplir d'une vague angoisse. Chaque fois que nous demandions pourquoi notre père nous avait quittés, elle nous répondait que nous étions trop jeunes pour comprendre.

Un soir, ma mère m'annonça que dorénavant ce serait moi qui ferais les commissions. Elle m'emmena à la boutique du coin pour me montrer le chemin. J'étais fier ; je me sentais devenu une grande personne. Le lendemain après-midi, je passai mon panier au bras, je descendis dans la rue et me dirigeai vers la boutique. Comme j'arrivais au coin de la rue, une bande de gamins m'empoigna, me renversa, m'arracha mon panier et s'empara de mon argent. Je rentrai chez moi en courant, complètement affolé. Ce soir-là, je racontai à ma mère ce qui était arrivé, mais elle ne fit aucun commentaire ; elle s'assit immédiatement, écrivit une nouvelle liste de commission, me redonna de l'argent et me renvoya à l'épicerie. Je descendis les marches en hésitant, et je vis la même bande de gamins en train de jouer au bout de la rue. Je rentrai dans la maison en courant.

« Qu'est-ce qui se passe ? demanda ma mère.

— C'est cette bande de garçons qui est encore là, dis-je. Ils vont me taper dessus.

— A toi de te débrouiller, dit-elle. Allons, va.

— J'ai peur, dis-je.

— Va, j' te dis ; tu n'as qu'à ne pas t'occuper d'eux. »

Je sortis de la maison et suivis le trottoir d'un pas décidé, faisant des vœux pour que la bande ne me malmène pas. Mais quand j'arrivai à sa hauteur, quelqu'un s'écria : « Le voilà ! »

Ils s'amenèrent vers moi, alors je me mis à courir comme un fou vers la maison. Ils me rattrapèrent et me jetèrent sur le pavé. Je braillai, suppliai, me débattis à coups de pied, mais ils m'arrachèrent l'argent de la main. Ils me remirent brutalement debout, me donnèrent quelques claques et me renvoyèrent chez moi, sanglotant. Ma mère m'attendait devant la porte.

« Ils m-m-m'ont ba-battu, dis-je d'une voix entrecoupée de sanglots. Ils ont p-p-pris l'argent. »

Je m'apprêtais à remonter les marches du perron pour me réfugier dans la maison.

« Ne t'avise pas de revenir ici », dit ma mère d'un ton menaçant.

Tout mon sang se figea ; je restai comme pétrifié, la regardant avec des yeux écarquillés.

« Mais ils me poursuivent, dis-je.

— Reste où tu es, dit-elle d'une voix implacable. Ce soir, je vais t'apprendre à te défendre tout seul. »

Elle rentra à la maison et j'attendis, terrifié, me demandant où elle voulait en venir. Elle revint avec de l'argent et une nouvelle liste ; elle tenait également à la main un long et lourd bâton.

« Prends cet argent, cette liste et ce bâton, dit-elle. Tu vas aller à la boutique faire les commissions, et si ces gosses t'embêtent, bats-toi avec eux. »

J'étais complètement dérouté. Ma mère me disait de me battre, chose qu'elle n'avait jamais faite auparavant.

« Mais j'ai peur, dis-je.

— Je ne veux pas te voir rentrer à la maison sans ces commissions, dit-elle.

— Ils vont me battre ; ils vont me battre ! dis-je.

— Alors, reste dans la rue, ne reviens pas ici ! »

Je grimpai les marches en courant et tentai d'entrer de force dans la maison. Une gifle s'abattit sur ma mâchoire. Je m'immobilisai sur le trottoir, pleurant à chaudes larmes.

« S'il te plaît, m'man, laisse-moi attendre jusqu'à demain, dis-je d'un ton suppliant.

— Non, coupa-t-elle. Va-t'en tout de suite ! Et si tu oses revenir dans cette maison sans rapporter les commissions, tu seras fouetté ! »

Sur ce, elle claqua la porte et j'entendis la clef tourner dans la serrure. Je tremblais de peur. J'étais tout seul dans la rue sombre et hostile avec toute cette bande de gamins après moi. J'avais le choix entre recevoir une correction à la maison ou la recevoir dans la rue. Tout en pleurant, je serrai le bâton de toutes mes forces, essayant de raisonner. Si j'étais battu à la maison il me faudrait en prendre mon parti, mais si on me battait dans la rue, j'avais au moins une chance de me défendre. Je longeai lentement le trottoir, me rapprochant de la bande de gamins, tenant ferme mon bâton. J'étais tellement affolé que c'est à peine si je pouvais respirer. J'étais presque sur eux. Un cri s'éleva : « Le revoilà ! »

Je fus rapidement cerné. Ils tentèrent d'attraper ma main.

« J' vous tuerai », dis-je d'un ton menaçant.

Alors ils se rapprochèrent. Saisi d'une peur aveugle, je fis tournoyer mon bâton et je le sentis cogner contre un crâne. Je frappai de nouveau et mon bâton heurta un autre crâne, puis un autre encore. Me rendant compte qu'ils reviendraient à la charge si je me relâchais un seul instant, je luttais pour les abattre, pour les étendre raides, pour les tuer afin qu'ils ne me frappent pas à leur tour. Je tapais comme un sourd, les yeux pleins de larmes, les dents serrées, envahi par une peur atroce qui me faisait frapper de toute la force dont j'étais capable. Je cognais sans désemparer, lâchant l'argent et la liste des commissions. Les garçons se débandèrent en hurlant et en se frottant la tête. Ils n'avaient jamais vu une pareille frénésie. Je restai planté là, à bout de souffle, les défiant de la voix et du geste. Voyant qu'ils refusaient de venir se battre, je me mis à leur poursuite, alors ils détalèrent à fond de train et rentrèrent chez eux en braillant comme des possédés ; leurs parents se précipitèrent dans la rue et me menacèrent, et pour la première fois de ma vie je m'en pris à des grandes personnes, leur criant que je leur réservais le même sort s'ils venaient m'embêter. En fin de compte, je retrouvai ma liste et mon argent, et je me rendis au magasin. En revenant, je brandissais mon bâton, prêt à toute éventualité, mais il n'y avait plus un seul garçon en vue. Cette nuit-là, je gagnai mon droit de cité dans les rues de Memphis.

Par une matinée d'été, alors que ma mère était partie au travail, je suivis une foule d'enfants noirs, abandonnés le jour par leurs parents qui travaillaient, jusqu'au pied d'une colline au sommet de laquelle se dressait une longue file de latrines grossièrement construites en planches vermoulues et dont l'arrière ouvert à tous vents offrait un spectacle cru et saisissant. Nous nous blottissions au bas de la colline, à une distance d'environ 25 à 30 pieds, et de là, nous nous repaissions du spectacle des anatomies secrètes et fantastiques de femmes et d'hommes, noirs, bruns, jaunes ou ivoire. Nous restions là des heures, riant, montrant du doigt, chuchotant, plaisantant et identifiant nos voisins grâce à leurs particularités physiologiques, commentant les difficultés ou la force de projection de leurs excréments. Parfois, une grande personne nous apercevait et nous chassait avec des cris de dégoût. De temps à autre, des enfants de deux ou trois ans émergeaient de derrière la colline, le visage barbouillé et l'haleine fétide. Finalement, un policeman blanc fut posté derrière les cabinets pour éloigner les enfants, et notre cours d'anatomie humaine s'en trouva suspendu.

Pour nous empêcher de faire des sottises, ma mère nous emmenait souvent à son travail, mon frère et moi. Affamés et silencieux, nous restions debout à la regarder aller du fourneau à l'évier, du placard à la table. J'ai toujours aimé me trouver dans la cuisine des Blancs quand ma mère faisait la cuisine, car je recevais à l'occasion des restes de pain ou de viande ; mais souvent je regrettais d'être venu, car mes narines étaient assaillies par l'odeur d'une nourriture qui ne m'appartenait pas et qu'il m'était défendu de manger. Vers le soir, ma mère portait les plats fumants dans la salle à manger où étaient assis les Blancs et je me plaçais aussi près que possible de la porte de la salle à manger pour tâcher d'apercevoir furtivement les visages des Blancs qui mangeaient, parlaient et riaient autour de la table surchargée de plats. Quand les Blancs laissaient quelque chose, mon frère et moi mangions à notre faim, sinon nous devions nous contenter de notre ordinaire de pain et de thé.

A regarder manger les Blancs, mon estomac vide se contractait et une colère sourde montait en moi. Pourquoi ne pouvais-je pas manger quand j'avais faim ? Pourquoi faut-il toujours que j'attende jusqu'à ce que les autres aient fini ? Je n'arrivais pas à comprendre pourquoi certaines personnes avaient assez à manger et d'autres pas.

C'était maintenant devenu chez moi un besoin irrésistible de vagabonder du matin au soir pendant que ma mère faisait la cuisine chez les Blancs. A une rue de chez nous se trouvait un bar devant lequel j'avais l'habitude de flâner tout au long de la journée. L'intérieur de ce bar était un endroit merveilleux qui m'attirait et en même temps m'effrayait. Je mendiais des sous, puis je reluquais sous les portes battantes les hommes et les femmes en train de boire. Lorsqu'un voisin me chassait de là, je suivais les ivrognes dans la rue, essayant de comprendre leurs marmottages mystérieux, les montrant du doigt, me moquant d'eux, leur éclatant de rire au nez, les singeant, les défiant, raillant leur démarche titubante et leurs gestes incohérents. Pour moi, le spectacle le plus amusant était celui d'une ivrognesse qui trébuchait et urinait en marchant, l'humidité suintant le long de ses bas jusque sur ses mollets. Ou encore je regardais, horrifié, un homme en train de vomir. Quelqu'un mit ma mère au courant de l'attrait que j'éprouvais pour le bar, et elle me flanqua une raclée, mais cela ne guérit pas ma passion et je continuai à guigner sous les portes battantes et à écouter les paroles sans suite des ivrognes tandis qu'elle était au travail.

Par un après-midi — j'avais alors six ans — pendant que j'étais occupé à lorgner à l'intérieur du bar du quartier, un Noir me saisit par le bras et m'entraîna dans les profondeurs bruyantes et enfumées de l'établissement. L'odeur de l'alcool me piqua les narines. Je hurlai et me débattis, essayant de me libérer, effrayé par la foule d'hommes et de femmes qui me regardaient, mais il ne voulut pas me lâcher. Il me souleva, m'assit sur le comptoir, mit son chapeau sur ma tête et commanda à boire pour moi. Des femmes et des hommes, éméchés, se mirent à hurler de joie. Quelqu'un essaya de me fourrer un cigare dans la bouche, mais je réussis à me dégager.

« Qu'est-ce que ça te fait d'être assis là comme un homme, mon garçon ? demanda quelqu'un.

— Y a qu'à le soûler. Ça lui ôtera l'envie de venir guigner sous la porte, dit un homme.

— Commandons-lui à boire », fit un autre.

Les yeux écarquillés, je regardai autour de moi, et bientôt je me sentis un peu rassuré.

On mit un verre de whisky devant moi.

« Bois ça, mon petit », fit quelqu'un.

Je secouai la tête. L'homme qui m'avait fait entrer de force me poussait à boire, me disant que cela ne me ferait pas de mal. Je refusai.

« Bois, ça te fera du bien », dit-il.

Je bus un petit coup et me mis à tousser. Les hommes et les femmes éclatèrent de rire. Toute la clientèle du bar était maintenant rassemblée autour de moi et chacun m'incitait à boire. Je bus encore un petit coup. Puis un autre. La tête me tournait et je riais. On me reposa par terre et en gloussant je me mis à courir en zigzags parmi la foule enthousiaste. Je buvais à tous les verres. Je ne tardai pas à être ivre.

Un homme m'appela et me murmura quelques mots à l'oreille en me promettant une pièce de cinq *cents* si j'allais trouver une femme pour les lui répéter. Je lui dis que je le ferais ; il me donna le nickel, je m'élançai vers la femme et lui criai ce qu'il m'avait dit. Une tempête de rires secoua toute la salle.

« N'apprends pas des choses pareilles à ce garçon, dit quelqu'un.

— Il ne sait pas ce que ça veut dire », fit un autre.

A partir de ce moment, pour deux sous ou pour un nickel, je répétais à n'importe qui tout ce qu'on me chuchotait. A travers les brouillards de l'alcool, la façon dont les hommes et les femmes réagissaient aux mots mystérieux m'enchantait et me fascinait. Je courais de l'un à l'autre, riant, hoquetant, vomissant des ordures qui les pliaient en deux à force de rire.

« Laissez ce gosse tranquille, dit quelqu'un.

— Ça lui fera pas de mal, dit un autre.

— C'est une honte, dit une femme en pouffant.

— Rentre à la maison ! » me brailla quelqu'un.

Vers le soir, ils me laissèrent partir. Je titubais le long de la chaussée, ivre, répétant des obscénités à la grande horreur des femmes que je rencontrais et au grand amusement des hommes qui rentraient de leur travail. Mendier à boire au bar devint chez moi une obsession. Souvent, le soir, ma mère me trouvait en train d'errer, étourdi par les fumées de l'alcool ; alors elle me ramenait à la maison et me flanquait une correction ; mais le lendemain, elle n'était pas plus tôt partie à son travail que je me précipitais au bar où j'attendais que quelqu'un me fasse entrer et me paie à boire. Ma mère, en larmes, protesta auprès du patron de l'établissement et ce dernier m'ordonna de ne plus remettre les pieds chez lui. Mais les hommes — peu enclins à renoncer à leur distraction favorite — s'arrangeaient quand même pour me payer à boire ou me faisaient boire à même leurs flasques, en pleine rue, tout en m'incitant à répéter des obscénités.

A l'âge de six ans, avant même d'aller à l'école, j'étais un ivrogne accompli. Accompagné d'une bande de gosses, je vagabondais dans les rues, mendiant des sous aux passants, rôdant autour des bars et des tripots, m'éloignant chaque jour de plus en plus de la maison.

Je voyais plus de choses que je n'en pouvais comprendre et j'en entendais plus que je ne pouvais me rappeler. Les moments où je mendiais à boire devinrent pour moi le principal attrait de la vie. Ma mère était désespérée. Elle me battait, ensuite elle priait et se lamentait en pleurant à mon sujet, m'implorant d'être sage, me disant qu'elle était obligée de travailler, toutes choses qui n'avaient aucun poids sur mon esprit indocile. En fin de compte, elle nous confia, mon frère et moi, à la garde d'une vieille Négresse qui exerçait sur moi une surveillance de tous les instants afin de m'empêcher de courir aux portes des bars et de mendier du whisky. Ma passion pour l'alcool finalement m'abandonna et j'en oubliai le goût.

Il y avait dans le voisinage de nombreux écoliers qui s'attardaient pour jouer l'après-midi en rentrant chez eux ; ils laissaient leurs livres sur le trottoir et moi je feuilletais les pages et les interrogeais sur ces caractères d'imprimerie qui me paraissaient une chose mystérieuse. Quand j'eus appris à reconnaître certains mots, j'annonçai à ma mère que je voulais apprendre à lire, et elle m'encouragea. Je fus bientôt à même de m'y retrouver à travers les pages des livres d'enfants sur lesquels je tombais. Peu à peu, je me sentis dévoré de curiosité à l'égard de ce qui se passait autour de moi, et lorsque ma mère rentrait après une dure journée de travail, je l'abrutissais de questions sur ce que j'avais entendu dans la rue, et j'y mettais une telle insistance qu'elle finissait par refuser de me répondre.

Par une matinée glaciale, ma mère me réveilla et m'annonça qu'il n'y avait pas de charbon à la maison, et qu'en conséquence elle emmenait mon frère avec elle à son travail ; pour moi, je devais rester au lit jusqu'à ce que le charbon qu'elle avait commandé fût livré. Elle me laissa pour payer le charbon un billet et un peu de monnaie sous le napperon de la commode. Je me rendormis et je fus réveillé par la sonnette de la porte. J'ouvris, je fis entrer le charbonnier et lui donnai l'argent et le billet. Il apporta quelques seaux de charbon, puis s'attarda et me demanda si j'avais froid.

« Oui », répondis-je en frissonnant.

Il alluma le feu, après quoi il s'assit et se mit à fumer.

« Combien je dois te rendre comme monnaie ? me demanda-t-il.

— Je ne sais pas, répondis-je.

— Tu n'as pas honte ? fit-il. Tu ne sais donc pas compter ?

— Non, m'sieur, répondis-je.

— Écoute, et répète après moi », fit-il.

Il compta jusqu'à dix et j'écoutai attentivement ; puis il me demanda de compter tout seul, et j'obéis. Il me fit ensuite apprendre par cœur les mots, vingt, trente, etc., puis il me dit d'ajouter un, deux trois, et ainsi de suite. En moins d'une heure j'avais appris à compter jusqu'à cent et j'étais au comble de la joie. Longtemps après le départ du charbonnier, je dansai sur mon lit en chemise de nuit, comptant et recomptant jusqu'à cent, craignant d'oublier les nombres si je cessais de les répéter. Quand ma mère rentra de son travail ce soir-là, je la persuadai de rester tranquille et de m'écouter compter jusqu'à cent. Elle en resta confondue. A la suite de cet incident, elle m'apprit à lire et me raconta des histoires. Le dimanche je lisais les journaux, ma mère me guidait et m'épelait les mots.

Je ne tardai pas à me rendre insupportable à force de poser des questions à tout le monde. Tout ce qui se passait dans le voisinage, jusqu'aux choses les plus insignifiantes, était devenu mon affaire personnelle. C'est de cette façon que je me heurtai pour la première fois aux rapports entre Blancs et Noirs, et ce que je découvris m'épouvanta. Je savais depuis longtemps qu'il y avait des gens appelés « Blancs » mais ce fait n'avait jamais eu pour moi une signification suffisamment claire pour m'émouvoir. J'avais vu mille fois des Blancs et des Blanches dans les rues, mais ils ne m'avaient jamais paru particulièrement « blancs ». Pour moi, c'étaient simplement des gens comme les autres et cependant curieusement différents, car je n'avais eu de contact direct avec aucun d'eux ; la plupart du temps, je ne pensais pas à eux ; ils existaient simplement comme un tout, une sorte de masse sur la toile de fond de la ville. Il se peut que mon retard à considérer les Blancs en tant que « Blancs » vînt du fait qu'un certain nombre de membres de ma famille étaient des gens qui pouvaient passer pour « Blancs ». Ma grand-mère, qui était aussi blanche que n'importe quelle « Blanche », ne m'avait pas semblé « blanche ». Et quand on raconta parmi les Noirs du voisinage qu'un garçon noir avait été cruellement battu par un homme « blanc », je trouvai que l'homme « blanc » avait le droit de battre le garçon « noir », car j'étais naïvement convaincu que l'homme « blanc » devait être le père du garçon « noir ». Et tous les pères n'avaient-ils pas le droit, tout comme le mien, de battre leurs enfants ? Le droit paternel était le seul, à ma connaissance, qui donnât à un homme le droit de battre un enfant. Mais lorsque ma mère m'apprit que l'homme blanc n'était pas le père du garçon noir et ne lui était pas le moins du monde apparenté, j'en restai médusé.

« Alors pourquoi que le " Blanc " a fouetté le garçon " noir " ? demandai-je à ma mère.

— Le " Blanc " n'a pas *fouetté* le garçon " noir ", répondit ma mère. Il l'a frappé.

— Mais pourquoi ?

— Tu es trop jeune pour comprendre.

— Je ne me laisserai pas batt' par personne, dis-je d'un air résolu.

— Alors cesse de vadrouiller par les rues », conclut ma mère.

Je méditai longuement sur la correction que le Blanc avait, sans cause apparente, infligée au garçon noir et plus je posais de questions, plus j'étais troublé. Chaque fois maintenant que je voyais des Blancs, je les regardais fixement, me demandant quelle sorte de gens c'était.

Je commençai à aller en classe au Howard Institute à un âge assez tardif, ma mère n'ayant pu m'acheter les vêtements nécessaires pour me rendre présentable. Les garçons du quartier m'emmenèrent en classe le premier jour et en arrivant aux abords de l'école, je fus pris de panique ; je voulais rentrer à la maison et remettre la chose à plus tard. Mais les garçons me prirent simplement par la main et m'entraînèrent à l'intérieur du bâtiment. J'étais muet d'épouvante, et les autres enfants furent obligés de décliner mon identité, de donner au maître mon nom et mon adresse. J'étais assis et j'écoutais les élèves réciter ; je savais et je comprenais ce qui se disait et se faisait, mais j'étais absolument incapable d'ouvrir la bouche quand on m'interrogeait. Autour de moi, les élèves semblaient si sûrs d'eux que je désespérais de pouvoir jamais me conduire comme eux.

A midi, dans la cour de récréation, je me joignis à un groupe de garçons plus âgés et je les suivis partout, écoutant leur conversation, posant des questions sans fin. Pendant cette récréation de midi, j'appris tous les mots orduriers qui servaient à décrire les fonctions physiologiques et sexuelles et je m'aperçus que je les connaissais déjà — je les avais prononcés au bar — bien qu'ignorant leur signification. Un grand garçon noir récita une poésie burlesque en vers de mirliton, parfaitement ordurière, où étaient décrits en détail les rapports sexuels entre hommes et femmes, et je me la rappelai par cœur après l'avoir entendue une seule fois. Cependant, malgré ma mémoire fidèle, il me fut impossible de réciter quand je retournai en classe. Le maître m'interrogea et je me levai, mon livre devant moi, mais je ne pus articuler une seule syllabe. Je sentais dans mon dos la présence de tous ces garçons et ces filles inconnus qui attendaient que je lise, et la peur me paralysait.

Et cependant lorsque la classe fut terminée, ce premier jour, je courus joyeusement à la maison, le cerveau chargé de connaissances d'un genre leste et corsé, mais sans une seule idée prise dans des livres. J'engloutis mon repas froid qui était resté sur la table, je saisis un morceau de savon et je me précipitai dans la rue, impatient de faire étalage de ce que j'avais appris à l'école durant la matinée. Allant d'une fenêtre à l'autre, j'écrivis en énormes lettres avec le savon les mots orduriers dont j'avais récemment fait l'acquisition. J'avais écrit sur presque toutes les fenêtres du quartier quand une femme m'arrêta et me renvoya à la maison. Ce même soir, la femme alla trouver ma mère et lui apprit ce que j'avais fait, en l'emmenant d'une fenêtre à l'autre pour lui faire voir mes griffonnages suggestifs. Ma mère fut horrifiée. Elle me demanda instamment de lui raconter où j'avais appris ces mots et refusa de me croire quand je l'assurai que je les avais appris à l'école. Elle alla chercher un seau et un torchon, me prit par la main et m'amena devant une vitre barbouillée.

« Maintenant frotte jusqu'à ce que tu aies effacé ce mot-là », ordonna-t-elle.

Les voisins s'attroupèrent avec des petits rires, marmonnant des paroles de commisération et d'ahurissement, demandant à ma mère comment diable j'avais pu apprendre autant en si peu de temps. Je frottai les mots orduriers écrits au savon et peu à peu je me sentis devenir fou de rage. Je sanglotais et je suppliais ma mère de me laisser tranquille, lui promettant de ne plus recommencer ; mais elle ne céda pas avant que le dernier mot eût été effacé. Je n'écrivis plus jamais de mots de ce genre, je les gardai pour moi.

Après l'abandon de mon père, les ardentes dispositions religieuses de ma mère dominèrent le ménage et l'on m'emmena souvent à l'école du dimanche où je fis connaissance du représentant de Dieu, sous la forme d'un grand pasteur noir. Un dimanche, ma mère invita le grand pasteur noir à manger du poulet rôti. J'étais heureux, non à cause de la venue du pasteur, mais à cause du poulet. Un ou deux voisins étaient également invités. Mais le prédicateur ne fut pas plus tôt arrivé que je commençai à lui en vouloir, car je me rendis vite compte qu'il était habitué, comme mon père, à ce qu'on fasse ses quatre volontés. L'heure du déjeuner arriva, et je me vis coincé à table entre des grandes personnes qui riaient et bavardaient. Un immense plat de poulet rôti jaune doré trônait au milieu de la table. Comparant le bol de soupe que j'avais devant moi avec le poulet croustillant, je me décidais en faveur du poulet. Les autres commencèrent à manger leur soupe, mais je ne pus toucher à la mienne.

« Mange ta soupe, dit ma mère.

— Je n'en veux pas.

— Tu n'auras rien d'autre tant que tu n'auras pas fini ta soupe », fit-elle.

Le pasteur avait fini sa soupe et avait demandé qu'on lui passe le plat de poulet. J'étais très vexé. Il souriait, dodelinant de la tête, choisissant avec soin les meilleurs morceaux. Je me forçai à avaler une cuillerée de soupe et je regardai pour voir si ma vitesse égalait celle du pasteur. Point. Je m'efforçai d'avaler ma soupe plus vite, mais ce fut en pure perte ; les autres se servaient, maintenant, et le plat était plus qu'à moitié vide. Alors j'abandonnai et m'immobilisai, fixant désespérément les morceaux de poulet rôti qui disparaissaient comme par enchantement.

« Mange ta soupe ou tu n'auras rien », m'avertit ma mère. Je lui jetai un regard craintif, mais je ne pus répondre. Tandis que les morceaux de poulet s'en allaient l'un après l'autre, il m'était impossible de manger ma soupe. Une colère folle m'envahit. Le pasteur riait et plaisantait et les grandes personnes étaient suspendues à ses paroles. Ma haine croissante pour lui finit par dépasser en importance Dieu et la religion, et finalement la situation devint intolérable. D'un bond, je me levai de table, sachant que j'aurais dû avoir honte de ce que je faisais, mais incapable de m'arrêter ; je sortis de la pièce en courant comme un possédé et en poussant des hurlements.

« Il va manger tout le poulet, celui-là ! » vociférai-je.

Le pasteur rejeta la tête en arrière et partit d'un énorme éclat de rire, mais ma mère était fâchée et me dit que puisque j'étais si mal élevé, je me passerais de déjeuner.

Un matin au réveil, ma mère me dit que nous allions avoir un magistrat qui obligerait mon père à nous entretenir, mon frère et moi. Une heure plus tard, nous nous trouvâmes assis tous trois dans une immense salle remplie de monde. J'étais confondu, submergé par tous ces visages et par ces cris que je ne pouvais comprendre. Au-dessus de moi planait un visage blanc ; ma mère m'apprit que c'était le visage du juge. Mon père était assis de l'autre côté de l'immense salle ; il souriait et me regardait d'un air confiant. Ma mère m'avertit de ne pas nous laisser tromper par les manières amicales de mon père ; elle me dit que le juge pourrait me poser des questions et que s'il le faisait, je devais répondre la vérité. J'acquiesçai, mais j'espérais que le juge ne me demanderait rien.

Je n'aurais su dire pourquoi, mais toute cette démarche me semblait dépourvue de sens ; j'avais l'impression que si mon père devait me nourrir, il l'aurait fait sans se soucier de ce que pourrait dire le juge. Et je ne voulais pas que mon père me nourrisse ; j'avais faim, mais mes rêves de nourriture ne se centraient pas sur lui pour l'instant. J'attendais, je m'impatientais, j'avais faim. Ma mère me donna un sandwich rassis, je le mâchai, le regard fixe, impatient de rentrer. Enfin j'entendis appeler le nom de ma mère ; elle se leva et se mit à pleurer si abondamment qu'elle resta quelques instants sans pouvoir répondre. Finalement elle réussit à dire que son mari l'avait abandonnée, elle et ses deux enfants, que ses enfants avaient faim, qu'ils avaient toujours le ventre creux, qu'elle travaillait et qu'elle essayait de les élever seule. Puis on appela mon père ; il s'avança d'un air enjoué, souriant. Il essaya d'embrasser ma mère, mais elle se détourna. Je n'entendis qu'une seule phrase de ce qu'il dit :

« Je fais tout ce que je peux, Votre Honneur », marmotta-t-il avec un large sourire.

Le spectacle de ma mère pleurant pendant que mon père riait m'avait été pénible, et c'est avec soulagement que je retrouvai la rue ensoleillée. De retour à la maison, ma mère se remit à pleurer et se plaignit du manque d'équité du juge qui avait cru à la parole de mon père. Après cet intermède du tribunal, j'essayai d'oublier mon père ; je ne le détestais pas ; je ne voulais simplement plus penser à lui. Souvent, quand nous avions faim, ma mère me suppliait d'aller trouver mon père à son travail et de lui demander un dollar, ou dix *cents,* ou cinq *cents.* Mais jamais je ne consentis. Je ne voulais pas le voir. Ma mère tomba malade et le problème de la nourriture devint un supplice quotidien. Parfois, les

voisins nous donnaient à manger, ou bien un billet
d'un dollar de ma grand-mère nous arrivait par la
poste. On était en hiver, alors j'achetais pour dix
cents de charbon au chantier du coin et je le traînais
chez nous dans un sac en papier. Pendant un certain
temps je dus manquer l'école et rester à la maison
pour soigner ma mère, puis ma grand-mère vint
nous voir et je retournai en classe.

Toutes les nuits la question de savoir si nous
irions ou non habiter avec grand-mère était l'objet
de palabres sans fin, mais il n'en advint rien. Peut-
être n'avait-on pas assez d'argent pour le voyage en
chemin de fer ? Furieux d'avoir été traîné en justice,
mon père maintenant ne voulait plus entendre
parler de nous. J'entendais de longues conversations irritées, tenues à voix basse entre ma mère et
ma grand-mère, avec des phrases comme : « Cette
femme mériterait d'être pendue pour avoir brisé un
foyer. » Ce qui m'agaçait, c'était ce bavardage
incessant qui n'amenait jamais d'actes. Si quelqu'un
avait proposé de tuer mon père, cela m'aurait peut-
être intéressé ; si quelqu'un avait proposé de ne plus
prononcer son nom, j'aurais sans doute été d'accord ; si quelqu'un avait proposé de partir pour une
autre ville, j'aurais été ravi. Mais il n'y avait que des
discussions interminables sans résultat positif et peu
à peu j'en vins à rester le plus possible loin de chez
nous ; je préférais la simplicité de la rue à la
conversation angoissée et futile de la maison.

Finalement, nous ne pûmes même plus payer le
loyer de notre misérable logement ; les quelques

dollars que grand-mère nous avait laissés avant son départ étaient épuisés. Encore mal rétablie, désespérée, ma mère fit le tour des institutions charitables pour demander du secours. Elle trouva un orphelinat qui accepta de se charger de mon frère et de moi à condition que ma mère s'acquitte en travaillant et en versant de petites sommes de temps à autre. Ma mère était navrée de se séparer de nous, mais elle ne pouvait faire autrement.

L'orphelinat était une maison en bois de deux étages, nichée aux creux des arbres dans un vaste terrain verdoyant. Un matin, ma mère nous fit entrer dans le bâtiment, mon frère et moi, et nous mit en présence d'une grande mulâtresse décharnée qui se faisait appeler Miss Simon. Celle-ci se prit aussitôt d'affection pour moi; je fus tellement effrayé que j'en perdis l'usage de la parole. J'eus peur dès le premier instant que je la vis, et ma peur dura tout le temps de mon séjour dans l'établissement.

La maison était bondée de gosses et il y régnait un tintamarre perpétuel. Je ne discernais que confusément ce qui se passait et l'emploi du temps journalier resta toujours plus ou moins un mystère pour moi. Les seules sensations précises que j'éprouvais étaient la faim et la peur. Il n'y avait que deux repas et ils étaient parcimonieux. Juste avant d'aller nous coucher chaque soir, on nous donnait une tartine de mélasse. Les enfants étaient silencieux, hostiles, vindicatifs, et se plaignaient continuellement d'avoir faim. Il planait là-dessus une atmosphère tendue de nervosité, d'intrigues, de délations mutuelles et de pain sec, ou de pas de pain du tout quand un des enfants était puni.

L'orphelinat n'avait pas suffisamment d'argent pour endiguer la croissance des herbes folles qui envahissaient tout le terrain et qui auraient demandé à être fauchées ; aussi fallait-il les arracher à la main. Tous les matins, après avoir pris un déjeuner — qui nous laissait l'estomac encore plus vide qu'avant — un des plus âgés d'entre nous emmenait une troupe d'enfants sur l'immense pelouse et là, il fallait s'agenouiller et arracher l'herbe avec nos mains. De temps en temps, Miss Simon faisait un tour d'inspection, examinait le tas d'herbe arrachée à côté de chaque enfant, et distribuait louanges et réprimandes suivant l'importance du tas. Souvent, le matin, j'étais tellement affaibli par la faim que je n'avais pas la force d'arracher l'herbe ; j'avais le vertige, ma tête se vidait, et il m'arrivait, après un intervalle d'inconscience, de me retrouver sur les mains et les genoux ; la tête me tournait, mes yeux fixaient l'herbe verte avec un morne ahurissement, et je me demandais où j'étais, avec le sentiment que je sortais d'un rêve...

Les premiers jours, ma mère vint nous voir chaque soir, mon frère et moi, puis ses visites cessèrent. Je commençais à me demander si elle s'était, elle aussi, évanouie dans l'inconnu comme mon père. J'apprenais rapidement à me méfier de tout et de tout le monde.

Quand ma mère vint enfin, je lui demandai

pourquoi elle était restée si longtemps sans venir, alors elle m'apprit que Miss Simon avait dit qu'elle nous gâtait en s'occupant trop de nous, et qu'elle lui avait défendu de venir nous voir. Je suppliai ma mère de m'emmener ; elle pleura et me dit d'attendre, qu'elle nous emmènerait bientôt en Arkansas. Là-dessus elle partit, à mon grand désespoir.

Miss Simon s'efforça de gagner ma confiance ; elle me demanda si j'aimerais être adopté par elle, avec le consentement de ma mère, mais je répondis que non. Elle m'emmenait souvent dans son appartement et me parlait, mais ses paroles restaient sans effet sur moi. La peur et la méfiance avaient fini par faire partie intégrante de mon être ; ma mémoire et mes sens s'aiguisaient ; je commençais à prendre conscience de ma propre personnalité, distincte de celles des autres et en lutte contre elles. Je me repliai sur moi-même, craignant d'agir ou de parler jusqu'à ce que je fusse sûr de mon entourage, ayant tout le temps la sensation d'être suspendu au-dessus d'un abîme. Mon imagination s'envolait ; je rêvais de m'enfuir. Je me réveillais chaque matin en jurant de partir le lendemain, mais le lendemain me retrouvait là, immobilisé par la peur.

Un jour, Miss Simon m'annonça que dorénavant je l'aiderais au bureau. Je déjeunai avec elle, et, chose bizarre, quand je me trouvai assis en face d'elle, ma faim disparut. Cette femme tuait quelque chose en moi. Elle m'appela ensuite à son bureau où elle était assise à écrire des adresses.

« Approche, dit-elle, n'aie pas peur. »

J'obéis et me plantai contre elle. Je la regardai fixement, hypnotisé par une verrue qu'elle avait au menton.

« Et maintenant, va prendre le buvard là-bas ; tu vas sécher les enveloppes une à une après que je les aurai écrites », me commanda-t-elle en désignant un buvard qui se trouvait à portée de ma main.

Je me bornai à la regarder fixement, sans répondre et sans bouger.

« Prends le buvard », dit-elle.

Je voulus prendre le buvard, mais je ne réussis qu'à contracter les muscles de mon bras.

« Tiens », dit-elle sèchement, en prenant le buvard et en me le mettant entre les doigts.

Elle écrivit une enveloppe à l'encre et la poussa vers moi. Je tenais le buvard dans la main, regardant l'enveloppe d'un air hébété, incapable de bouger.

« Sèche-la », dit-elle.

Je ne pus soulever la main. J'avais compris ce qu'elle avait dit, j'avais compris ce qu'elle voulait me faire faire, et je l'avais très bien entendue. Je voulais la regarder et dire quelque chose, lui expliquer pourquoi je ne pouvais pas bouger, mais mes yeux étaient rivés au plancher. Tandis qu'elle était là à me regarder, je ne pus rassembler suffisamment de courage pour faire franchir à ma main l'espace béant de trente centimètres qui nous séparait, afin de sécher l'encre humide sur l'enveloppe.

« Sèche-la ! », dit-elle d'un ton bref.

Je ne pouvais toujours ni bouger ni répondre.

« Regarde-moi ! »

J'étais incapable de lever les yeux. Sa main se tendit vers mon visage et je me détournai brusquement.

« Qu'est-ce qui te prend ? » demanda-t-elle.

Je me mis à pleurer ; alors elle me fit sortir de la pièce. Je résolus de me sauver sitôt la nuit venue. La cloche du dîner sonna ; mais au lieu d'aller à table, je me cachai dans un coin du vestibule. Lorsque j'entendis un bruit caractéristique de vaisselle, j'ouvris la porte et je gagnai la rue en courant. La nuit tombait. Je m'arrêtai soudain, hésitant. Devais-je retourner ? Non, derrière moi il y avait la faim, la peur. Je repris ma course et m'engageai sur les pavés du trottoir. Je rencontrais des gens. Où allais-je ? Je ne savais pas. Plus je marchais, plus je m'affolais. Je savais confusément que je *fuyais* plutôt que je ne courais *vers* quelque chose. Je m'arrêtai. La rue me semblait dangereuse. Les maisons étaient de gros blocs sombres. La lune brillait et les arbres dressaient leurs silhouettes effrayantes. Non, je ne pouvais pas continuer. Il fallait que je retourne. Mais j'avais tant marché et tourné tant de coins de rues que j'avais perdu ma direction. Quel chemin prendre pour retourner à l'orphelinat ? Je ne savais pas. J'étais perdu.

Planté au milieu du trottoir, je me mis à pleurer. Un policeman « blanc » s'approcha de moi et je me demandai s'il allait me frapper. Il me demanda ce qui m'arrivait et je lui répondis que j'essayais de retrouver ma mère. La vue de son visage « blanc » augmenta ma frayeur. Je me rappelai l'histoire de l'homme « blanc » qui avait frappé le garçon « noir ». Une foule s'assembla autour de nous et l'on me pressa de dire où j'habitais. Chose bizarre, j'étais à ce moment trop effrayé pour pleurer. J'aurais voulu dire au visage blanc que je m'étais enfui d'un orphelinat dirigé par Miss Simon, mais j'avais peur. On m'emmena finalement au poste de police, et là on me donna à manger. Je me sentis mieux. J'étais assis dans un grand fauteuil entouré de policemen « blancs », mais ils n'avaient pas l'air de faire attention à moi. Par la fenêtre, je voyais que la nuit était maintenant complètement tombée et que les lumières scintillaient dans la rue. Le sommeil me gagna et je m'assoupis. On me secouait doucement l'épaule ; j'ouvris les yeux et j'aperçus le visage blanc d'un autre policeman qui était assis à côté de moi. Il m'interrogea à voix basse d'un ton confidentiel, et sans que je m'en rendisse compte le moins du monde, il avait cessé d'être « blanc ». Je lui racontai que je m'étais enfui d'un orphelinat dirigé par Miss Simon. Moins de quelques minutes après je me trouvais aux côtés d'un policeman en route vers l'orphelinat. Le policeman me conduisit jusqu'à la grille d'entrée et là je vis Miss Simon qui m'attendait sur les marches du perron. Elle m'identifia et je fus confié à sa garde. Je la suppliai de ne pas me battre. Mais elle me traîna en haut dans une pièce vide et me fouetta consciencieusement. Je me glissai dans mon lit en sanglotant, résolu à me sauver de nouveau. Mais par la suite, on me surveilla de près.

Lorsque ma mère revint me voir, on l'informa de ma tentative d'évasion et elle s'en montra bouleversée.

« Pourquoi as-tu fait ça ? demanda-t-elle.

— Je ne veux pas rester ici, lui dis-je.

— Mais il le faut. Comment veux-tu que je travaille si je dois me faire du souci à cause de toi ? N'oublie pas que tu n'as pas de père. Je fais tout ce que je peux.

— Je ne veux pas rester ici, répétais-je.

— Alors, si je te mène chez ton père...

— Je ne veux pas rester avec lui non plus, dis-je.

— Mais tu vas aller lui demander de quoi nous transporter chez ma sœur, en Arkansas », dit-elle.

De nouveau, je me trouvai devant la nécessité de prendre une décision qui ne me plaisait guère, mais finalement j'acceptai. Après tout, la haine que j'éprouvais pour mon père n'était pas aussi intense ni aussi pressante que celle que m'inspirait l'orphelinat. Ma mère persévéra dans son projet, et un soir de la semaine suivante, je me trouvai dans une pièce d'un petit pavillon. Mon père était assis en compagnie d'une femme étrangère devant un feu clair qui flambait dans la grille de la cheminée. Ma mère et moi nous nous tenions à quelques pas de là, comme si nous avions eu peur de nous rapprocher davantage.

« Ce n'est pas pour moi, disait ma mère. C'est

61

pour tes enfants que je viens te demander de l'argent. »

Mon père se mit à rire.

« Je n'ai pas un sou, dit-il.

— Viens ici, mon petit », me dit l'étrangère.

Je la regardai, mais ne fis pas un mouvement.

« Donne-lui un nickel[1], dit la femme. Il est mignon.

— Viens ici, Richard », dit mon père en tendant la main vers moi.

Je me reculai en secouant la tête, mes yeux rivés sur le feu.

« Il est mignon comme tout, ce gosse, dit l'étrangère.

— Vous devriez avoir honte, lui dit ma mère, de voler le pain de mes enfants.

— Hé là ! Ne commencez pas à vous disputer, dit mon père en riant.

— Attends que j'attrape le tisonnier, tu vas voir ce que tu vas prendre ! » lâchai-je brusquement en regardant mon père d'un air menaçant.

Il se tourna vers ma mère et s'esclaffa.

« C'est toi qui lui as fait la leçon, hein ? fit-il.

— Ne dis pas des choses pareilles, Richard, me dit ma mère.

— J'voudrais vous voir morte », dis-je à l'étrangère.

La femme se mit à rire et jeta ses bras autour du

1. Nickel : pièce de cinq *cents*.

cou de mon père. Ma gêne s'accrut et j'eus envie de m'en aller.

« Comment peux-tu ôter le pain de la bouche de tes propres enfants ? dit ma mère.

— Richard n'a qu'à rester avec moi, dit mon père.

— Tu veux rester avec ton père, Richard ? demanda ma mère.

— Non, répondis-je.

— Tu mangeras à ta faim, m'assura-t-il.

— J'ai faim, en ce moment, répondis-je. Mais je ne veux pas rester avec toi.

— Oh ! donne-lui un nickel, à ce petit, dit la femme.

— Tiens, Richard, fit-il.

— Ne le prends pas, intervint ma mère.

— Ne lui apprends donc pas à faire l'idiot, dit mon père. Tiens, Richard, prends-le. »

Je regardai successivement ma mère, l'étrangère, mon père, puis je me mis à contempler le feu. J'avais envie de prendre le nickel, mais je ne voulais pas le recevoir des mains de mon père.

« Tu devrais avoir honte, dit ma mère en pleurant. Donner un nickel à ton fils quand il a faim. Si Dieu existe, il te fera payer ça.

— C'est tout ce que j'ai », dit mon père en riant et en remettant la pièce dans sa poche.

Nous prîmes congé. J'avais l'impression d'avoir été mêlé à quelque chose de malpropre. Bien des fois au cours des années qui suivirent, l'image de mon père et de l'étrangère, avec leur visage éclairé par les flammes dansantes, surgissait dans mon imgination avec une intensité et un relief tels qu'il me semblait n'avoir qu'à tendre la main pour les toucher ; je regardais cette image avec la sensation qu'elle possédait quelque signification vitale qui toujours m'échappait.

Il devait s'écouler un quart de siècle entre l'époque où j'avais vu mon père en compagnie de l'étrangère et le moment où j'étais destiné à le revoir, silhouette solitaire dressée sur l'argile rouge d'une plantation du Mississippi, métayer vêtu d'une combinaison déchirée et tenant entre ses mains noueuses aux grosses veines saillantes, une houe à laquelle adhéraient des mottes de terre humides. Un quart de siècle, au cours duquel mon esprit et ma conscience avaient subi une transformation telle-ment brutale que lorsque je tentai de lui parler, je me rendis compte que malgré les liens du sang qui nous apparentaient, malgré le reflet que j'apercevais de mon visage sur son visage, malgré l'écho de ma voix que je percevais dans sa voix, nous étions à tout jamais des étrangers, parlant un langage différent et vivant sur des plans terriblement éloignés. Ce jour-là, au bout d'un quart de siècle, quand je lui rendis visite à la plantation, il se dressait à contre-jour sur le ciel, souriant d'un sourire édenté, les cheveux blanchis, le corps voûté, les yeux embués de souvenirs lointains ; son aspect terrifiant d'il y avait vingt-cinq ans l'avait quitté pour toujours et je fus confondu en me rendant compte qu'il ne pourrait pas me comprendre, ni moi, ni les expériences brûlantes qui m'avaient entraîné hors de l'orbite de sa vie dans une zone d'existence qu'il ne connaîtrait jamais. Je me tenais devant lui, dans une posture indécise, l'esprit tendu à me faire mal, en réalisant la simplicité dépouillée de son existence, sentant à quel point son âme était prisonnière du lent écoulement des saisons, du vent, du soleil et de la pluie, combien ses souvenirs liés à un passé fruste et primitif, combien ses actes et ses sentiments étaient enchaînés aux impulsions directes, animales, de son corps flétri...

Les propriétaires blancs, ses supérieurs, ne lui avaient pas donné la possibilité de comprendre le sens des mots loyauté, humanité, traditions. La joie lui était aussi totalement inconnue que le désespoir. En tant que créature vivant de la terre et soumise à la terre, sa nature saine et joviale subissait tout, endurait tout, sans regrets comme sans espoir. Il me posait des questions d'une voix traînante, avec insouciance, sur moi, sur son autre fils, sur sa femme, et il riait amusé, quand je le renseignai sur leurs destinées. Je lui pardonnai et j'eus pitié de lui, tandis que mes yeux se portaient plus loin, sur la cabane de bois brut. De bien au-delà des horizons qui bornaient cette sinistre plantation, m'arrivait, à travers mon expérience, la certitude que mon père était un paysan noir qui était allé chercher la vie à la ville, mais qui avait échoué à la ville ; un paysan noir dont l'existence avait été inextricablement embrouillée par la vie citadine et qui s'était enfin décidé à fuir la ville — cette même ville qui m'avait pris sur son sein brûlant et porté vers les rives étrangères et insoupçonnées de la connaissance.

CHAPITRE II

Les jours heureux que je voyais poindre devaient me laisser libre de mes impulsions et je passai sans transition de l'inquiétude et de la contrainte à une activité insouciante et sans entraves. Ma mère arriva un après-midi, apportant la nouvelle que nous allions habiter chez sa sœur à Elaine, dans l'Arkansas ; en route, nous devions rendre visite à grand-père qui avait déménagé de Natchez à Jackson, dans le Mississippi. Les mots tombant des lèvres de ma mère me délivrèrent d'une longue et sourde angoisse. Surexcité, je courais d'un endroit à l'autre pour rassembler mes guenilles. Je quittais l'orphelinat détesté, la faim, la peur, je laissais derrière moi des jours sombres et solitaires comme la mort.

Tandis que j'emballais, un camarade vint me dire qu'une de mes chemises était encore en train de sécher sur la corde à linge. Mû par l'allégresse que me donnait le sentiment de ma future liberté plutôt que par générosité, je lui en fis cadeau. Que représentait une chemise pour moi, désormais ? Les enfants se tenaient autour de moi et me regardaient

67

avec des yeux d'envie entasser mes affaires pêle-mêle dans ma valise, mais je ne m'en souciais guère. Dès l'instant où j'avais appris que j'allais partir, tout mon être brusquement décontracté s'était détaché de l'orphelinat si nettement et si rapidement que les enfants n'existaient tout simplement plus pour moi. Leurs visages avaient le pouvoir d'évoquer en moi mille souvenirs que je désirais ardemment oublier, et mon départ, au lieu de me rapprocher d'eux dans un élan de sympathie, me rejetait à tout jamais loin d'eux.

J'étais si impatient de m'en aller que j'étais déjà fin prêt devant la porte et que j'allais partir sans avoir même pensé à dire au revoir aux garçons et aux filles avec qui j'avais mangé, dormi, vécu durant de si longues semaines. Ma mère me gronda pour mon insouciance et m'ordonna de leur faire mes adieux. J'obéis à contrecœur, souhaitant n'avoir pas à le faire. Tout en serrant les mains sombres qu'ils me tendaient, je détournais les yeux, ne voulant pas regarder ces visages qui me faisaient mal parce qu'étroitement associés dans mon sentiment à la faim et à la peur. En leur serrant les mains, je faisais un geste que je devais refaire un nombre incalculable de fois dans les années à venir : j'agissais conformément à ce que les autres attendaient de moi, bien que la forme de ma vie et sa nature même m'empêchassent de me sentir en harmonie avec eux.

Après avoir survécu aux secousses de l'enfance, après avoir acquis l'habitude de la réflexion, il m'arrivait de méditer sur l'étrange absence de bonté véritable chez les Nègres, de réaliser combien notre tendresse était inconstante, combien nous manquions de passion vraie, combien nous étions vides d'espoirs exaltants, combien notre joie était timide, nos traditions pauvres, notre mémoire creuse, combien nous manquions de ces sentiments intangibles qui lient l'homme à l'homme et combien notre désespoir même était superficiel. Après avoir connu d'autres modes d'existence, je réfléchissais à l'ironie inconsciente de ceux qui trouvaient que les Nègres avaient une vie si passionnelle ! Je découvrais que ce qu'on avait pris pour notre force émotive était fait de notre désarroi négatif, de nos dérobades, de nos angoisses, de notre colère refoulée.

Chaque fois que je pensais à l'aspect essentiellement morne de la vie noire en Amérique, je me rendais compte qu'il n'avait jamais été donné aux Nègres de saisir pleinement l'esprit de la civilisation occidentale ; ils y vivaient tant bien que mal, mais n'en vivaient pas. Et quand je songeais à la stérilité culturelle de la vie noire, je me demandais si la tendresse pure, réelle, si l'amour, l'honneur, la loyauté et l'aptitude à se souvenir étaient innés chez l'homme. Je me demandais s'il ne fallait pas nourrir ces qualités humaines, les gagner, lutter et souffrir pour elles, les conserver grâce à un rituel qui se transmettait de génération en génération.

La maison de grand-mère à Jackson était un endroit merveilleux à explorer. C'était un pavillon de bois à un étage qui comprenait sept pièces. Mon frère et moi, nous jouions à cache-cache dans les corridors longs et étroits, sur l'escalier et sous l'escalier. C'était oncle Clark, le fils de grand-mère, qui lui avait acheté cette maison, et ses murs blanchis à la chaux, son porche d'entrée et le porche de la cuisine, ses colonnes rondes, ses balustrades, me convainquirent qu'elle n'avait pas sa pareille au monde.

Il y avait de grands champs verdoyants où nous vagabondions, mon frère et moi, où nous pouvions nous ébattre et brailler à notre aise. Et il y avait les timides enfants des voisins, des garçons et des filles à qui nous nous sentions supérieurs, par notre connaissance du monde. Nous étions tout fiers de leur expliquer ce qu'était un voyage en chemin de fer, de leur décrire les eaux jaunes et dormantes du Mississippi, de leur raconter comment c'était à bord du *Kate Adams*, et à Memphis, et comment je m'étais sauvé de l'orphelinat. Et puis, nous laissions entendre que nous n'étions là que pour quelques jours et qu'ensuite nous partirions pour des endroits plus merveilleux et des aventures plus fabuleuses encore.

Pour alléger les charges du ménage, ma grand-mère avait pris en pension une institutrice de couleur, Ella, une jeune fille aux manières si distantes, si rêveuses et si silencieuses qu'elle m'effrayait autant qu'elle m'attirait. Il y avait longtemps que je voulais lui demander de me parler des livres qu'elle lisait, mais je n'arrivais jamais à rassembler suffisamment de courage pour le faire. Un après-midi, je la trouvai assise seule, en train de lire sur le seuil de la porte.

« Ella, fis-je d'un ton suppliant, dites-moi ce que vous lisez, s'il vous plaît.

— Ce n'est qu'un livre quelconque, répondit-elle évasivement, en jetant autour d'elle un regard inquiet.

— Mais c'est un livre sur quoi ?

— Ta grand-mère n'aimerait pas que je parle de romans », fit-elle.

Je discernai une nuance de sympathie dans sa voix.

« Ça m'est égal, dis-je à voix forte, d'un air de défi.

— Chut ! Il ne faut pas dire des choses pareilles.

— Mais je veux savoir.

— Quand tu seras plus grand, tu liras des livres et tu sauras ce qu'il y a dedans.

— Mais je veux savoir maintenant. »

Elle réfléchit une seconde, puis elle ferma le livre.

« Viens ici », me dit-elle.

Je m'assis à ses pieds et levai mon visage vers elle.

« Il y avait une fois un très vieux monsieur qui s'appelait Barbe-Bleue », commença-t-elle doucement.

Elle me raconta à voix basse l'histoire de *Barbe-Bleue* et de *ses sept femmes,* et je cessai de voir son visage, le porche d'entrée, le soleil et le reste. Ses paroles tombaient sur un terrain neuf ; je leur prêtais une réalité qui jaillissait du plus profond de moi-même. Elle me conta comment Barbe-Bleue

71

avait dupé et épousé ses sept femmes, comment il les avait aimées et tuées, comment il les avait pendues par les cheveux dans un cabinet noir. L'histoire fit vivre et vibrer le monde qui m'entourait, le rendit tangible à mes yeux. Tandis qu'elle parlait, la réalité devenait différente, l'aspect de choses changeait et le monde se peuplait de présences magiques. Mes facultés de perception s'aiguisaient, embrassaient un univers plus vaste, et je commençais à sentir et à considérer les choses d'une manière quelque peu différente. Enchanté et captivé, je l'arrêtais constamment pour lui demander des détails. Mon imagination s'enflammait. Les sensations que l'histoire avait suscitées en moi ne devaient jamais me quitter. Lorsqu'elle fut sur le point de terminer, au plus fort de mon intérêt, alors que je perdais la notion du monde qui m'entourait, grand-mère s'approcha de la porte.

« Allez-vous finir, petite malfaisante ! s'écria-t-elle. Tout ça, c'est inventions du démon et compagnie. Je n'en veux pas dans ma maison ! »

Sa voix me saisit à un tel point que j'en eus le souffle coupé. Je restai un moment sans comprendre ce qui arrivait.

« Je m'excuse, madame Wilson, balbutia Ella en se levant. Mais il m'avait demandé...

— Ce n'est qu'un petit écervelé, vous le savez très bien », vociféra grand-mère. Elle courba la tête et rentra dans la maison.

« Mais elle n'a pas fini, grand-mère », protestai-je, tout en sachant que j'aurais dû me taire.

Elle montra les dents et, du revers de la main, elle m'assena une claque sur la bouche.

« Toi, ferme ton bec ! siffla-t-elle. Tu ne sais pas de quoi il retourne !

— Mais je veux savoir la suite ! m'écriai-je d'un ton larmoyant, esquivant d'avance la nouvelle claque que je sentais venir.

— C'est des inventions du diable, j'te dis ! » hurla-t-elle.

Ma grand-mère était aussi blanche qu'une Négresse pouvait l'être sans être blanche, ce qui veut dire qu'elle était blanche. Ses grands yeux noirs enfoncés au creux des orbites, très écartés, me fixaient avec férocité. Elle pinçait les lèvres et sa bouche ne formait plus qu'un mince trait sur la chair flasque et frémissante du visage. Les rides de son front s'accusèrent. Lorsqu'elle était en colère ses paupières retombaient à moitié sur ses pupilles, ce qui lui donnait un air sinistre.

« Mais j'aimais bien l'histoire, lui dis-je.

— Tu iras brûler en enfer », dit-elle d'un ton si férocement convaincu que, l'espace d'un instant, je la crus.

Le fait de ne pas connaître la fin du conte me remplit d'un sentiment de vide et de frustration. Je désirais ardemment retrouver l'excitation aiguë, effrayante, oppressante, presque pénible, que l'histoire avait provoquée en moi, et je me jurai que, dès que je serais plus âgé, j'achèterais pour les lire tous les romans du monde de façon à satisfaire cette soif de violence, d'intrigues, de complots, de secrets, de meurtres sanglants qui me dévorait. Cette histoire avait trouvé en moi un écho si profond que les menaces de ma mère et de ma grand-mère n'eurent pas le moindre effet sur moi. Elles ne virent dans mon insistance que de l'obstination, de la sottise, quelque chose qui passerait rapidement, sans se douter le moins du monde de la gravité des répercussions que cela devait provoquer en moi. Elles ne pouvaient pas savoir que l'histoire de perfidie et de meurtre que m'avait chuchotée Ella était dans ma vie la première expérience qui eût trouvé en moi une résonance aussi intense. Ni paroles, ni punitions n'auraient pu m'en faire douter. J'avais goûté à ce qui était pour moi la vie et j'en voulais davantage, de façon ou d'autre, par n'importe quel moyen. Je me rendis compte qu'elles ne pouvaient pas comprendre ce que je ressentais, et je me tins tranquille. Mais quand personne ne pouvait me voir, je me glissais dans la chambre d'Ella, je volais un livre et je l'emportais derrière la grange pour essayer de le lire. En général, je n'arrivais pas à déchiffrer suffisamment de mots pour que l'histoire eût un sens. Je brûlais d'apprendre à lire des romans et je tourmentais ma mère pour qu'elle m'explique le sens de tout mot inconnu que je rencontrais, non parce que le mot avait une valeur en soi, mais parce que c'était la clef d'un monde enchanté et défendu.

Un après-midi, ma mère tomba malade et dut s'aliter. A la tombée de la nuit, ce fut grand-mère qui assuma la tâche de surveiller notre bain, à mon frère et à moi. Elle mit deux baquets d'eau dans notre chambre et nous ordonna de nous déshabiller, ce que nous fîmes. Elle était assise à l'autre bout de la pièce, à tricoter, et levait de temps à autre les yeux de son ouvrage pour nous surveiller et nous donner des directives. Mon frère et moi, nous barbotions dans l'eau, nous jouions, riions et faisions tout notre possible pour nous jeter de l'eau savonneuse dans les yeux. Voyant que nous avions éclaboussé partout, grand-mère nous gronda...

« Allons, assez de singeries, lavez-vous.

— Oui, m'dame », répondîmes-nous avec ensemble, en nous remettant à jouer de plus belle.

Prenant de l'eau savonneuse dans le creux de mes mains, j'appelai mon frère. Il tourna la tête de mon côté et je lui lançai la mousse de savon à la tête, mais il esquiva et l'écume blanche éclaboussa le plancher.

« Richard, finis de jouer, et baigne-toi !

— Oui, m'dame », dis-je tout en guettant mon frère du coin de l'œil, afin de profiter d'une seconde d'inattention de sa part pour recommencer.

« Richard, viens ici ! » s'écria grand-mère en lâchant son tricot.

J'allai vers elle, tout nu, l'air penaud. Elle m'arracha la serviette des mains et se mit à frotter vigoureusement mes oreilles, ma figure et mon cou.

« Baisse-toi », ordonna-t-elle.

J'obéis, et elle me nettoya l'anus. Mon cerveau était plongé dans une sorte de torpeur, à mi-chemin du rêve éveillé et de la pensée consciente. Alors, sans même que je m'en rendisse compte, des mots, des mots dont je ne comprenais pas entièrement le sens, s'échappèrent de ma bouche.

« Quand tu auras fini, embrasse-moi là », dis-je, les mots coulant tout naturellement, presque involontairement de mes lèvres.

Je sentis qu'il y avait quelque chose d'anormal en voyant grand-mère s'immobiliser complètement, puis me repousser avec violence. Je me retournai et je vis que son visage blanc s'était figé et que ses yeux noirs et creux étincelaient de fureur en me regardant. Je devinais d'après son expression bizarre que j'avais dit quelque chose de terrible, mais à ce moment je n'avais pas la moindre idée de l'énormité de la chose. Grand-mère se dressa lentement, leva la serviette mouillée à bout de bras et l'assena sur mon dos nu de toute la force indignée dont était capable son vieux corps de sexagénaire, laissant une cuisante traînée de feu sur ma peau. J'en eus le souffle coupé ; de tous mes muscles crispés, je luttai contre la douleur ; puis je me recroquevillai en hurlant. Je ne m'étais pas rendu compte du sens de ce que j'avais dit ; je n'en ressentais pas l'horreur morale et son attaque me semblait sans cause. Elle souleva la serviette mouillée et me frappa de nouveau avec une telle force que je tombai à genoux. J'eus soudain l'impression que si je ne me mettais pas hors d'atteinte, elle me tuerait. Je me levai tout nu et me sauvai en hurlant. Ma mère descendit précipitamment de son lit.

« Qu'y a-t-il, maman ? » demanda-t-elle à grand-mère.

Tout tremblant, je m'attardai dans le couloir, regardant grand-mère, essayant de parler, mais ne réussissant qu'à remuer les lèvres. Grand-mère avait l'air d'une folle ; elle restait plantée là, immobile comme un roc, les yeux rivés sur moi, muette.

« Richard, qu'est-ce que tu as fait ? » interrogea ma mère.

Prêt à détaler de nouveau, je secouai la tête.

« Pour l'amour du Ciel, qu'est-ce qu'il y a donc ? » demanda ma mère, se tournant successivement vers moi, vers grand-mère et vers mon frère.

Grand-mère brusquement fléchit, se retourna à demi, jeta violemment la serviette et éclata en sanglots.

« Il... j'étais en train d'essayer de le laver, dit-elle d'un ton larmoyant, là, continua-t-elle en désignant l'endroit et... ce petit démon noir... — tout son corps tremblait de rage et d'indignation — ... m'a dit de l'embrasser là quand j'aurais fini. »

A présent, ma mère me fixait en silence, les yeux agrandis.

« Non ? s'exclama-t-elle.

— C'est la vérité pure, pleurnicha grand-mère.

— Il n'a pas dit *ça,* protesta ma mère.

— Je t'assure que si », affirma grand-mère.

J'écoutais, me rendant vaguement compte que j'avais commis quelque terrible méfait que je ne pouvais plus réparer, que j'avais prononcé des paroles que je ne pouvais plus reprendre, bien que j'eusse le désir ardent de les annuler, de les tuer, de reculer l'aiguille du temps jusqu'à la seconde où j'avais parlé afin d'avoir encore une chance de salut. Ma mère ramassa la serviette mouillée et vint vers moi. Toujours nu, je me sauvai à la cuisine en hurlant. Elle arriva sur mes talons, alors je me jetai dans la cour, galopant aveuglément dans le noir, me cognant la tête contre la clôture, contre l'arbre, m'écorchant les pieds sur des bouts de bois, sans cesser de hurler. N'ayant aucun moyen de mesurer mon tort, je supposais que j'avais commis un méfait qui ne me serait jamais pardonné. Si j'avais su au juste pourquoi je les avais choquées, je me serais tenu tranquille et j'aurais encaissé, mais c'était le sentiment que n'importe quoi pouvait ou allait m'arriver qui me remplissait d'épouvante.

« Viens ici, petit saligaud ! » cria ma mère.

Je lui échappai et rentrai en courant dans la maison, puis je revins dans le vestibule. Mon corps nu traversait l'air comme un bolide. Finalement je me blottis dans un coin sombre. Ma mère se précipita sur moi, le souffle court. Je me baissai, rampai, me relevai et me remis à courir.

« Pas la peine de te sauver, dit ma mère. Tu recevras ta correction ce soir, quand je devrais passer la nuit à te poursuivre ! »

Elle fonça de nouveau sur moi et je fis un saut de côté, esquivant de justesse la claque cinglante de la serviette mouillée et je détalai dans la chambre où se trouvait mon frère.

« Qu'est-ce qu'il se passe ? » demanda-t-il, car il n'avait pas entendu ce que j'avais dit.

Un coup s'abattit sur ma bouche. Je tournoyai.

Grand-mère était sur moi. Elle m'envoya une autre claque sur la tête, du revers de la main. Puis ma mère entra dans la chambre. Je me jetai à terre et me glissai sous le lit.

« Sors de là ! s'écria ma mère.

— Nan ! répondis-je en gémissant.

— Sors de là où je te démolis, fit-elle.

— Nan !

— Appelle papa », dit grand-mère.

Je me mis à trembler de tous mes membres. Grand-mère envoyait mon frère chercher grand-père ; j'avais une peur bleue de lui. Il était grand, noir, décharné, taciturne et sévère. Il avait fait le coup de feu durant la guerre de Sécession avec l'armée de l'Union. Quand il était en colère, il grinçait des dents d'une façon terrifiante. Il gardait son fusil de l'armée debout dans un coin de sa chambre, tout chargé. Il croyait dur comme fer que la guerre entre le Nord et le Sud recommencerait. J'entendis mon frère sortir en courant de la chambre et je savais que l'arrivée de grand-père n'était plus qu'une question de secondes. Je me roulai en boule et je me mis à geindre :

« Nan, nan, nan... »

Grand-père s'amena et m'intima l'ordre de sortir de dessous le lit. Je refusai de bouger.

« Sors de là, mon petit bonhomme, fit-il.

— Nan.

— Tu veux que j'aille chercher mon fusil ?

— Nan, m'sieur. Ne me tuez pas, siou plaît, m'écriai-je.

— Alors, sors de là ! »

Je demeurai immobile. Grand-père saisit le lit et le tira à lui. Je me cramponnai à un pied du lit et je fus entraîné à travers la chambre. Grand-père se précipita sur moi et essaya de m'attraper la jambe, mais je me mis hors d'atteinte. Je demeurai à quatre pattes au centre du lit, et chaque fois que le lit se déplaçait, je suivais le mouvement.

« Sors de là, et viens prendre ta fessée ! » cria ma mère.

Je me gardai bien de bouger. Le lit s'ébranla et je me déplaçai avec lui. Je ne réfléchissais pas, je ne faisais aucun geste raisonné, je ne préméditais rien. L'instinct seul me disait ce qu'il fallait faire. Il y avait du danger et des coups et je devais les éviter. En fin de compte, grand-père abandonna la partie et retourna dans sa chambre.

« Tu recevras ta correction quand tu sortiras..., dit ma mère. Tu te fatigueras avant moi, n'aie crainte, et pas de souper pour toi ce soir.

— Qu'est-ce qu'il a fait ? demanda mon frère.

— Il mériterait d'être tué pour ce qu'il a fait, répondit grand-mère.

— Mais qu'est-ce que c'est ? insista mon frère.

— Ferme ton bec et va te coucher », dit ma mère.

Je restai sous le lit jusque tard dans la nuit. Toute la famille alla se coucher. Finalement, la faim et la soif me chassèrent de mon abri ; quand je me relevai, je trouvai ma mère qui me guettait sur le seuil de la porte.

« Viens dans la cuisine », dit-elle.

Je la suivis à la cuisine et elle me battit, mais pas avec la serviette mouillée : grand-père l'avait défendu. Entre les coups de baguette, elle me demandait où j'avais appris ces mots sales, et je fus incapable de le lui dire, ce qui ne fit qu'augmenter sa fureur.

« Je vais te battre jusqu'à ce que tu me le dises », déclara-t-elle.

Mais je ne pouvais le lui dire car je ne le savais pas moi-même. Aucun des mots obscènes que j'avais appris à l'école n'avait trait à une perversion quelconque ; il est vrai que j'avais pu entendre ces mots tandis que je traînais mes cuites dans les cabarets de Memphis. Le lendemain, grand-mère déclara sur un ton catégorique qu'elle savait ce qui m'avait perdu, que c'était dans les livres d'Ella que j'avais appris toutes ces « pratiques honteuses » et quand je voulus savoir ce que c'étaient que des « pratiques honteuses », ma mère recommença à me battre. J'avais beau essayer de les convaincre que je n'avais pas lu les mots dans un livre ou que je ne pouvais pas me rappeler les avoir entendu dire, elles ne voulaient pas me croire. En définitive, grand-mère accusa Ella de m'avoir raconté des choses que je ne devais pas savoir, et Ella, bouleversée, sanglota, fit ses bagages et partit. La commotion terrible que mes mots avaient causée m'apprit qu'ils recelaient beaucoup plus de choses que je n'en pouvais imaginer, aussi je résolus que dans l'avenir je saurais pourquoi j'avais été battu et maudit de la sorte.

Les jours et les heures me parlaient maintenant un langage plus clair. Chaque événement prenait une signification aiguë :

Il y avait l'excitation folle de la chasse aux lucioles innocentes dans l'ivresse des lourdes nuits d'été.

Il y avait la ruisselante hospitalité des magnolias à l'arôme pénétrant.

Il y avait l'aura d'une liberté sans limite distillée par les vagues ondoyantes de hautes herbes qui miroitaient au soleil sous la caresse du vent.

Il y avait la sensation d'abondance impersonnelle au spectacle d'une capsule de coton d'où s'échappait la blanche toison, en longues traînées qui s'effilochaient jusqu'à terre.

Il y avait le gloussement de pitié narquoise qui me montait à la gorge quand je regardais un gros canard traverser en se dandinant la cour de la cuisine.

Il y avait l'angoisse que je ressentais en entendant la chanson aiguë et vibrante d'une guêpe corsetée de jaune et de noir, dans son vol nerveux mais patient au-dessus d'une rose blanche.

Il y avait la langueur enivrante de siroter des verres de lait, de les boire lentement pour les faire durer longtemps et d'en boire à satiété pour la première fois de ma vie.

Il y avait l'amusement amer d'accompagner grand-mère en ville et d'observer les regards effarés des Blancs en voyant une vieille femme blanche emmener dans les magasins de Capitol Street deux jeunes garçons qui étaient indéniablement des Nègres.

Il y avait l'odeur des grains de coton en train de cuire, odeur languissante, fraîche, qui faisait venir l'eau à la bouche.

Il y avait le plaisir fou de pêcher avec grand-père dans les ruisseaux boueux de la campagne, lorsque le temps était couvert.

Il y avait la stupeur mêlée d'effroi que j'éprouvais quand grand-père m'emmenait à la scierie voir les immenses lames d'acier bourdonnantes et les entendre gémir et hurler lorsqu'elles mordaient les troncs verts et humides.

Il y avait le goût acide qui me fit presque pleurer quand je mangeai mon premier kaki à demi mûr.

Il y avait la joie gourmande dans le goût piquant des noix de l'hickory sauvage.

Il y eut la matinée d'été chaude et sèche où j'égratignai mes bras nus aux ronces en ramassant des mûres et où je rentrai avec les doigts et les lèvres noirs de jus sucré.

Il y eut le délice de manger mon premier sandwich de poisson frit, de le grignoter lentement en espérant qu'il ne finirait jamais.

Il y eut l'indigestion qui me tordit les boyaux toute une nuit après avoir mangé des pêches vertes, volées sur l'arbre d'un voisin.

Il y eut cette matinée où je crus mourir de peur lorsque je posai mon pied nu sur une petite couleuvre verte et luisante.

Et il y avait le morne, somnolent, interminable défilé des jours et des nuits sous un crachin monotone...

Nous nous trouvâmes enfin à la gare avec nos bagages, attendant le train qui devait nous emmener en Arkansas, et pour la première fois je remarquai qu'il y avait deux files d'attente au guichet des billets, une file « blanche » et une file « noire ». Au cours de ma visite chez grand-père, le sentiment des deux races était né et s'était concrétisé en moi avec une acuité qui ne devait mourir qu'avec moi. En montant dans le train, je remarquai que nous autres Nègres, nous occupions une partie du train, et les Blancs une autre. Naïvement, je voulus aller voir comment c'était chez les Blancs, dans l'autre section du train.

« Je peux aller regarder les Blancs, juste un petit coup ? demandai-je à ma mère.

— Tiens-toi tranquille, fit-elle.

— Mais ça ne serait pas faire mal, dis, man ?

— Veux-tu te tenir tranquille.

— Mais pourquoi je ne peux pas y aller ?

— Cesse de dire des bêtises ! »

J'avais commencé à remarquer que ma mère se montrait agacée quand je lui posais des questions sur les Blancs et les Noirs, et je ne saisissais pas très bien. Je voulais savoir le pourquoi de ces deux catégories de gens qui vivaient côte à côte et qui n'avaient de contact, semblait-il, que dans la violence. Par exemple, il y avait ma grand-mère...

84

Était-elle blanche ? A quel point était-elle blanche ?
Que pensaient les Blancs de sa blancheur ?

« Maman, est-ce que grand-mère est blanche ?
demandai-je tandis que le train roulait dans la nuit.

— Si tu as des yeux, c'est pour t'en servir. Tu es
capable de voir de quelle couleur elle est, répondit
ma mère.

— Je veux dire, est-ce que les Blancs la prennent
pour une Blanche ?

— Pourquoi ne le demandes-tu pas aux Blancs ?
rétorqua-t-elle.

— Mais toi, tu le sais, insistai-je.

— Comment le saurais-je ? Je ne suis pas
blanche.

— Grand-mère a l'air blanche, dis-je, espérant
arriver à établir au moins un fait patent. Alors,
pourquoi elle vit avec nous aut', gens de couleur ?

— Tu n'as pas envie que grand-mère vive avec
nous ? dit-elle, éludant ma question.

— Si.

— Alors pourquoi poses-tu cette question ?

— Pour *savoir*.

— Grand-mère n'habite-t-elle pas avec nous ?

— Si.

— Ça ne te suffit pas ?

— Mais est-ce qu'elle *veut* habiter avec nous ?

— Pourquoi ne l'as-tu pas demandé à grand-
mère ? fit ma mère d'un ton moqueur, éludant
encore ma question.

— Est-ce que grand-mère est devenue une

femme de couleur quand elle s'est mariée avec grand-père ?

— Vas-tu finir de me demander des choses idiotes ?

— Réponds-moi.

— Grand-mère n'est pas *devenue* une femme de couleur, dit ma mère d'un ton irrité. Elle est *née* avec la couleur qu'elle a maintenant. »

De nouveau, je me voyais frustré du secret, de la chose, de la réalité que j'entrevoyais derrière tous ces mots et ces silences.

« Pourquoi grand-mère ne s'est-elle pas mariée avec un Blanc ? demandai-je.

— Parce que ça ne lui plaisait pas, répondit-elle avec humeur.

— Pourquoi que tu ne veux pas me répondre ? » fis-je.

Elle me gifla et je pleurai. Par la suite, à contrecœur, elle me dit que grand-père était de souche irlandaise, écossaise et française, avec quelques gouttes de sang nègre venues d'on ne savait où. Elle me donna ces explications d'un air détaché, désinvolte, neutre ; tout cela ne la touchait nullement...

« Comment s'appelait grand-mère avant de s'être mariée avec grand-père ?

— Bolden.

— Qui lui a donné ce nom-là ?

— Le Blanc qu'elle avait pour maître.

— C'était une esclave ?

— Oui.

— Et Bolden était le nom du père de grand-mère ?

— Grand-mère ne sait pas qui était son père.

— Alors on lui a simplement donné n'importe quel nom ?

— On lui a donné un nom ; c'est tout ce que je sais.

— Grand-mère n'a pas cherché qui était son père ?

— Pour quoi faire, gros bêta ?

— Pour savoir.

— Savoir *quoi* ? »

Je ne savais que répondre. Je n'arrivais à rien. « Maman, de qui papa tient-il son nom ?

— De son père.

— Et le père de mon père, de qui le tient-il ?

— Il l'a eu de la même façon que grand-mère. C'est un Blanc qui le lui a donné.

— On ne sait pas qui c'est ?

— Je n'en sais rien.

— Pourquoi ne cherche-t-on pas à savoir ?

— Pour quoi faire ? » demanda sèchement ma mère.

Et là encore, je fus incapable de trouver une raison valable, rationnelle ou pratique, pour laquelle mon père devrait tâcher de retrouver le nom du père de son père.

« Qu'est-ce qu'il a en lui, papa ? demandai-je.

— Un peu de blanc, un peu de rouge et un peu de noir.

— Indien, Blanc et Nègre ?

— Oui.

— Alors, qu'est-ce que je suis ?

— Quand tu seras grand, on dira de toi que tu es un homme de couleur », répondit-elle.

Ensuite, se tournant vers moi avec un sourire moqueur, elle demanda :

« Vous n'y voyez pas d'inconvénient, monsieur Wright ? »

Vexé, je ne répondis pas. Je ne voyais pas d'objection a être appelé homme de couleur, mais je sentais que ma mère me cachait quelque chose. Elle ne dissimulait pas des faits, mais des sentiments, des attitudes, des convictions qu'elle ne voulait pas que je connaisse ; et elle se fâchait quand je la pressais de questions. Très bien, je trouverais un jour. On verrait. Ah ! j'étais un enfant de couleur ? Parfait. Je n'étais pas suffisamment au courant pour en être effrayé ou pour pressentir d'une manière concrète. J'avais, il est vrai, entendu dire que l'on battait et que l'on tuait les gens de couleur, mais jusqu'alors ces faits m'avaient paru lointains. Je ressentais, bien sûr, une vague inquiétude à ce sujet, mais j'étais certain de me montrer à la hauteur quand cela viendrait me concerner directement. C'était bien simple. Si quelqu'un essayait de me tuer, je le tuerais avant.

En arrivant à Elaine, je vis que tante Maggie habitait un bungalow entouré d'une clôture. On se sentait chez soi et j'étais heureux. Je ne soupçonnais pas que j'allais y vivre peu de temps et que mon départ serait mon premier baptême d'émotions raciales.

Une large route poudreuse passait devant la maison et de chaque côté des fleurs sauvages bordaient le talus. C'était l'été et l'odeur de la poussière d'argile flottait partout, la nuit comme le jour. Je me levais de bonne heure tous les matins pour patauger pieds nus dans le sable de la route, m'amusant de l'étrange contraste entre la croûte froide et humide de rosée de la surface et le sable chaud, cuit par le soleil, qui se trouvait dessous.

Après le lever du soleil, les abeilles commençaient à sortir et je découvris qu'en frappant vivement mes mains l'une contre l'autre je pouvais en tuer. Ma mère m'ordonna de cesser ; elle me dit que les abeilles faisaient du miel, que c'était mal de tuer des bêtes qui faisaient de la nourriture et que je finirais par me faire piquer. Mais j'étais certain d'être plus malin que n'importe quelle abeille. Un matin j'écrasai entre mes mains une énorme abeille au moment où elle venait de se poser sur une fleur et elle me piqua au creux de la main gauche, là où la chair est le plus sensible. Je courus à la maison en braillant.

« Bien fait pour toi », commenta sèchement ma mère.

Je n'écrasai plus jamais d'abeilles.

Le mari de tante Maggie, oncle Hoskins, était propriétaire d'un cabaret qui avait comme clientèle quelques centaines de Nègres employés dans les scieries des environs. Me souvenant du bar de

Memphis, je priai l'oncle Hoskins de m'emmener voir le sien et il me le promit ; mais ma mère s'y opposa ; elle craignait que je ne devienne un ivrogne en grandissant, si je retournais dans un bar pendant que j'étais encore enfant. Mais si je ne pouvais pas voir le bar, du moins pouvais-je manger. Et aux heures des repas, la table de tante Maggie était tellement chargée de nourriture que j'avais peine à croire à la réalité de ce que je voyais. Il me fallut un certain temps pour m'habituer à l'idée d'avoir assez à manger ; j'avais le sentiment que si je mangeais à ma faim, il ne resterait rien pour le repas suivant. Lorsque je m'assis pour la première fois à table, chez tante Maggie, je fus incapable de manger avant d'avoir demandé :

« Est-ce que je peux manger autant que je veux ?

— Autant que tu veux », dit l'oncle Hoskins.

Je ne le crus pas. Je mangeai à en avoir une indigestion, mais même alors je n'avais pas envie de me lever de table.

« Tu as les yeux plus grands que le ventre, dit ma mère.

— Laisse-le manger autant qu'il lui plaira, qu'il s'habitue à la nourriture », dit l'oncle Hoskins.

Lorsque fut achevé le souper, je vis de nombreux biscuits empilés sur le panier à pain, spectacle étonnant et incroyable pour moi. J'avais beau avoir les biscuits devant les yeux et savoir qu'il y avait encore de la farine à la cuisine, je craignais qu'il n'y eût plus de pain le lendemain matin pour le déjeuner. J'avais peur que les biscuits disparaissent d'une façon ou d'une autre durant la nuit, pendant mon sommeil. Je ne voulais pas me réveiller le matin, comme cela m'était si souvent arrivé, avec la faim au ventre et la certitude qu'il n'y avait rien à manger à la maison. Aussi je pris subrepticement quelques biscuits dans le panier et je les glissai dans ma poche, non pas pour les manger, mais comme rempart contre une offensive éventuelle de la faim. Même après avoir pris l'habitude de voir la table chargée de mets, je volais encore du pain pour le mettre dans mes poches. En lavant mes vêtements, ma mère en trouvait des boules gluantes et me grondait pour me faire perdre cette habitude; je cessai de cacher du pain dans mes poches pour le cacher dans la maison, dans les coins, derrière des commodes. Je n'abandonnai l'habitude de voler et d'amasser du pain que lorsque j'eus acquis la quasi-certitude qu'il y aurait de quoi manger à chaque repas.

Oncle Hoskins avait un cheval et un cabriolet, et quelquefois il m'emmenait à Helena où il allait faire ses courses. Un jour que je roulais en voiture avec lui, il me dit :

« Richard, aimerais-tu voir ce cheval boire au milieu de la rivière ?

— Oui, répondis-je en riant. Mais ton cheval ne peut pas faire ça.

— C'est ce qui te trompe, dit oncle Hoskins. Tu vas voir. »

Il cingla le cheval et conduisit le cabriolet droit vers le Mississippi.

« Où vas-tu ? demandai-je, subitement alarmé.

— Faire boire le cheval au milieu de la rivière »,
répondit oncle Hoskins.

Il poussa la voiture sur le talus, descendit la pente
caillouteuse jusqu'au bord du fleuve, et là, le cheval
plongea. A la vue de l'étendue d'eau d'un mille de
large qui s'étalait devant nous, je bondis de terreur.

« Non ! hurlai-je.

— Faut bien que le cheval boive, dit oncle
Hoskins d'un air sinistre.

— La rivière est profonde ! criai-je.

— Le cheval ne peut pas boire ici », dit oncle
Hoskins, en cinglant d'un coup de fouet le dos du
cheval qui se débattait.

La voiture avança dans l'eau. Le cheval ralentit
un peu et hocha la tête au-dessus du courant. Je
m'agrippai au rebord du cabriolet, prêt à sauter,
bien que ne sachant pas nager.

« Assieds-toi, sinon tu vas tomber ! cria l'oncle
Hoskins.

— Je veux descendre ! » hurlai-je.

A présent l'eau arrivait à hauteur des moyeux des
roues. J'essayai de sauter dans la rivière, mais il me
retint par la jambe. Nous étions maintenant entou-
rés d'eau.

« Laisse-moi descendre ! » continuai-je à crier.

Le cabriolet continuait à rouler et l'eau montait
toujours. Le cheval secouait la tête, tendait le cou,
faisait tournoyer sa queue, roulait des yeux,
s'ébrouait et renâclait. Je me cramponnais de toutes
mes forces aux rebords du cabriolet, prêt à m'arra-

cher à l'étreinte de mon oncle et à sauter si la voiture s'enfonçait plus profondément. Oncle Hoskins s'efforçait de me retenir et je me débattais comme un beau diable.

« Ohhh ! » cria-t-il enfin au cheval.

Le cheval s'arrêta et se mit à hennir. L'eau jaune et tourbillonnante était si profonde que j'aurais pu la toucher.

Oncle Hoskins me regarda et se mit à rire.

« Tu croyais vraiment que j'allais conduire la voiture au milieu de la rivière ? » demanda-t-il.

J'étais trop effrayé pour répondre. J'étais tellement contrarié que j'en avais mal aux muscles.

« N'aie pas peur », dit-il pour me rassurer.

Il fit tourner le cabriolet et reprit le chemin du talus. Je m'agrippais aux ridelles avec une telle force que je ne pus lâcher prise.

« Il n'y a plus de danger, maintenant », dit-il.

Le cabriolet aborda sur la terre ferme et tandis que la frayeur me quittait peu à peu, j'avais l'impression de tomber de très haut. Je croyais sentir une odeur fraîche et pénétrante. Mon front était moite et mon cœur battait à grands coups.

« Je veux descendre, dis-je.

— Qu'est-ce qu'il y a ? demanda-t-il.

— Je veux descendre !

— Mais nous sommes sur la terre ferme, mon petit.

— Nan ! Arrête ! Je veux descendre ! »

Il n'arrêta pas le cabriolet, il ne détourna même pas la tête pour jeter un regard sur moi. Il ne

93

comprenait pas. Je libérai ma jambe d'une secousse et, sautant de la voiture, j'atterris sans dommage sur le sable de la route. Il arrêta le cabriolet.

« T'as eu vraiment si peur ? » dit-il à mi-voix.

Je ne répondis pas, j'étais incapable d'articuler un mot. Maintenant que ma peur était partie, il se dressait devant moi comme un étranger, comme un homme que je n'avais jamais vu, un homme avec qui je ne pourrais jamais avoir un instant d'intimité.

« Allons, viens, Richard. Remonte dans la voiture, dit-il, je vais te ramener à la maison. »

Je secouai la tête et me mis à pleurer.

« Voyons, mon petit, tu n'as pas confiance en moi ? demanda-t-il. Je suis venu au monde sur c'te bonne vieille rivière. Je la connais comme si je l'avais faite. C'est rien que de la pierre et de la brique dans le fond. Tu pourrais faire un demi-mille sans te mouiller le bout du nez. »

Mais tout cela ne voulait rien dire pour moi et je refusai obstinément de remonter dans le cabriolet.

« Je vais te ramener à la maison », dit-il calmement.

Je commençais à descendre la route poudreuse. Il descendit du cabriolet et marcha à côté de moi. Il ne fit pas ses courses ce jour-là, et lorsqu'il essaya de m'expliquer pourquoi il avait voulu me faire peur, je ne voulus ni l'écouter, ni lui parler. Jamais plus je n'eus confiance en lui. Chaque fois que je voyais son visage, le souvenir vivace et précis de ma terreur sur l'eau me revenait et se dressait comme une barrière entre nous.

Oncle Hoskins allait tous les soirs à son bar et ne rentrait à la maison qu'aux premières heures de la matinée. Il dormait le jour comme mon père, mais le bruit ne semblait jamais incommoder oncle Hoskins. Mon frère et moi pouvions faire autant de tapage que nous voulions. Souvent, je me faufilais dans sa chambre pendant qu'il dormait pour contempler le gros revolver luisant qui se trouvait près de sa tête, à portée de sa main. Je demandai à tante Maggie pourquoi il gardait l'arme si près de lui, et elle me répondit que des hommes avaient menacé de le tuer, des Blancs...

Un matin, je me réveillai pour apprendre que l'oncle Hoskins n'était pas rentré du bar. Tante Maggie se tourmentait. Elle voulait se rendre au bar pour voir ce qui était arrivé, mais oncle Hoskins lui avait défendu d'y mettre les pieds. La journée s'écoula, et quand vint l'heure du dîner, tante Maggie n'y tint plus :

« Je vais voir s'il lui est arrivé quelque chose, déclara-t-elle.

— Tu ne devrais peut-être pas, objecta ma mère. Ça peut être dangereux. »

On garda le repas chaud sur le fourneau ; debout sur le seuil, tante Maggie scrutait la nuit qui s'épaississait. De nouveau, elle annonça qu'elle allait voir au bar, mais ma mère l'en dissuada une fois de plus. Il faisait nuit noire et l'oncle ne rentrait toujours pas. Tante Maggie se rongeait les sangs en silence.

« Mon Dieu, pourvu que les Blancs ne lui aient pas cherché d'histoires. »

Plus tard, elle alla dans la chambre, et quand elle en sortit elle se lamenta :

« Il n'a pas pris son revolver. Je me demande ce qui a bien pu se passer. »

Nous mangeâmes en silence. Une heure plus tard, des pas lourds retentirent devant l'entrée et on frappa violemment. Tante Maggie se précipita et ouvrit la porte. Un grand garçon noir se tenait sur le seuil, soufflant, suant, secouant la tête. Il ôta sa casquette.

« M'sieu Hoskins... l'a reçu un coup de revolver. Un Blanc lui a tiré dessus, dit-il d'une voix haletante. L'est mort, mâme Hoskins. »

Tante Maggie poussa un cri strident, descendit d'un bond les marches du perron et s'enfonça en courant dans la nuit.

« Maggie ! hurla ma mère.

— N'allez surtout pas là-bas, au cabaret ! cria le jeune homme.

— Maggie ! appelait ma mère, en courant après ma tante.

— Ils vont vous tuer, si vous allez là-bas ! hurla le jeune homme. Les Blancs ont dit qu'ils tueraient toute la famille ! »

Ma mère entraîna tante Maggie derrière la maison. La peur noyait son chagrin, et cette nuit-là nous emballâmes nos vêtements et notre vaisselle et nous les chargeâmes sur la charrette d'un fermier. Avant l'aube, nous étions en route, fuyant pour notre salut. Par la suite, j'appris que l'oncle Hoskins avait été tué par des Blancs qui convoitaient depuis longtemps son commerce florissant. Il avait reçu des menaces de mort et plusieurs fois on lui avait intimé l'ordre de s'en aller, mais il avait voulu tenir un peu plus longtemps pour amasser plus d'argent. Nous prîmes des chambres à West Helena ; tante Maggie et ma mère avaient peur de se montrer dans la rue et se tenaient jour et nuit calfeutrées à la maison. Tante Maggie finit par surmonter sa peur et fit de fréquents voyages à Elaine, mais elle n'y allait que la nuit, en secret, et ne disait à personne, sauf à ma mère, quand elle partait.

Il n'y eut pas d'enterrement. Il n'y eut pas de musique. Il n'y eut pas de deuil. Il n'y eut pas de fleurs. Il n'y eut que le silence, des pleurs étouffés, des chuchotements et de la peur. Je ne sus même pas où ni quand l'oncle Hoskins avait été enterré. On ne permit pas à tante Maggie de voir son corps et elle ne put davantage réclamer sa succession. Oncle Hoskins nous avait tout simplement été subtilisé, et nous étions, métaphoriquement parlant, tombés face contre terre pour ne pas voir le visage flamboyant de la terreur qui, nous le savions, planait quelque part au-dessus de nous. Je n'avais jamais été mêlé d'aussi près à la terreur blanche, et mon esprit chancela. Pourquoi ne nous étions-nous pas défendus, demandai-je à ma mère. Et de peur, elle me gifla pour me faire taire.

Ébranlées, apeurées, seules, sans mari et sans

amis, ma mère et ma tante Maggie perdirent confiance en elles-mêmes, et, après des palabres et des tergiversations à n'en plus finir, elles décidèrent de retourner se reposer chez grand-mère et, là, de faire de nouveaux projets d'existence. J'étais habitué à déménager au pied levé, et la perspective d'un nouveau voyage n'était pas faite pour m'émouvoir. J'avais appris à quitter les anciennes résidences sans regret et à accepter les nouvelles pour ce qu'elles semblaient valoir. Bien que j'eusse près de neuf ans, je n'avais pas accompli une seule année scolaire complète et je ne m'en rendais pas compte. Je savais lire et compter, et c'était à peu près tout ce que savaient la plupart des gens, adultes ou enfants, qu'il m'était donné de rencontrer. Notre ménage fut dispersé une fois de plus ; des affaires furent vendues, données ou simplement abandonnées et nous partîmes pour un autre long voyage en chemin de fer.

Quelques jours plus tard, après notre arrivée chez grand-mère, je jouais par terre dans un champ inculte, avec un vieux couteau. Soudain, un étrange son rythmé me fit tourner la tête. Du sommet de la colline, une vague menaçante d'hommes noirs, drapés d'étranges vêtements couleur moutarde, déferlait sur moi. Sans réfléchir, je fus debout d'un bond, le cœur battant. Qu'est-ce que c'était ? Ces hommes me poursuivaient-ils ? File par file, rangée par rangée, ces hommes fantastiques avec leur accoutrement bariolé, arrivaient sur moi au trot, leurs pieds nus martelant le sol, comme si quelqu'un avait frappé sur un immense tambour. Je voulais m'enfuir à la maison, mais, comme dans un rêve, j'étais cloué au sol. Complètement affolé, je regardais de tous côtés, cherchant un indice quelconque susceptible de me renseigner, mais en vain. La muraille d'hommes se rapprochait. Mon cœur battait si fort que mon corps en tremblait. J'essayai de nouveau de me sauver, mais je ne pouvais pas bouger. J'avais le nom de ma mère sur le bout de la langue et j'ouvris la bouche pour hurler, mais aucun son n'en sortit, car maintenant cette marée d'hommes, dont l'un ressemblait exactement à l'autre, se séparait et se répandait autour de moi, ébranlant le sol en cadence. Tandis que leur flot me dépassait, je vis leurs visages noirs me regarder et je remarquai que quelques-uns d'entre eux souriaient. Puis j'observai que chacun d'eux portait sur l'épaule une sorte de bâton de couleur sombre, long, lourd. Un des hommes me cria en passant quelque chose que je ne compris pas. A présent, ils étaient loin de moi et disparaissaient dans un grand nuage de poussière brune qui semblait faire partie de leur accoutrement, les apparentant ainsi à la terre elle-même, à laquelle ils semblaient se fondre comme dans leur élément. Quand ils furent à bonne distance, je réussis à dominer ma peur, je filai comme une flèche à la maison et, d'une seule haleine, je racontai à ma mère ce que je venais de voir et lui demandai qui étaient ces hommes étranges.

« C'était des soldats, répondit-elle.

« — Qu'est-ce que c'est que des soldats ? demandai-je.

— Des hommes qui se battent à la guerre.

— Pourquoi ils se battent ?

— Pour leur pays.

— Et qu'est-ce que c'est que ces longs bâtons noirs qu'ils portent sur l'épaule ?

— Des fusils.

— Qu'est-ce qu'un fusil ?

— C'est une arme qui tire des balles.

— Comme un revolver.

— Oui.

— Est-ce que la balle peut vous tuer ?

— Oui, si elle touche où il faut.

— Qui est-ce qu'ils vont tuer ?

— Les Allemands.

— Qu'est-ce que c'est que les Allemands ?

— Nos ennemis.

— Qu'est-ce que c'est qu'un ennemi ?

— C'est des gens qui veulent vous tuer et vous prendre votre pays.

— Où est-ce qu'ils vivent ?

— Très loin, de l'autre côté de la mer ; tu ne te souviens pas que j' t'ai dit que la guerre était déclarée ? »

Je me souvenais, mais quand elle me l'avait dit, cela ne m'avait pas semblé avoir la moindre importance. Je demandai à ma mère pourquoi on faisait la guerre et elle me parla de l'Angleterre, de la Russie, de l'Allemagne, d'hommes qui mouraient, mais la réalité était trop vaste et trop étrangère pour m'émouvoir ou m'intéresser davantage.

Un autre jour, jouant dehors devant la maison, je regardai par hasard la route, et je vis ce qui me parut être un troupeau d'éléphants se diriger lentement vers moi. Il n'y avait en moi, cette fois, rien de cette froide épouvante que j'avais ressentie en voyant des soldats, car ces créatures étranges se déplaçaient lentement, silencieusement, sans paraître le moins du monde menaçantes. Cependant j'opérai une prudente retraite vers les marches du perron, prêt à me sauver s'ils se montraient d'une nature plus violente que leur aspect ne le suggérait. Les éléphants étranges n'étaient plus qu'à quelques pas de moi et je vis que leurs figures ressemblaient à des figures d'hommes! J'ouvris des yeux étonnés, mon esprit essayant d'adapter le souvenir à la réalité. Quel genre d'hommes était-ce là? Je vis qu'il y avait deux rangées de créatures qui ressemblaient à des hommes de chaque côté de la route; qu'il y avait quelques visages blancs et une multitude de visages noirs. Je m'aperçus que les visages blancs étaient des visages d'hommes blancs et qu'ils étaient habillés comme tout le monde, mais les visages noirs étaient ceux d'hommes qui portaient, à ce qu'il me parut, des vêtements d'éléphant. Lorsque ces étranges animaux arrivèrent à ma hauteur, je vis que les pieds des animaux noirs étaient attachés par des fers et que leurs bras étaient chargés de lourdes chaînes qui tintaient doucement et harmonieusement à chaque mouvement. Les créatures noires creusaient un fossé peu profond de chaque côté de la route et travaillaient silencieusement, soulevant en ahanant de lourdes pelletées de terre qu'ils lançaient au milieu de la chaussée. Un des étranges animaux zébrés tourna vers moi son visage noir.

« Que faites-vous ? » demandai-je à voix basse, ne sachant pas si on pouvait vraiment parler à des éléphants.

Il secoua la tête et lança un regard circonspect sur un homme blanc et se remit à creuser. Soudain je remarquai que les Blancs portaient à l'épaule de longs bâtons noirs et lourds — des « fusils ».

Quand ils se furent éloignés, je rentrai à la maison en courant à perdre haleine.

« Maman ! criai-je.

— Quoi ? répondit-elle de la cuisine.

— Il y a des éléphants dans la rue ! »

Elle vint sur le seuil de la porte et me regarda d'un air étonné.

« Des éléphants ?

— Oui. Viens les voir. Ils creusent un trou dans la rue. »

Ma mère s'essuya les mains à son tablier et courut à la porte d'entrée. Je la suivis, désireux de me faire traduire le spectacle déconcertant que j'avais vu. Elle regarda dans la rue et secoua la tête.

« Ce n'est pas des éléphants, dit-elle.

— Qu'est-ce que c'est ?

— Une équipe de forçats.

— Qu'est-ce que c'est, une équipe de forçats ?

102

— Exactement ce que tu vois. Une équipe d'hommes qu'on enchaîne et qu'on force à travailler.

— Pourquoi ?

— Parce qu'ils ont fait quelque chose de mal et qu'on les punit.

— Qu'est-ce qu'ils ont fait ?

— Je ne sais pas.

— Mais pourquoi ils sont habillés comme ça ?

— Pour les empêcher de se sauver, répondit-elle. Tu comprends, on les reconnaît à leurs raies et on sait que c'est des forçats.

— Pourquoi les Blancs ne portent pas de raies ?

— Parce que c'est les gardiens.

— Est-ce que les Blancs en portent des fois, des raies ?

— Des fois, oui.

— T'en as déjà vu ?

— Non.

— Pourquoi y a-t-il tellement de Noirs qui portent des raies ?

— C'est parce que... Eh bien... Parce qu'ils sont plus durs avec les Noirs.

— Qui ça ? Les Blancs ?

— Oui.

— Alors pourquoi que tous les Noirs ne se battent pas avec tous les Blancs qu'il y a là ? Il y a plus de Noirs que de Blancs...

— Mais les Blancs ont des fusils et les Noirs n'en ont pas », dit ma mère.

Puis elle me regarda et me demanda :

« Qu'est-ce qui t'a fait les appeler des éléphants ? »

Je fus incapable de lui répondre sur le moment.
Mais plus tard en songeant aux vêtements à raies
noires et blanches des Nègres, je me souvins que
j'avais vu à Elaine un livre contenant des images aux
couleurs vives avec les noms des bêtes de la jungle.
Ce qui m'avait frappé le plus vivement, c'étaient les
zèbres, dont les rayures semblaient avoir été peintes
à la main. Les autres animaux qui avaient le plus
touché mon imagination étaient les éléphants ; de là
venait que les zèbres s'étaient associés dans mon
esprit aux éléphants, s'étaient identifiés à eux au
point qu'en voyant des forçats habillés comme les
zèbres de raies noires et blanches, je les avais pris
pour des éléphants, bêtes de la jungle.

Une fois de plus, après un laps de temps indéter-
miné, ma mère nous annonça que nous allions
partir, que nous retournions à West Helena. Elle
s'était fatiguée des strictes habitudes religieuses de
chez grand-mère, de la demi-douzaine de prières
familiales et quotidiennes que grand-mère exigeait
de tous ; de l'entendre décréter que la journée
commençait à l'aube et la nuit au crépuscule ; des
divagations interminables sur la Bible ; des invoca-
tions individuelles marmonnées à l'occasion de
chaque repas ; de ses théories d'après lesquelles, le
samedi étant jour de Sabbat, nul d'entre ceux qui
habitaient chez elle n'était autorisé à travailler ce
jour-là. A West Helena nous pourrions avoir notre
chez-nous, situation qui nous apparaissait comme

104

éminemment désirable après avoir entendu pendant plusieurs mois de suite grand-mère se lamenter au sujet du salut de notre âme. La perspective du voyage en était évidemment agréable. Une fois de plus nous fîmes nos paquets. Une fois de plus nous fîmes nos adieux. Une fois de plus nous prîmes le train. Une fois de plus nous nous retrouvâmes à West-Helena.

Nous louâmes la moitié d'une maison d'angle à deux logements devant laquelle se trouvait un ruisseau stagnant où se déversaient les eaux d'égout. Le quartier regorgeait de rats, de chats, de chiens, de diseuses de bonne aventure, d'infirmes, d'aveugles, de prostituées, de représentants de commerce, d'encaisseurs de loyers, et de gosses. Notre appartement donnait sur une immense rotonde où l'on nettoyait et réparait les locomotives. On entendait l'éternel sifflet de la vapeur, le grondement grave des machines d'acier et le tintement des cloches de locomotives[1]. La fumée obscurcissait la vue et les escarbilles venaient s'égarer dans la maison, dans les lits, dans la cuisine, dans la nourriture ; il y avait toujours une odeur de goudron dans l'air.

Pieds nus, tête nue, mon frère et moi, avec une horde anonyme d'enfants noirs, nous restions à regarder les hommes grimper sur les immenses locomotives noires, se couler à l'intérieur et en ressortir à quatre pattes.

1. Aux U.S.A. les locomotives portent des cloches au lieu de sifflets avertisseurs.

Profitant de l'inattention des hommes, nous grimpions dans la cabine du mécanicien, et là, hissant nos corps d'enfants jusqu'à la lucarne, nous nous imaginions que nous étions devenus de grandes personnes, des mécaniciens chargés de faire marcher le train, qu'il faisait nuit, qu'il y avait de l'orage et que nous conduisions une longue file de voitures de voyageurs que nous nous efforcions d'amener sans encombre à destination.

« *Ouhhhpfuiii !*

— Ding, ding, ding !

— *Tcheuf-tcheuf ! Tcheuf-tcheuf ! Tcheuf-tcheuf ! Tcheuf-tcheuf !* »

Mais notre plus grand amusement, c'était de barboter dans l'égout, car nous y trouvions des vieilles bouteilles, des boîtes de conserves qui contenaient de minuscules crabes, des cuillers rouillées, des bouts de métal, de vieilles brosses à dents, des chiens et des chats crevés, et quelquefois des sous. Nous faisions des bateaux en bois avec des boîtes à cigares, improvisions de petites roues à palettes auxquelles nous adaptions des morceaux de caoutchouc, et nous lâchions la boîte à cigares qui s'en allait voguer parmi les détritus du ruisseau, mue par sa propre impulsion. Souvent, les pères des enfants sortaient le soir dans la rue, enlevaient leurs chaussures et confectionnaient et manœuvraient eux-mêmes les bateaux.

Ma mère et tante Maggie faisaient la cuisine chez des Blancs, si bien que mon frère et moi étions libres de vagabonder à notre guise pendant leurs

106

heures de travail. Tous les jours, elles nous laissaient dix *cents* à chacun pour notre déjeuner, et nous passions toute la matinée à rêver et à discuter de ce que nous achèterions. Entre dix et onze heures nous allions à l'épicerie du coin — qui appartenait à un Juif — acheter pour cinq *cents* de biscuits au gingembre et une bouteille de coca-cola ; c'était ce que nous entendions par « déjeuner ».

Je n'avais jamais vu de Juif auparavant, et le propriétaire de l'épicerie du coin était pour moi un objet curieux. Jusque-là je n'avais jamais entendu parler une langue étrangère et il m'arrivait de m'attarder à la porte de l'épicerie pour écouter les sons bizarres qu'émettaient les Juifs en parlant. Tous les Noirs du quartier détestaient les Juifs, non parce qu'ils nous exploitaient, mais parce qu'on nous avait appris à la maison et à l'école du dimanche que les Juifs étaient les « assassins du Christ ». Les Juifs devenaient ainsi une proie tout indiquée pour nos sarcasmes et nos railleries.

L'épicier juif voyait accourir vers sa boutique toute une bande de galopins noirs — nous étions âgés de sept, huit et neuf ans — braillant à tue-tête :

> *Juif, juif, juif,*
> *Qu'est-ce que tu broutes ?*

Ou bien nous formions une longue chaîne qui serpentait sur le trottoir, passant et repassant devant sa porte et chantant :

Juif, juif,
Tu donnes deux et tu prends cinq.
C'est ça
Qui te fait vivre.

Ou bien nous psalmodiions :

Sanguinaires assassins du Christ,
Ne te fie jamais à un Juif...
Sanguinaires assassins du Christ,
Que ne ferait un Juif ?

A l'un des petits Juifs à la tignasse rousse, nous chantions :

Rouquin.
Pain azime,
Pour cinq « cents »
Une tête de Juif.

A la grande Juive, nous lancions méchamment :

Rouge, blanc, bleu,
Ton père était un Juif,
Ta mère une sale métèque,
Qu'est-ce que t'es, bon Dieu ?

Et quand la propriétaire de la boutique montrait son crâne chauve, nous, les pauvres enfants faméliques, ignorants, victimes du préjugé racial, chantions gaiement, fièrement :

> *Un œuf pourri*
> *Ne frit pas ;*
> *Un chien galeux*
> *N'engraisse pas.*

Il y avait bien d'autres dictons populaires, les uns méchants, les autres orduriers, tous cruels. Personne n'avait jamais songé à intervenir ; dans l'ensemble, nos mères et nos parents nous encourageaient ou laissaient faire. Une attitude d'antagonisme et de méfiance envers les Juifs se formait ainsi chez nous dès l'enfance ; ce n'était pas simplement un préjugé de race, cela faisait partie de notre héritage culturel.

Un après-midi, un groupe de garçons et de filles noirs se trouvait dehors, à rire et à bavarder. Un Noir, vêtu d'une salopette, monta les marches du perron et entra dans l'appartement contigu au nôtre.

« On est samedi, me dit une petite fille noire.

— Ouais. Mais qu'est-ce que t'as besoin de l'annoncer ? demandai-je.

— Ils vont se faire des tas d'argent là-dedans, me dit-elle en montrant du doigt la porte par laquelle l'homme avait disparu.

— Comment ça ? »

Un autre homme, un Noir également, gravit le perron et entra dans le logement.

« Tu ne sais vraiment pas ? demanda la fille d'une voix incrédule.

— Si je sais quoi ?

— Ce qu'on vend...

— Où ?

— Là où les hommes sont entrés.

— Personne ne vend rien là-dedans, dis-je.

— Tu rigoles ! dit la fille, franchement interloquée devant une telle ignorance.

— Non, sans blague. Qu'est-ce qu'ils vendent ? Dis-le-moi...

— Tu sais très bien ce qu'on y vend, me dit-elle en me regardant avec un sourire taquin.

— On ne vend rien là-dedans, dis-je.

— Oh ! t'es qu'un bébé », fit-elle, fouettant l'air de sa paume sombre dans un geste de mépris.

J'étais intrigué. Se passait-il quelque chose que j'ignorais, dans l'appartement voisin ? Je croyais bien avoir fourré mon nez dans toutes les histoires imaginables du quartier ; si on vendait quelque chose à côté, je tenais à savoir de quoi il retournait. L'immeuble dans lequel j'habitais était une maison de bois à un étage qui comprenait deux logements ; à l'origine, la maison n'était destinée qu'à une famille, mais elle avait été dédoublée, car il y avait dans notre appartement des portes qui donnaient sur l'appartement contigu. Ces portes avaient été dûment fermées à clef, verrouillées et clouées. Nos voisins semblaient être des gens calmes ; des hommes entraient et sortaient, je n'avais jamais rien trouvé d'étonnant à cela. Mais les allusions de la

110

fillette me donnèrent envie de savoir ce qui s'y passait. J'entrai dans notre maison, fermai la porte à clef, puis je collai l'oreille contre la mince cloison qui divisait les deux appartements et j'écoutai. Je perçus de vagues bruits, mais je ne sus les interpréter. J'écoutai à une porte verrouillée et les sons se firent plus forts, mais je ne comprenais toujours rien.

Avec précaution, je tirai une chaise, posai une boîte dessus, grimpai sur le tout et appliquai mon œil contre une fissure en haut de la porte. Je vis, dans la pénombre de la pièce voisine, un homme nu et une femme nue sur un lit, l'homme sur la femme. Je perdis l'équilibre et dégringolai de mon perchoir cul par-dessus tête. Je me tins coi, me demandant si l'homme et la femme dans la chambre voisine m'avaient entendu. Mais tout semblait calme et ma curiosité reprit le dessus. Juste au moment où j'étais remonté pour recommencer à guigner, on frappa violemment au carreau derrière moi ; je tournai la tête et je vis la propriétaire d'à côté qui me regardait. Mon cœur se mit à battre à grands coups et je descendis précipitamment. Le visage noir de la propriétaire était pressé contre la vitre ; sa bouche s'agitait violemment et ses yeux lançaient des éclairs. J'avais peur aussi bien de rester à la maison que d'en sortir. Pourquoi n'avais-je pas baissé le store ? J'avais certainement fait quelque chose de terrible, si je devais en juger d'après la folle colère peinte sur le visage de la femme. Sa figure s'éloigna

111

de la fenêtre et un instant après un poing martelait la porte d'entrée...

« Ouvre-moi, mon garçon ! »

Je tremblais et ne répondis pas.

« Ouvre la porte, sinon je la défonce !

— Maman n'est pas là, répondis-je pour dire quelque chose.

— Cette maison est à moi, et tu vas m'ouvrir tout de suite ! »

Sa voix me subjugua et j'ouvris. Elle se précipita dans l'appartement puis s'arrêta brusquement et contempla le grossier échafaudage que j'avais élevé pour regarder chez elle. Pourquoi ne l'avais-je pas démoli avant d'ouvrir la porte ?

« Eh ben, mon garçon, qu'est-ce que tu fabriquais là ? » me demanda-t-elle.

J'étais incapable de répondre.

« T'as fait peur à mes clients !

— Vos clients ? répétai-je machinalement.

— Espèce de petit morveux ! rugit-elle. Je ne sais pas ce qui me retient de te flanquer une raclée !

— Ça, vous ne le ferez pas ! dis-je.

— Je ne veux plus de ta famille chez moi, je vais te faire déménager ! vociféra-t-elle. J'ai déjà assez de peine à gagner ma vie sans que tu viennes encore me gâcher mon samedi !

— Je... j' voulais juste regarder...

— Regarder ? » Subitement ses traits se détendirent dans un sourire et elle me dit, d'une voix moins agressive :

112

« Pourquoi tu ne viens pas chez moi dépenser vingt-cinq *cents* comme les autres ?

— Je ne veux pas aller dans vot' vieille maison, dis-je, de toute la force de l'indignation de mes neuf ans.

— Tu n'es qu'un petit poison, voilà c'que t'es, fit-elle, jugeant que je ne deviendrais pas un client. Je vais vous faire vider les lieux. »

Lorsque ma mère et tante Maggie rentrèrent ce soir-là, il y eut une discussion passionnée. Les femmes s'invectivaient par-dessus la balustrade de bois du perron et leurs voix s'entendaient à un kilomètre. Les voisins écoutaient. Les enfants s'assemblaient et regardaient bouche bée. La querelle se réduisait à ceci : la propriétaire exigeait que ma mère me battît et, pour une fois, ma mère refusa.

« Vous ne devriez pas avoir *ça* dans la maison, lui dit ma mère.

— Je suis chez moi et j'y mettrai ce qui me chantera, que ça vous plaise ou non ! répliqua la propriétaire.

— Je n'aurais jamais emménagé dans cette maison si j'avais su que vous teniez ce genre de commerce !

— Dis donc, espèce de putain de luxe, t'as fini de me parler sur ce ton ! hurla la propriétaire.

— C'est un bel exemple pour des enfants, des grandes personnes faisant des *choses pareilles !*

— Ils ne valent pas mieux que les autres, tes sales bâtards ! fit l'autre.

« — Vous n'êtes qu'une vulgaire prostituée ! intervint tante Maggie.

— Quel genre de morue que tu te crois, toi ? vociféra la propriétaire.

— Je vous défends de parler de cette façon à ma sœur ! fit ma mère d'un ton menaçant.

— Empaquetez vos loques et allez secouer vos puces ailleurs, bande de sales moricauds ! Allez, ouste ! » ordonna la propriétaire.

Cela finit par un déménagement ; le soir même, nous fîmes nos paquets et nous installâmes dans une autre maison de bois de la même rue, quelques portes plus loin. Je n'avais toujours qu'une notion très floue de ce que la propriétaire vendait. Par la suite, les autres gosses m'en apprirent le nom, mais cela ne correspondait toujours à rien de très précis dans mon esprit. Je savais que les autres trouvaient cela terriblement mal, mais j'étais néanmoins curieux. Avec le temps je devais apprendre de quoi il s'agissait.

Sans que je m'en rendisse compte, il se passait quelque chose chez nous, et l'événement ne tarda pas à prendre des proportions inquiétantes. Chaque soir, au moment précis où j'allais m'endormir, j'entendais frapper légèrement à la fenêtre de tante Maggie ; la porte s'ouvrait en grinçant, j'entendais des chuchotements et puis de longs silences. Un soir je sortis de mon lit, me glissai jusqu'à la porte de la pièce du devant et jetai un coup d'œil furtif à l'intérieur. Un homme noir, bien habillé, était assis sur le canapé et parlait à voix basse à tante Maggie.

Comment se faisait-il qu'on m'eût caché cet homme ? Je me reglissai dans mon lit, mais je fus réveillé plus tard par des voix qui disaient au revoir. Le lendemain matin, je demandai à ma mère qui était venu à la maison et elle me répondit que personne n'était venu.

« Mais j'ai entendu un homme parler, dis-je.

— Tu n'as rien entendu. Tu dormais, répliquat-elle.

— Mais j'ai vu un homme. Il était dans la chambre du devant.

— Tu as rêvé », dit ma mère.

J'appris une partie du secret un dimanche matin, quand tante Maggie nous présenta à l'homme qui allait être notre nouvel « oncle », le professeur Matthews. Il avait la tête engoncée dans un faux col d'une blancheur immaculée, et portait des pince-nez. Il avait des lèvres minces et des yeux qui semblaient ne jamais ciller. Je lui trouvai quelque chose de froid et de distant et lorsqu'il m'appela je refusai d'avancer vers lui. Il sentit ma méfiance et chercha à m'amadouer en me donnant dix *cents*, puis il s'agenouilla et pria pour les deux « pauvres jeunes gens sans père ». Quand la prière fut terminée, tante Maggie nous annonça que le professeur Matthews et elle allaient bientôt nous quitter pour aller dans le Nord. Cela m'attrista, car j'étais arrivé à considérer tante Maggie comme une seconde mère.

Je ne devais plus rencontrer le nouvel « oncle », bien que j'eusse tous les matins sous les yeux des témoignages de sa présence dans la maison. Nous étions intrigués, mon frère et moi, et nous nous livrions à maintes hypothèses relativement à ce qu'il pouvait bien faire dans la vie. Pourquoi venait-il toujours de nuit ? Pourquoi parlait-il toujours d'une voix si étouffée, à peine plus haut qu'un murmure ? Et où prenait-il l'argent pour acheter des cols blancs et de si beaux costumes bleus ? Pour augmenter notre confusion, notre mère nous appela un jour et nous recommanda de ne dire à personne que l' « oncle » venait nous voir, qu'il y avait des gens qui recherchaient l' « oncle ».

« Quelles gens ? demandai-je.

— Des Blancs », répondit ma mère.

L'angoisse envahit mon corps. Quelque part dans l'inconnu, la menace blanche planait de nouveau, toute proche.

« Qu'est-ce qu'ils lui veulent ? demandai-je.

— Ne t'occupe pas, répondit ma mère.

— Qu'est-ce qu'il a fait ?

— Ferme ton bec, sans ça les Blancs te prendront toi aussi », menaça-t-elle.

Sachant que nous étions effrayés et déroutés par notre nouvel « oncle », ma mère — je le suppose du moins — poussa tante Maggie à dire à l'oncle d'acheter notre silence et notre confiance. Dès lors, ce fut tous les jours Noël ; nous nous glissions à bas de nos lits et nous courions à la cuisine voir ce que l' « oncle » nous avait laissé sur la table. Un matin je trouvai une petite chienne, un caniche, qu'il m'avait apportée; je la gratifiai illico du nom de Betsy et elle devint ma compagne favorite.

Chose étrange, l' « oncle » venait nous voir le jour maintenant, mais quand il arrivait, on fermait tous les stores et on nous défendait de sortir avant qu'il ne fût reparti. Je posais en chuchotant mille questions à ma mère à propos de l' « oncle » noir, silencieux et instruit, et toujours elle me répondait :

« C'est quelque chose que tu ne peux pas comprendre. Maintenant, tais-toi et va jouer... »

Une nuit, des sanglots me réveillèrent. Je me levai, gagnai doucement la pièce et hasardai un coup d'œil par l'entrebâillement de la porte. L' « oncle » était assis par terre près de la fenêtre et soulevait un pan du rideau pour scruter la nuit. Ma mère se penchait au-dessus d'une petite malle et emballait à la hâte. La peur me saisit. Ma mère allait-elle partir ? Pourquoi tante Maggie pleurait-elle ? Avions-nous les Blancs à nos trousses ?

« Vite, fit l' " oncle ". Il faut se dépêcher de partir d'ici.

— Oh ! Maggie, dit ma mère, je ne sais pas si tu fais bien de t'en aller.

— Ne vous mêlez pas de ça, dit l' " oncle ", sans cesser de surveiller la rue sombre.

— Mais qu'est-ce que tu as fait ? interrogea tante Maggie.

— Je te le dirai plus tard, dit l' " oncle ". Faut que nous soyons partis avant qu'ils n'arrivent.

— Mais tu as fait quelque chose de terrible, dit

tante Maggie. Sans ça tu ne te sauverais pas comme
ça.

— La maison brûle, dit l' " oncle ". Et quand ils
la verront flamber, ils sauront qui a fait le coup.

— C'est vous qui avez mis le feu ? demanda ma
mère.

— Il n'y avait rien d'autre à faire, répondit mon
" oncle " d'un ton agacé. J'ai pris l'argent. Je
l'avais frappée. Elle avait perdu connaissance. S'ils
la trouvaient, elle parlerait. Et moi, je serais perdu.
Alors j'ai mis le feu.

— Mais elle va brûler, dit tante Maggie en
pleurant, la tête dans les mains.

— Qu'est-ce que je pouvais faire ? demanda
l' " oncle " ; j'étais bien obligé. Je ne pouvais pas la
laisser là pour qu'on la trouve. On aurait vu tout de
suite que quelqu'un l'avait assommée. Tandis que si
elle brûle, personne ne le saura jamais. »

La peur m'envahit ? Qu'arrivait-il ? Les Blancs
allaient-ils nous poursuivre tous ? Ma mère allait-
elle me quitter ?

Je poussai un hurlement :

« Maman ! » fis-je en pleurant et en me précipi-
tant dans la chambre.

L' « oncle » se leva d'un bond ; il avait un
revolver à la main et le braquait sur moi. Je fixai le
revolver avec le sentiment que j'allais mourir d'une
seconde à l'autre.

« Richard ! chuchota ma mère d'un ton angoissé.

— Tu t'en vas », hurlai-je.

Ma mère se précipita vers moi et plaqua sa main sur ma bouche.

« Tu veux donc nous faire tous tuer ? » demanda-t-elle en me secouant violemment. Je me calmai.

« Maintenant, retourne te coucher, dit-elle.

— Tu t'en vas ? dis-je.

— Non !

— Tu t'en vas. J'ai vu la malle ! m'écriai-je d'un ton larmoyant.

— Assez ! » fit ma mère. Elle m'empoigna férocement le bras et le serra si fort que la douleur arrêta mes pleurs. « Va te coucher, je te dis ! »

Elle me recoucha et je demeurai éveillé, écoutant les chuchotements, les bruits de pas, le grincement des portes dans la nuit et les sanglots de tante Maggie. Finalement, j'entendis le bruit des sabots d'un cheval et des roues d'une voiture qui venaient vers la maison, puis le frottement d'une malle qu'on traînait sur le plancher. Tante Maggie vint dans ma chambre en pleurant silencieusement ; elle m'embrassa et me fit ses adieux à voix basse. Elle embrassa mon frère, mais il ne se réveilla même pas. Puis elle s'en alla.

Le lendemain matin, ma mère m'appela à la cuisine et me parla longuement ; elle me recommanda de ne jamais mentionner ce que j'avais vu et entendu, que les Blancs me tueraient s'ils soupçonnaient seulement que je savais.

« Que je savais quoi ? ne pus-je m'empêcher de demander.

119

— T'occupe pas, fit-elle. Oublie ce que tu as vu hier soir.

— Mais qu'est-ce que l' " oncle " a fait ?

— Je ne peux pas te le dire.

— Il a tué quelqu'un, aventurai-je timidement.

— Si jamais quelqu'un t'entend dire ça, tu es mort », me dit ma mère.

Ceci régla la question pour moi ; jamais je n'en parlerais. Quelques jours plus tard, un Blanc de haute taille, une étoile brillante sur la poitrine, un revolver à la hanche, entra dans la maison. Il parla longuement à ma mère, mais je ne réussis à entendre que la voix de ma mère :

« Je ne sais pas de quoi vous parlez. Fouillez la maison si vous voulez. »

Le Blanc nous regarda, mon frère et moi, mais il ne nous dit rien. Durant des semaines, je me demandai ce que l' « oncle » avait fait, mais je ne devais jamais le savoir, même pas au cours des années qui suivirent.

Une fois tante Maggie partie, ma mère ne put subvenir à nos besoins et mon estomac demeurait si uniformément vide que j'en avais mal à la tête toute la journée. Un après-midi où la faim me tenaillait férocement, je résolus de vendre Betsy, mon caniche, pour acheter de quoi manger. Betsy était une petite chienne blanche et frisée et une fois lavée, séchée et peignée, elle avait l'air d'un jouet. Je la fourrai sous mon bras et m'en allai pour la première fois dans un quartier blanc où il y avait de larges avenues propres et de grandes maisons blanches.

J'allais de porte en porte, tirant la sonnette. Certains Blancs me claquaient la porte au nez. D'autres me disaient de passer derrière la maison, mais j'étais trop fier pour consentir. Finalement une jeune femme blanche vint à la porte et sourit.

« Qu'est-ce que tu veux ? demanda-t-elle.

— Vous ne voulez pas acheter un joli chien ?

— Fais-le voir. »

Elle emporta Betsy dans la maison et j'attendis devant le perron, m'émerveillant de la propreté, de la tranquillité du monde blanc. Comme tout était en ordre ! Je ne me sentais tout de même pas à ma place. Je n'avais pas le désir de vivre ici. Puis je me souvins que ces maisons étaient celles des Blancs qui obligeaient les Nègres à quitter leurs foyers et à s'enfuir dans la nuit. L'angoisse me saisit. Et si quelqu'un s'amenait et disait que j'étais un mauvais Nègre et me tuait sur place ? Qu'est-ce qui retenait la femme ? Était-elle en train de raconter aux gens qu'un Négrillon lui avait dit quelque chose qu'il ne fallait pas ? Peut-être était-elle en train d'ameuter la foule ? Peut-être valait-il mieux m'en aller tout de suite sans m'occuper de Betsy ? La peur qui montait en moi noyait ma faim. Je n'avais qu'une envie : m'enfuir vers le havre des visages noirs que je connaissais.

La porte s'ouvrit et la femme sortit en souriant, serrant toujours Betsy dans ses bras. Mais je ne pouvais pas voir son sourire, maintenant, mes yeux étaient remplis de larmes que j'avais moi-même provoquées.

« J'adore ton petit chien, dit-elle. Et je vais te l'acheter. Mais je n'ai pas un dollar. Je n'ai que quatre-vingt-dix-sept *cents*. »

Sans le savoir, elle me donnait l'occasion de redemander mon chien sans être forcé d'avouer que je ne voulais pas le vendre à des Blancs.

« Non, m'dame, dis-je à mi-voix. Je veux un dollar.

— Mais je n'ai pas un dollar dans la maison.

— Alors je ne peux pas vous vendre le chien, dis-je.

— Je te donnerai les trois *cents* qui manquent quand ma mère reviendra ce soir, dit-elle.

— Non, m'dame, dis-je, les yeux rivés au sol.

— Mais puisque tu as dit que tu voulais un dollar...

— Oui, m'dame. Un dollar.

— Alors voilà quatre-vingt-dix-sept *cents* », fit-elle en me tendant une poignée de monnaie, sans vouloir lâcher Betsy.

« Non, m'dame. Je veux un dollar.

— Mais puisque je te donnerai les trois autres *cents*.

— Maman m'a dit de le vendre un dollar », dis-je, conscient de me montrer trop agressif et essayant de rejeter la responsabilité de cette agressivité sur ma mère absente.

« Tu l'auras, ton dollar, je te donnerai les trois *cents* ce soir.

— Non, m'dame.

— Alors laisse le chien et reviens ce soir.

122

— Non, m'dame.

— Mais qu'est-ce que tu peux bien vouloir faire d'un dollar *maintenant* ?

— Je veux acheter quelque chose à manger.

— Eh bien, tu pourras t'acheter tout ce que tu voudras avec quatre-vingt-dix-sept *cents*.

— Non, m'dame, je veux mon chien. »

Elle resta un moment à me dévisager, puis je la vis rougir.

« Tiens, le voilà, ton chien, fit-elle sèchement en jetant Betsy dans mes bras. Maintenant, fiche-moi le camp d'ici ! Tu es bien le plus toqué de tous les petits Nègres que j'aie jamais vus ! »

Je pris Betsy et je courus tout le long du chemin jusqu'à la maison, heureux de ne l'avoir pas vendue. Mais ma faim revenait. J'aurais peut-être dû prendre les quatre-vingt-dix-sept *cents* ? Mais il était trop tard, maintenant. J'attendis, serrant Betsy dans mes bras. Quand ma mère rentra ce soir-là, je lui racontai ce qui s'était passé.

« Et tu n'as pas pris l'argent ? demanda-t-elle.

— Non, m'dame.

— Pourquoi ?

— Je ne sais pas, dis-je, mal à l'aise.

— Tu ne sais pas que quatre-vingt-dix-sept *cents*, ça fait *presque* un dollar ?

— Si, m'dame, dis-je en comptant sur mes doigts. Quatre-vingt-dix-huit, quatre-vingt-dix-neuf, cent. Mais je ne voulais pas vendre Betsy à des Blancs.

— Pourquoi ?

— Parce qu'ils sont blancs.

— Tu es bête », dit ma mère.

Huit jours après, Betsy mourut écrasée sous les roues d'une voiture à charbon. Je pleurai et l'enterrai dans la cour et je plantai une planche de fond de barrique dans la terre, à la tête de la tombe. La seule réflexion que fit ma mère fut :

« Tu aurais pu avoir un dollar. Mais un chien mort, ça ne se mange pas, hein ? »

Je ne répondis rien.

Dans la rue humide ou poudreuse, dedans ou dehors, les jours et les nuits commençaient à révéler des possibilités magiques.

Si j'arrachais un crin à la queue d'un cheval et que je le mette à tremper dans un bocal contenant mon urine, le crin se métamorphoserait en serpent durant la nuit.

Si je passais à côté d'une nonne ou d'une mère supérieure habillée en noir et que je sourie en montrant mes dents, je mourrais à coup sûr.

Si je passais sous une échelle appuyée au mur, il m'arriverait certainement un malheur.

Si j'embrassais mon coude, je serais changé en fille.

Si l'oreille droite me démangeait, c'est que quelqu'un disait du bien de moi.

Si je touchais la bosse d'un bossu, je ne serais jamais malade.

Si je posais une épingle de sûreté sur un rail de chemin de fer et que le train roule par-dessus, l'épingle se transformerait en une paire de ciseaux flambant neufs.

Si j'entendais des voix sans qu'il y eût d'être humain présent, c'est que Dieu ou le Diable essayait de me parler.

Chaque fois que j'urinais, je devais cracher dedans pour que cela me porte chance.

Si le nez me démangeait, j'allais avoir une visite.

Si je me moquais d'un infirme, Dieu me rendrait infirme.

Si j'invoquais en vain le nom de Dieu, Dieu me foudroierait sur place.

S'il pleuvait et que le soleil brille en même temps, c'est que le Diable battait sa femme.

Si les étoiles scintillaient plus que d'habitude par une nuit donnée, c'est que les anges au ciel étaient heureux et parcouraient d'un vol léger les chemins du paradis ; et comme les étoiles n'étaient que les trous d'aération du ciel, le scintillement provenait du vol des anges qui passaient devant les trous destinés à amener de l'air dans la maison de Dieu.

Si je brisais un miroir, j'aurais sept ans de malheur.

Si j'étais gentil avec ma mère, je deviendrais riche et je vivrais mieux.

Si j'étais enrhumé et que je me noue une chaussette sale et usagée autour du cou avant de me coucher, mon rhume serait parti le lendemain matin.

Si je portais un morceau d'asa fœtida dans un

125

sachet autour du cou, je n'attraperais jamais de maladie.

Si je regardais le soleil à travers un morceau de verre fumé le matin du dimanche de Pâques, je verrais le soleil chanter des louanges à Notre-Seigneur ressuscité.

Si un homme avouait quelque chose sur son lit de mort, c'était la vérité ; car nul n'oserait mentir devant la mort.

Si on crachait sur chaque grain de maïs avant de le semer, le maïs pousserait et donnerait de beaux épis.

Si je répandais du sel, je devais en jeter une pincée par-dessus mon épaule gauche pour conjurer le mauvais sort.

Si je recouvrais un miroir pendant que la tempête faisait rage, la foudre ne me frapperait pas.

Si j'enjambais un balai étendu par terre, cela me porterait malheur.

Si je marchais en dormant, c'est que Dieu essayait de me conduire à un endroit où je pourrais faire une bonne action en Son Nom.

Tout semblait possible, vraisemblable, réalisable, parce que je voulais que tout fût possible... N'ayant pas le pouvoir de commander aux événements dans le monde objectif, je les provoquais au-dedans de moi ; puisque je vivais dans un milieu sombre et morne, je le dotais d'un potentiel illimité, je le réhabilitais pour satisfaire mes aspirations aussi nébuleuses que voraces.

Une terreur permanente des Blancs finit par venir

habiter mes sentiments et mon imagination. La guerre tirant à sa fin, des conflits raciaux s'allumaient dans tout le Sud et bien que je n'eusse été témoin d'aucun incident, je n'aurais pu être plus profondément affecté que je ne l'étais déjà si j'y avais participé directement. La guerre elle-même m'avait paru irréelle, mais tout ce qui concernait les luttes raciales, chaque allusion, chaque chuchotement, parole, inflexion de voix, nouvelle, racontar ou rumeur trouvait en moi une résonance affective. Rien ne mettait autant au défi toutes les forces de mon être que cette pression de haine et de menace qui émanait des Blancs invisibles. Je restais des heures assis sur les marches d'entrée des maisons voisines à écouter les conversations ; j'apprenais qu'une femme blanche avait giflé une femme noire, qu'un Blanc avait tué un Noir... J'étais rempli de crainte, d'étonnement et de peur, et je n'arrêtais pas de poser des questions.

J'entendis un soir un récit qui m'ôta le sommeil des nuits de rang.

Il s'agissait d'une Négresse dont le mari avait été appréhendé et tué par la populace. On racontait que la femme avait juré de venger son mari ; elle prit un fusil de chasse, l'enveloppa dans un drap et s'en alla humblement chez les Blancs demander qu'on lui permette de prendre le corps de son mari pour l'enterrer. Il semblait qu'on lui eût accordé la permission de venir auprès du cadavre tandis que les Blancs, silencieux et armés, observaient. La femme, d'après l'histoire, s'agenouilla et pria, puis

127

se mit en devoir de dérouler le drap, et avant que les Blancs aient eu le temps de réagir, elle avait sorti le fusil et en avait tué quatre, en tirant de sa position agenouillée. Je ne sais pas en fait si l'histoire est vraie ou non, mais elle était vraie d'un point de vue émotionnel, car j'en étais arrivé au sentiment qu'il existait des hommes contre lesquels j'étais impuissant, des hommes qui pouvaient violer ma vie selon leur bon plaisir. Je résolus de suivre l'exemple de la femme noire si je devais jamais affronter une équipe de lyncheurs blancs ; je cacherais une arme, je ferais semblant d'être anéanti par le mal causé à un être cher, puis au moment où l'on croirait que j'avais accepté la cruauté blanche comme une loi régissant mon existence, j'appuierais sur la détente et j'en tuerais autant que je le pourrais avant d'être tué moi-même. L'histoire de la ruse de la femme cristallisa les sentiments défensifs confus qui avaient longtemps sommeillé en moi et leur donna un sens.

Ces idées, fruit de mon imagination, n'avaient bien entendu pas la moindre valeur objective. Fantaisies spontanées, elles trouvaient dans mon esprit un terrain propice parce que je me sentais complètement désarmé devant cette menace qui pouvait s'abattre sur moi à n'importe quel moment, et parce qu'il n'existait à ma connaissance aucun moyen d'action capable de me sauver si j'avais dû affronter une foule de lyncheurs blancs. Elles étaient un rempart moral qui me permettait de conserver intacte l'intégralité de mes forces émotives, un appui qui permettait à ma personnalité de traverser cahin-caha des jours vécus sous la menace de cette violence.

Ces caprices de mon imagination n'étaient plus le reflet de ma réaction contre les Blancs, ils étaient devenus une partie de mon existence, de ma vie émotionnelle ; ils étaient ma culture, ma foi, ma religion. L'hostilité envers les Blancs s'était si profondément implantée dans mon esprit et dans mes sentiments qu'elle avait perdu tout rapport avec le cadre journalier dans lequel je vivais ; et mes réactions à cette hostilité, qui se nourrissait de sa propre substance, croissaient ou diminuaient selon les nouvelles qui me parvenaient au sujet des Blancs, selon mes aspirations et mes désirs. Il suffisait de parler des Blancs pour provoquer chez moi une tension qui mettait en branle un vaste réseau d'émotions intéressant toute ma personnalité. C'était comme si j'avais été perpétuellement en train de réagir à la menace latente d'une force naturelle et hostile dont le déchaînement ne pouvait être prévu. Je n'avais jamais été malmené par des Blancs, mais mes rapports avec eux étaient les mêmes que si j'eusse été lynché plus de mille fois.

J'étais resté à West-Helena fort longtemps avant de retourner à l'école et de reprendre des études régulières. Par bonheur, ma mère trouva une place chez un médecin blanc, aux gages inouïs de cinq dollars par semaine, et elle annonça aussitôt que ses fils retourneraient à l'école. J'étais heureux. Mais j'étais toujours timide et à demi paralysé quand je me trouvais en public — et pendant mon premier jour à l'école je fus la risée de la classe. On m'envoya au tableau noir écrire mon nom et mon adresse ; je savais mon nom et mon adresse, je savais les épeler, mais le fait de me trouver au tableau noir et de sentir les regards de tant de garçons et de filles dans mon dos me paralysait, et je fus incapable d'écrire la moindre lettre.

« Écris ton nom ! » me cria l'institutrice.

Je levai la craie, je l'approchai du tableau noir, mais au moment d'écrire mon nom, un trou se fit dans mon esprit ; je ne me rappelais plus comment je m'appelais, j'étais incapable de me souvenir fût-ce d'une seule lettre de mon nom. J'entendis un rire étouffé, et cela me figea sur place.

« Ne fais pas attention à nous, écris ton nom et ton adresse », me dit l'institutrice d'un ton encourageant.

De brèves impulsions me traversaient, me poussant à écrire, mais ma main refusait de bouger. Les enfants commencèrent à gigoter derrière moi et je devins cramoisi.

« Tu ne sais pas ton nom ? » demanda l'institutrice.

Je la regardai et fus incapable de répondre.

La maîtresse se leva et vint auprès de moi ; elle me souriait pour me donner confiance. Elle posa tendrement sa main sur mon épaule.

« Comment t'appelles-tu ? demanda-t-elle.

— Richard, murmurai-je.

— Richard quoi ?

— Richard Wright.

— Épelle-le. »

J'obéis, lâchant les lettres à toute vitesse.

« Épelle-le doucement, que je t'entende », me conseilla-t-elle.

J'obéis.

« Et maintenant, sais-tu écrire ?

— Oui, m'dame.

— Alors écris-le. »

Je retournai au tableau noir et je levai la main pour écrire, et de nouveau le vide se fit en moi. J'essayai désespérément de rassembler mes idées, mais je ne me rappelais rien. J'étais obnubilé par la présence dans mon dos de tous ces garçons et filles, et il n'y avait place en moi pour aucun autre sentiment. Réalisant l'étendue de la catastrophe, je me sentis faiblir et j'appuyai mon front brûlant contre la fraîcheur du tableau noir. Toute la salle éclata de rire, d'un rire bruyant et prolongé, et mes muscles se contractèrent.

« Tu peux aller te rasseoir », dit la maîtresse.

Je me rassis, en maudissant ma timidité. Pourquoi avais-je l'air aussi idiot chaque fois que j'étais appelé à me produire en public ? Je savais écrire aussi bien que n'importe quel élève de la classe et je savais sûrement lire mieux qu'aucun d'eux ; je parlais avec facilité et je savais m'exprimer quand j'étais sûr de moi. Alors pourquoi étais-je paralysé par des visages étrangers ? Les oreilles et la nuque brûlantes, j'entendais les élèves chuchoter à mon sujet : je me maudissais et je les maudissais, je restais immobile comme un roc, mais en moi une tempête d'émotions faisait rage.

Un jour, tandis que j'étais assis à mon pupitre, je sursautai en entendant siffler les sirènes et sonner les cloches. Bientôt le tintamarre devint assourdissant. La maîtresse perdit le contrôle de sa classe et garçons et filles se précipitèrent aux fenêtres. La maîtresse quitta la classe et, lorsqu'elle revint, ce fut pour annoncer :

« Rangez vos affaires, tout le monde. Et rentrez chez vous.

— Pourquoi ?

— Qu'est-ce qui est arrivé ?

— La guerre est finie », répondit l'institutrice.

Je suivis les autres enfants dans la rue et je vis que les gens, Blancs et Noirs, riaient, chantaient, criaient. J'avais peur en me faufilant à travers la foule des Blancs, mais ma peur me quitta quand je revins dans mon quartier et que je vis des visages noirs souriants. Je me promenais parmi eux, essayant de comprendre ce qu'était la guerre, ce qu'elle signifiait, mais sans y réussir. Je remarquais que beaucoup de garçons et de filles tendaient le doigt vers le ciel ; levant les yeux, je vis planer et virevolter en l'air ce qui me parut être un oiseau minuscule.

« Regarde !

— Un aéroplane ! »

Je n'avais jamais vu d'aéroplane.

« C'est un oiseau », dis-je.

La foule s'esclaffa.

« C'est un aéroplane, mon petit, dit un homme.

— C'est un oiseau, insistai-je. Je le vois. »

Un homme me souleva et me mit sur son épaule.

« Rappelle-toi ça, mon garçon, tu vois voler l'homme pour la première fois. »

Je ne le croyais toujours pas. Pour moi, c'était bien un oiseau. Ce soir-là, à la maison, ma mère finit par me convaincre que les hommes étaient capables de voler.

Noël arriva et je ne reçus qu'une orange. J'en eus de la peine et je refusai d'aller jouer avec les autres enfants du quartier qui soufflaient dans des trompettes et faisaient partir des pétards. Je gardai précieusement mon orange toute la journée ; le soir, au moment de me coucher, je la mangeai, en mordant d'abord un bout du sommet, puis la pressant et en aspirant le jus ; finalement je déchiquetai la pelure en petits morceaux et je les mâchonnai longuement.

CHAPITRE III

Comme j'avais grandi et avancé en âge, je recherchais maintenant la compagnie de garçons plus âgés, et pour être admis dans leur société, il me fallait souscrire à certains sentiments raciaux. La pierre de touche de notre fraternité était l'hostilité ressentie à l'égard des Blancs et le degré de valeur et d'honneur assigné à la race. Tout cela n'était pas prémédité, mais jaillissait spontanément de la conversation des jeunes Noirs qui se réunissaient au coin des rues.

Il était dégradant de jouer avec des filles, et dans nos entretiens, nous les reléguions dans une île déserte de la vie. Nous avions en quelque sorte saisi l'esprit du rôle de notre sexe, et nous nous groupions instinctivement en vue d'un échange mutuel de principes d'éducation morale. Nous parlions avec de grosses voix et sur un ton de fanfaronnade ; nous employions le mot « nigger [1] » pour nous prouver à nous-mêmes la dureté de nos sentiments ;

---

1. *Nigger :* mot péjoratif pour « nègre ».

nous débitions à longueur de journée les pires grossièretés pour bien affirmer notre virilité proche ; nous nous prétendions insensibles aux injonctions de nos parents et nous efforcions de nous persuader mutuellement que nos décisions émanaient de nous seuls. Et cependant nous nous dissimulions farouchement à quel point nous comptions les uns sur les autres.

Parfois, l'après-midi, après la sortie de l'école, il m'arrivait de déambuler nonchalamment par les rues, poursuivant par désœuvrement une boîte de conserve vide à coups de pied ou tapant à coups de bâton sur des pieux de clôture, ou sifflant, mains dans les poches, jusqu'à ce que je finisse par tomber sur un ou plusieurs gamins de la bande traînassant au coin de la rue, ou plantés au milieu d'un champ ou encore assis sur les marches d'une maison du voisinage.

« Salut... (Timidement.)

— T'as déjà mangé ? (S'efforçant avec gêne de lier conversation.)

— Oui, vieux. Et comment que je m'ai tapé la tête ! (Détaché.)

— Moi j'ai mangé des choux et des patates. (En confidence.)

— Moi, du petit lait et des fayots. (Humblement, à titre de renseignement.)

— Oh ! bon Dieu, j' reste pas près de toi, mon salaud ! (Péremptoire.)

— Pourquoi donc ? (Naïveté feinte.)

— Parce que tu vas nous empester dans deux

minutes ! » (Accusation proférée dans un hurlement.)

Un gros rire parcourt l'assistance.

« Cochon de Nègre, t'as une bouche d'égout en place de cervelle. (Plaisamment moralisateur.)

— Bouche d'égout, rien du tout, oui ! J' te dis que tu vas lâcher une perle, mon salaud ! (Annonce triomphale qui tient l'auditoire en haleine.)

— Ouais, mon vieux, quand les musiciens vont vouloir faire circuler le petit lait, le petit lait voudra rien savoir, alors ça va faire de la bagarre dans tes boyaux et ton ventre va enfler tellement qu'il finira par faire explosion ! » (Bouquet.)

Rires bruyants et prolongés de la foule.

« Mon vieux, les Blancs devraient bien t'attraper et t'enfermer au Zoo jusqu'à la prochaine guerre ! (Aiguillant le sujet vers un champ plus vaste.)

— Et quand la guerre commencerait, ils n'auraient qu'à te gaver de petit lait et de fayots et te laisser péter tant que tu voudrais ! (Le sujet est accepté et élargi.)

— Tu gagnerais la guerre avec un nouveau genre de gaz asphyxiant. » (Conclusion triomphale.)

Bruyante hilarité qui s'éteint graduellement.

« C'est p't-êt' intéressant à avoir, du gaz asphyxiant. » (La question des Blancs se trouve indirectement projetée dans l'orbite de la conversation.)

« Ouais, si jamais y a une émeute raciale par ici, j' m'en vais tuer tous les Blancs avec mon gaz. » (Fierté amère.)

Gaieté générale. Puis silence ; chacun attendant que le voisin apporte sa contribution au tournoi.

« Ça, on peut dire qu'ils ont la trouille de nous, les Blancs. (Exposé réfléchi d'un vieux problème.)

— Ouais, ils vous envoient à la guerre foutre une tripotée aux Allemands, vous montrent comment il faut se battre et quand on revient ils veulent vous zigouiller, tellement ils ont peur de vous. (Mi-vantard, mi-plaintif.)

— Maman m' disait que c'te vieille bonne femme blanche chez qui elle travaille parlait de la gifler, alors Man lui a dit : " Mâme Green, si vous me giflez, moi j' vous tuerai et j' suis prête à aller en enfer après. " (Extension, développement, fanfaronnade sacrificatoire.)

— Merde alors ! Moi si elle m'avait dit ça, je lui aurais réglé son compte tout de suite. » (Affirmation suprême, dans un grognement rageur, de la conscience raciale.)

Silence.

« Pour sûr qu'ils sont vaches, les Blancs. (Avec amertume.)

— C'est pour ça que tant de gens de couleur quittent le Sud. (A titre de renseignement.)

— Et tu peux être sûr que ça leur plaît pas, qu'on s'en aille. » (Reconnaissance implicite de la valeur professionnelle et raciale et sentiment de fierté qui en découle.)

« Ouais. Ils veulent te garder ici et te faire crever au boulot.

— Le premier enfant de putain de Blanc qui

vient m'emmerder va récolter un trou dans la tête !
(Rébellion naïve.)

— Ça ne t'avancera à rien. Ils t'attraperont,
qu'est-ce que tu crois ! (Rejet de la rébellion naïve.)

— Ah ! Ah ! Ah ! C'est vrai, sacré bon Dieu,
qu'ils vous attrapent à chaque coup, maintenant.
(Appréciation de la vigilance agissante des Blancs.)

— Ouais, les Blancs restent assis toute la journée
sur leurs deux fesses enfarinées, mais suffit qu'un
Nègre fasse quéqu' chose pour qu'y lancent à ses
trousses tous les limiers de la terre. (Fierté amère en
réalisant ce qu'il en coûte de s'insurger contre eux.)

— Oh ! dis donc, vous croyez qu'ils changeront
un jour, ces Blancs ? (Question où perce un timide
espoir.)

— Bon Dieu non ! Ils sont venus au monde
comme ça. (Rejetant l'espoir par superstition.)

— Eh bien zut alors, c'est gai ! J' fous le camp
dans le Nord quand je serai assez vieux. (S'insur-
geant contre l'espoir futile et envisageant l'évasion.)

— Pour un homme de couleur, le Nord est le
pays rêvé. (Justifiant l'évasion.)

— Paraît qu'un Blanc avait frappé un Noir, là-
haut dans le Nord, alors le Noir lui est rentré
dedans, l'a étendu raide, et paraît que personne n'a
rien fait ! (Désir intense de croire à l'évasion.)

— Là-haut, on s'explique d'homme à homme.
(Besoin fou de croire en la justice. Silence.)

— Dis donc, tu crois qu'y sont aussi hauts qu'on
le dit, leurs buildings, là-haut, dans le Nord ?
(S'accrochant, par association d'idées, à quelque

139

chose de concret, pour essayer de transformer du même coup l'espoir en réalité.)

— Paraît qu'à New York, y en a qu'ont quarante étages ! (Trop fantastique pour être vraisemblable.)

— Oh ! j'en aurais la trouille, moi, de ces buildings ! (Prêt à abandonner l'idée déjà réprimée de l'évasion.)

— Vous savez quoi ? Paraît que ces buildings, ils remuent et ils se balancent quand il fait du vent. (Énonçant un miracle.)

— Sans blague ! Eh ! moricaud, tu ne sais pas ce que tu dis ! (Stupéfaction sans bornes et rejet.)

— Je te jure ! Paraît que si. (Affirmant le miracle.)

— T'as idée que ça pourrait êt' vrai ? (Question où perce un vague espoir.)

— T'es pas fou ! Si une maison remuait et se balançait au vent, eh ! bon Dieu, elle tomberait ! Tout le monde sait ça ! Les gens se foutent de toi quand ils te racontent des bobards pareils ! » (Le corps envahi par une soudaine agitation, les pieds martelant impatiemment le sol. Retournant précipitamment dans le domaine plus stable et plus sûr de la réalité.)

Silence. Quelqu'un ramasse un caillou et le jette à travers le champ.

« J'me demande ce qui rend les Blancs si méchants. (Revenant à l'éternel problème.)

— Chaque fois que j'en vois un, je crache par terre. (Rejet émotif des Blancs.)

— Oh ! dis, ce qu'ils peuvent être laids ! (Rejet accentué.)

— Tu t'es déjà approché tout près d'un Blanc, assez près pour le renifler ? (Anticipation d'une déclaration.)

— Ils disent qu'on pue. Mais ma mère dit que les Blancs ils sentent comme les morts. (Souhaitant la mort de l'ennemi.)

— Les Nègres sentent quand ils sont en sueur. Mais les Blancs sentent *tout le temps*. » (L'ennemi est une bête à abattre.)

Et la conversation se nouait, se déroulait, grossissait, jaillissait, virait, s'enflait, sans but ni direction déterminée, effleurant de vastes domaines de l'existence, exprimant les impulsions latentes de l'enfance. L'argent, Dieu, la race, le sexe, la couleur, la guerre, les avions, les machines, les trains, la natation, la boxe, n'importe quoi... La culture d'un ménage noir donné se transmettait ainsi à un autre ménage noir et la tradition populaire passait de groupe en groupe. Nos attitudes se créaient, se définissaient, se fixaient ou se corrigeaient, nous découvrions nos idées, nous les rejetions, nous les développions, nous les déchirions et nous les acceptions.

La nuit tombait. Des chauves-souris sillonnaient l'air. Le cri strident des grillons montait de l'herbe grasse. Des grenouilles coassaient. Les étoiles s'allumaient. La rosée mouillait la terre. Des carrés de lumière jaune brillaient dans le lointain lorsque venait l'heure d'allumer les lampes à pétrole dans nos maisons. Et finalement, un long cri pointu retentissait à l'autre bout des champs ou quelque part sur la route.

« Daaaaviiiiiiid ! »

Une houle de rires agitait la foule des gosses, mais pas de réponse.

« C'est l'heure de faire rentrer les cochons.

— A l'étable, pourceau ! »

Nouveaux rires. Sans se presser, un garçon se détachait du groupe.

Pour rien au monde il n'eût répondu au cri de sa mère, car c'eût été admettre sa sujétion.

« Eh ben, je vais faire comme le fermier fait à la pomme de terre, disait-il.

— Quoi donc ?

— Je vous plante là maintenant et je vous retrouve plus tard ! »

Le garçon trottait doucement vers la maison et les rires recommençaient. La conversation reprenait. On nous appelait à la maison l'un après l'autre pour tirer de l'eau à la pompe au fond de la cour, ou pour aller dans une boutique acheter des légumes et le repas du lendemain, ou pour casser du petit bois pour le feu.

Le dimanche, quand nos vêtements étaient présentables, ma mère nous emmenait, mon frère et moi, à l'école du dimanche. Nous ne protestions pas, car l'église n'était pas l'endroit où l'on nous parlait des voies de Dieu, mais celui où nous rencontrions nos camarades de classe et où nous continuions nos longues conversations à bâtons

142

rompus. Certaines histoires de la Bible étaient
intéressantes en elles-mêmes, mais nous les défor-
mions toujours et nous avions vite fait de les
séculariser, de les amener au niveau de notre
existence vagabonde et d'en rejeter toutes les inter-
prétations qui ne s'adaptaient pas à notre milieu. Et
nous réservions le même sort aux beaux cantiques.
Lorsque le prédicateur entonnait :

Je suis chrétien, je suis chrétien !

Nous échangions un clin d'œil complice et fre-
donnions :

Tag tagadag-dag tsoin-tsoin !

Nous étions assez forts maintenant pour nous
faire craindre des garçons blancs et, de leur côté
comme du nôtre, chacun commençait à jouer son
rôle racial traditionnel comme s'il eût été mis au
monde pour le remplir, comme si cela eût été dans
son sang, comme s'il eût été guidé par l'instinct.
Toutes les représentations terrifiantes que nous
nous faisions les uns des autres, toutes les expressions violentes de haine et d'hostilité dont notre
entourage nous avait imprégnés, remontaient maintenant à la surface pour guider nos actions. La
rotonde constituait la frontière raciale du quartier et
il avait été tacitement convenu entre les garçons
blancs et les garçons noirs, que les Blancs se
tiendraient à une extrémité de la rotonde et nous à

l'autre. Chaque fois que nous surprenions un garçon blanc de notre côté, nous lui jetions des pierres ; chaque fois que nous nous égarions de leur côté, ils nous rendaient la pareille. Nos batailles étaient sérieuses et sanglantes ; nous jetions des cailloux, des cendres, du charbon, des bâtons, des bouts de fer et des bouteilles cassées et tout en les lançant, nous souhaitions faire usage d'armes plus meurtrières encore. Lorsque nous étions blessés, nous prenions la chose avec calme ; il n'y avait ni pleurs, ni gémissements. Quand nos blessures n'étaient pas vraiment sérieuses nous les cachions à nos parents. Nous ne voulions pas être corrigés pour nous être battus. Un jour, au cours d'une bagarre avec une bande de garçons blancs, un tesson de bouteille me frappa derrière l'oreille ; l'entaille était profonde et saignait abondamment. Je tentai d'arrêter le flot de sang en tamponnant la blessure avec un chiffon et quand ma mère rentra de son travail, je fus obligé de lui dire que j'étais blessé, car j'avais besoin de soins médicaux. Elle m'emmena en toute hâte chez un docteur qui recousit mon cuir chevelu ; mais lorsqu'elle m'eut ramené à la maison, elle m'administra une correction et me défendit de me battre avec des garçons blancs, en me disant qu'ils seraient capables de me tuer, qu'elle était forcée de travailler et n'avait pas le temps de se faire du souci pour mes batailles. Ses recommandations ne portèrent pas, car elles étaient en contradiction avec le code de la rue. Je promis à ma mère que je ne me battrais plus, mais je savais qu'en tenant parole, je perdrais l'estime des copains, et les copains, c'était toute ma vie.

La santé de ma mère s'altéra trop sérieusement pour qu'elle pût continuer à travailler et je dus m'occuper à de menues besognes dans le quartier. Je portais leur déjeuner aux hommes qui travaillaient à la rotonde, et j'étais payé vingt-cinq *cents* par semaine. Ce fut mon premier emploi. Quand les hommes ne finissaient pas leur déjeuner, je récupérais les quelques miettes qui pouvaient rester au fond des gamelles. Par la suite, j'obtins une place dans un café ; je transportais des brassées de bois pour alimenter le gros poêle et des plateaux chargés de vivres aux voyageurs des trains qui avaient de vingt à trente minutes d'arrêt à la gare voisine. On me payait un dollar par semaine, mais j'étais trop jeune et trop petit pour assurer ce service ; un matin, en essayant de monter dans le train avec un plateau lourdement chargé, je culbutai et le plateau de victuailles alla s'écraser par terre.

Incapables de payer notre loyer, nous fûmes obligés d'aller habiter dans une maison perchée sur des pilotis dans un quartier de la ville sujet aux inondations. Mon frère et moi, nous nous amusions comme des fous à monter et à descendre en courant les marches branlantes du haut escalier de bois.

Le paiement du loyer était redevenu un problème, nous déménageâmes de nouveau pour aller nous installer plus près du centre. Là, je trouvai du travail dans un « pressing » ; j'allais livrer les vêtements dans les hôtels, je balayais les parquets et j'écoutais les Nègres parler avec vantardise de leurs performances sexuelles.

Cependant nous devions une fois de plus porter ailleurs nos pénates, dans les faubourgs, cette fois, à proximité d'un vaste réseau de voies de chemin de fer où je me rendais chaque matin avec un sac pour ramasser du charbon destiné à chauffer notre bicoque ; ce faisant, je zigzaguais parmi l'enchevêtrement de rails, me faufilant entre les grosses locomotives noires et soufflantes...

La santé de ma mère déclinait rapidement et maintenant elle ne cessait de parler de la maison de grand-mère et de nous dire combien elle aurait désiré nous voir élevés avant de mourir. Déjà s'était insidieusement glissé dans ses paroles un élément hésitant, zézayant, qui, bien que je l'ignorasse alors, était déjà l'ombre de son destin.

A ce moment, la pensée de ma mère s'imposait à mon esprit avec beaucoup plus d'insistance que par le passé et j'étais déjà capable de sentir ce que cela signifiait pour nous d'être complètement privés d'elle. Un sentiment de peur s'infiltrait lentement en moi et il m'arrivait de considérer ma mère pendant de longs moments ; mais quand elle me regardait, je détournais les yeux. Puis vint la peur vraie, quand les crises de sa maladie se reproduisirent à intervalles de plus en plus rapprochés. Le temps s'était figé. Mon frère et moi nous attendions, effrayés et affamés.

Un matin, je fus réveillé par des cris : « Richard !

Richard ! » Je me dépêtrai en toute hâte des couvertures. Mon frère se précipita dans la chambre.

« Richard, faut que tu viennes voir maman, elle est très malade. »

Je courus vers la chambre de ma mère et la trouvai couchée sur son lit tout habillée, la bouche ouverte. Elle ne bougeait pas du tout.

« Maman ! » m'écriai-je.

Elle ne répondit pas et ne tourna pas la tête. J'allongeai la main pour la secouer mais je reculai, de peur qu'elle ne fût morte.

« Maman ! » appelai-je de nouveau, mon esprit se refusant à comprendre qu'elle ne pouvait pas répondre.

Je m'approchai finalement et je la secouai. Elle remua légèrement et gémit. Mon frère et moi nous l'appelâmes avec insistance, mais en vain. Était-elle mourante ? La chose me paraissait inconcevable. Nous nous regardions, ne sachant que faire.

« Faut aller chercher quelqu'un », dis-je.

Je sortis en courant dans le couloir et j'appelai une voisine. Une grande femme noire surgit brusquement de derrière une porte.

« S'il vous plaît, voulez-vous venir voir maman ? Elle ne parle pas. Je ne peux pas la veiller. Elle est terriblement malade », lui dis-je.

Elle me suivit dans notre appartement.

« Madame Wright ! » appela-t-elle.

Ma mère gisait immobile, silencieuse, inconsciente de notre présence. La femme lui tâta les mains.

« Elle est pas morte, déclara-t-elle. Mais pour êt'
malade, elle l'est. Vaut mieux que j'aille chercher
d'autres voisines. »

Cinq ou six femmes s'amenèrent. J'attendis avec
mon frère dans le couloir pendant qu'elles déshabil-
laient ma mère et la couchaient. Lorsqu'on nous
autorisa à rentrer dans la chambre, une femme dit :

« M'a l'air d'être une attaque.

— Tout à fait comme la paralysie, dit une autre.

— Et elle qu'est si jeune », fit une autre voix.

Mon frère et moi nous nous tenions debout
contre le mur, tandis qu'en proie à une agitation
frénétique, les femmes s'affairaient autour de ma
mère. Une attaque ? La paralysie ? Qu'est-ce que
cela voulait dire ? Allait-elle mourir ? Une des
femmes me demanda s'il y avait de l'argent à la
maison ; je ne savais pas. Elles fouillèrent dans la
commode, y trouvèrent un ou deux dollars et firent
venir le docteur. Le docteur arriva. Oui, nous dit-il,
ma mère avait eu une attaque de paralysie. Son état
était grave. Il lui fallait quelqu'un près d'elle nuit et
jour ; elle avait besoin de médicaments. Où était son
mari ? Je lui racontai l'histoire, et il hocha la tête.

« Il va falloir lui donner le plus de soins possible.
Elle a le côté gauche entièrement paralysé. Elle ne
peut plus parler et il faudra l'alimenter. »

Plus tard, en fouillant dans les tiroirs, je trouvai
l'adresse de grand-mère ; je lui écrivis, la suppliant
de venir nous aider. Les voisines soignèrent ma
mère nuit et jour, nous donnèrent à manger, firent
notre lessive.

J'étais comme assommé ; je passais les journées dans un état de stupeur voisin de l'inconscience, incapable de croire à ce qui était arrivé. Et si grand-mère ne venait pas ? Je m'efforçais de ne pas penser à une telle éventualité. Il *fallait* qu'elle vienne. L'extrême solitude était devenue terrifiante. Je venais d'être brusquement livré à moi-même au point de vue émotionnel. En l'espace d'une heure, le monde à demi amical auquel j'étais habitué était devenu hostile et froid. J'étais trop effrayé pour pleurer. J'étais content que ma mère ne fût pas morte, mais il n'en était pas moins avéré qu'elle demeurerait malade pendant très, très longtemps, peut-être pendant le restant de ses jours. Je devins morose. Bien que je ne fusse qu'un enfant, je ne pouvais plus réagir comme un enfant. Je n'avais pas envie de jouer, je ruminais de sombres pensées, me demandant si grand-mère viendrait nous aider. Je m'efforçais de ne pas penser à un lendemain qui n'était ni tangible ni désirable, car tous les lende-mains posaient des questions auxquelles j'étais incapable de répondre.

Quand les voisins m'offraient à manger, je refu-sais ; j'avais déjà honte de devoir être si souvent nourri par des étrangers. Et lorsqu'on m'avait décidé à manger, je mangeais aussi peu que possi-ble, pensant enlever ainsi une partie de la honte qui s'attachait à la charité. Je souffrais de penser que d'autres enfants se demandaient si j'avais faim et quand ils me demandaient si je voulais manger, je leur répondais non, même si je mourais de faim. Je fus angoissé tout le temps que j'attendis grand-mère et quand elle arriva, je m'abandonnai, la laissant s'occuper de tout, répondant machinalement à ses questions, me bornant à obéir tout en sachant qu'au fond je devais affronter seul les événements. Je me repliais sur moi-même.

J'écrivis des lettres que grand-mère me dictait pour ses huit enfants (elle en avait neuf en tout, avec ma mère) dispersés aux quatre coins du pays, et dans lesquelles elle leur demandait de l'argent « pour emmener Ella et les deux enfants chez nous ».

L'argent arriva et de nouveau nous passâmes des journées à emballer les effets du ménage. On emmena ma mère à la gare en ambulance et on la transporta dans le train sur un brancard. Le voyage jusqu'à Jackson s'effectua dans le silence et on coucha ma mère au premier. Tante Maggie vint de Detroit pour aider à la soigner et faire le ménage. La grande maison était silencieuse. Nous parlions à voix étouffée. Nous marchions à pas feutrés. Une odeur de médecine flottait dans l'air. Les médecins allaient et venaient. J'entendais nuit et jour gémir ma mère. Nous nous attendions à la voir mourir d'un moment à l'autre.

Tante Chloé vint de Chicago, oncle Clark de Greenwood dans le Mississippi, oncle Charles de Mobile dans l'Alabama, tante Addie d'une école religieuse de Huntsville dans l'Alabama, oncle Thomas de Hazelhurst dans le Mississippi. La maison prenait un air d'attente et j'entendais chuchoter : « Qu'est-ce qu'on va faire de ces deux enfants ? » J'éprouvais un sentiment de frayeur à l'idée que d'autres — des étrangers, bien qu'ils fussent de ma famille — discutaient de mon sort. Je n'avais jamais vu auparavant les frères et les sœurs de ma mère et leur présence me rendait mon ancienne timidité. Un jour, oncle Edouard m'appela auprès de lui, et, tâtant la maigreur de mes bras et de mes jambes :

« Il a besoin de se remplumer », fit-il d'un ton impersonnel, en s'adressant aux autres.

Je me sentis affreusement gêné, j'avais l'impression que ma vie devait être bourrée de torts indescriptibles, de fautes inexpiables.

« Il engraissera quand il mangera à sa suffisance », dit grand-mère.

Les conférences familiales décidèrent que nous serions séparés, mon frère et moi, la charge de nous entretenir tous les deux étant trop lourde pour un seul oncle ou une seule tante. Où allait-on m'emmener ? Qui me prendrait ? J'étais plus inquiet que jamais. Quand je me trouvais en présence d'un oncle ou d'une tante, je n'osais pas les regarder. Je n'arrêtais pas de me dire que je devais à tout prix éviter de commettre quelque bourde susceptible de me rendre indésirable à leurs yeux.

La nuit, mon sommeil était troublé par des rêves affreux. Parfois je me réveillais en hurlant de terreur. Les grandes personnes accouraient et je les regardais avec de grands yeux fixes comme on regarde des personnages de cauchemar, puis je me

151

rendormais. Un soir, je me retrouvai au beau milieu de la cour. Il y avait un tel clair de lune qu'on y voyait comme en plein jour. J'étais entouré de silence. Soudain je sentis que quelqu'un me tenait par la main. Levant les yeux, je vis un de mes oncles. Il me parlait à voix basse, avec douceur.

« Qu'y a-t-il, mon petit ? »

Je le regardai fixement, essayant de comprendre ce qu'il disait. J'avais l'impression d'être enveloppé dans une sorte de brouillard.

« Richard, qu'est-ce que tu fais ? »

Je ne pouvais pas répondre. On eût dit que j'étais incapable de me réveiller. Il me secoua. Je revins à moi et regardai d'un air ébahi la cour inondée de clair de lune.

« Où allons-nous ? lui demandai-je.

— Tu te promenais tout endormi », dit-il.

Grand-mère me donna des repas plus copieux et me fit faire la sieste après le déjeuner, et peu à peu mon somnambulisme disparut. Ces jours et ces nuits d'inquiétude me poussèrent à prendre la résolution de quitter la maison de grand-mère aussitôt que je serais en âge de gagner ma vie. A vrai dire, je n'avais pas à me plaindre d'eux, mais je savais qu'il n'y avait pas assez d'argent pour nous nourrir, mon frère et moi. J'évitais d'aller dans la chambre de ma mère ; rien que de la regarder j'avais mal. Elle avait beaucoup maigri ; elle ne parlait toujours pas, elle avait les yeux fixes et restait immobile comme une statue.

Un soir, on nous appela, mon frère et moi, dans

la salle à manger où se tenait une conférence d'oncle et de tantes.

« Richard, dit un de mes oncles, tu sais que ta mère est gravement malade ?

— Oui, m'sieu.

— Et alors... Grand-mère n'est plus assez forte pour se charger de vous deux.

— Oui, m'sieu, dis-je, attendant sa décision.

— Eh bien, ta tante Maggie va emmener ton frère à Detroit et elle l'enverra à l'école. »

J'attendais. Qui allait me prendre ? J'aurais voulu être avec tante Maggie, mais je n'osais m'opposer à leur décision.

« Alors, où voudrais-tu aller ? » me demanda-t-on. La question me surprit ; je m'étais attendu à une injonction et j'avais maintenant la possibilité de choisir. Mais je n'osais présumer que quelqu'un voudrait de moi.

« N'importe où, répondis-je.

— Nous sommes tous prêts à te prendre », fit-il.

Je calculai rapidement qui habitait le plus près de Jackson. Oncle Clark habitait Greenwood, qui n'en était qu'à quelques kilomètres.

« Je voudrais aller chez l'oncle Clark, puisque c'est lui qui est le plus près de la maison, ici, dis-je.

— C'est vraiment ce que tu veux ?

— Oui, m'sieu. »

Oncle Clark vint auprès de moi et me mit la main sur l'épaule.

— C'est très bien. Tu vas venir avec moi et je

153

t'enverrai à l'école. Demain nous irons t'acheter des affaires. »

Ma tension s'atténua un peu, mais demeurait cependant en moi. Mon frère était heureux. Il allait dans le Nord. J'aurais voulu y aller, mais je ne dis rien.

Un voyage en chemin de fer et je me trouvai une fois de plus dans une autre petite ville méridionale. La maison de Greenwood était un bungalow de quatre pièces, constitué par la moitié d'une maison destinée à deux familles, et sis au bord d'un chemin tranquille et ombragé. Tante Jody, une mulâtresse de petite taille, silencieuse et soignée, avait préparé pour moi un souper chaud qui m'attendait sur la table. Ses manières graves et réservées me déroutaient ; elle semblait agir conformément à un code qui m'était inconnu et j'en déduisais qu'elle me considérait comme un vaurien, comme un garçon qui pour une raison quelconque n'avait pas de foyer ; je sentais que son esprit me repoussait aux confins de l'existence, et, en sa présence, je me sentais gauche et embarrassé. Oncle Clark et tante Jody me parlaient tous deux comme à une grande personne et je me demandais si je serais capable de faire ce qu'on attendait de moi. J'avais toujours trouvé de l'affection chez ma mère, même quand nous vivions dans la misère. Ici je n'en sentais pas, ou s'il y avait de la chaleur dans leur accueil, peut-être avais-je trop d'appréhension pour y être sensible.

On décida pendant le souper que j'irais à l'école le

lendemain. Oncle Clark et tante Jody travaillaient tous les deux et ils me dirent que je trouverais mon déjeuner sur le poêle tous les jours à midi.

« Eh bien ! Richard, tu as trouvé un nouveau foyer, dit oncle Clark.

— Oui, m'sieu.

— Après l'école, tu ramèneras du bois et du charbon, pour les cheminées.

— Oui, m'sieu.

— Tu casseras du petit bois et tu feras du feu dans le poêle de la cuisine.

— Oui, m'sieu.

— Tu iras chercher un seau d'eau dans la cour pour que Jody puisse faire la cuisine le matin.

— Oui, m'sieu.

— Quand tu auras fini, tu pourras passer l'après-midi à faire tes devoirs.

— Oui, m'sieu. »

On ne m'avait jamais assigné de tâches définies auparavant et j'allai me coucher avec une certaine appréhension. Je restai étendu sans pouvoir dormir, me demandant si j'avais bien fait de venir ; je sentais la nuit obscure pleine de gens étrangers, de maisons étrangères, de rues étrangères. Qu'allait-il m'arriver ici ? Comment allais-je m'en tirer ? Quel genre de femme était tante Jody ? Comment devais-je agir avec elle ? Oncle Clark me permettrait-il de me lier avec d'autres garçons ? Lorsque je me réveillai le lendemain matin, ce fut pour voir le soleil inonder ma chambre ; je me sentis mieux.

« Richard ! » appelait mon oncle.

Je me levai, m'habillai, descendis à la cuisine et m'assis sans mot dire à table.

« Bonjour, Richard, dit tante Jody.

— Oh ! bonjour, murmurai-je, regrettant de ne l'avoir pas dit le premier.

— On ne dit donc pas bonjour, là d'où tu viens ? demanda-t-elle.

— Si, m'dame.

— C'est bien ce qu'il me semblait », fit-elle d'un ton cinglant.

Tante Jody et oncle Clark se mirent à me poser des questions sur ma vie et j'en fus si gêné que cela me coupa l'appétit. Après déjeuner, oncle Clark m'emmena à l'école et me présenta au principal. La première moitié de la journée de classe se passa sans incident. Je regardais le livre de lecture nouveau pour moi et je suivais les leçons. Les sujets me semblaient simples et j'avais l'impression que je pourrais suivre. Mais l'inquiétude était toujours en moi, je me demandais comment je m'entendrais avec les garçons. Chaque nouvelle école était pour moi une nouvelle zone de vie à conquérir. Étaient-ils des durs ? Se battaient-ils ferme ? Je tenais pour assuré qu'ils se battaient.

A la récréation de midi je me rendis dans la cour de l'école ; un groupe de garçons s'amena nonchalamment vers moi. Ils m'examinèrent de la tête aux pieds en chuchotant entre eux. Je m'appuyai contre un mur, m'efforçant de cacher mon embarras.

« D'où que t'es ? me demanda l'un d'eux à brûle-pourpoint.

156

— De Jackson, répondis-je.

— Comment ça se fait que les gens sont si moches à Jackson ? » interrogea-t-il.

Des rires bruyants s'élevèrent.

« En fait de beauté, t'as pas de quoi te vanter, ripostai-je instantanément.

— Oh !

— Ah !

— T'as entendu ce qu'il lui a dit ?

— Tu te prends pour un dessalé, hein ? me dit le garçon, avec une grimace de défi.

— Écoute voir, je ne cherche pas de bagarre, dis-je. Mais si tu veux te battre, je suis prêt à me battre.

— Hum ! Monsieur joue les durs, hein ?

— Je suis aussi dur que toi.

— Tu sais à qui tu peux aller le dire ? demanda-t-il.

— Et toi, tu sais à qui tu peux aller le redire ?

— Dis donc, c'est de ma mère que tu parles ? fit-il en se rapprochant insensiblement de moi.

— Si tu veux le prendre comme ça, moi je veux bien », répondis-je.

Le moment critique était venu. Si j'essuyais un échec maintenant, j'échouerais à l'école, car la première épreuve n'était pas dans les livres, mais dans l'accueil que vous faisaient les camarades, dans la valeur qu'ils attribuaient à votre combativité.

« Retire ce que tu viens de dire, fit le garçon d'un ton de défi.

— Essaie de m'y forcer. »

Sentant venir la bataille, la foule des enfants se

157

mit à brailler. Mon adversaire hésita, pesant les chances qu'il avait de me battre.

« Tu ne vas pas te laisser asticoter par un bleu, non ? » fit quelqu'un pour l'exciter. Le garçon se rapprocha. Je ne bronchai pas. Nous étions maintenant nez à nez.

« Tu te figures que j'ai peur de toi, hein ? fit-il.

— Je t'ai dit ce que j'avais à te dire », répliquai-je.

Un impatient, craignant que la bataille n'eût pas lieu, le poussa sur moi. Il me heurta, je le repoussai violemment.

« T'as fini de me pousser ! fit le garçon.

— T'as qu'à pas venir te fourrer dans mes pattes ! » dis-je.

On le poussa de nouveau, alors je frappai du droit et je le touchai à la bouche. Il y eut un remous et des clameurs ; la foule des gosses nous serra de si près que c'est à peine si je pouvais dégager mon bras pour assener un coup. Quand l'un de nous essayait de frapper l'autre, la vague hurlante qui refluait nous faisait perdre l'équilibre. Chaque coup porté leur arrachait des cris de joie. Sachant bien que si je ne gagnais pas, ou si je ne me montrais pas à la hauteur, j'aurais chaque jour un nouvel adversaire sur les bras, je me battais comme un tigre, essayant de marquer l'autre, de faire couler le sang pour prouver que je n'étais pas un lâche, que je savais me défendre. La cloche sonna et la foule nous sépara. Nous avions dû faire à peu près match nul.

« Je te retrouverai ! me cria le garçon.

158

— Oh ! va te faire foutre ! » répondis-je.

En classe, les garçons m'interrogèrent sur moi-même ; j'étais quelqu'un d'intéressant à connaître. Quand la cloche sonna la fin de la classe, j'étais prêt à recommencer à me battre ; mais l'autre garçon s'était éclipsé.

Sur le chemin de la maison je trouvai par terre une bague bon marché, et je vis aussitôt le parti que je pouvais en tirer. La bague était ornée d'une pierre rouge retenue par de petites griffes : je les desserrai et je sortis la pierre, laissant pointer les petites griffes aiguës. Glissant la bague à mon doigt, je me mis à faire du shadow-boxing. Et maintenant, bon Dieu, qu'une espèce de sale brute s'amène, je lui ferai voir comment on se bat ; je lui laisserai une balafre écarlate sur la figure à chaque coup.

Mais je n'eus pas à me servir de la bague. Lorsque j'eus exhibé ma nouvelle arme à l'école, la description s'en propagea parmi les garçons. Je lançai un défi à mon ennemi pour une nouvelle bataille, mais il ne le releva pas. La bataille était devenue inutile. On m'avait accepté.

A peine avais-je gagné mon droit de cité à l'école qu'une nouvelle peur s'empara de moi. Un soir, avant d'aller me coucher, j'étais assis dans la pièce commune à lire et à faire mes devoirs. Oncle Clark, qui était entrepreneur de charpenterie, était à son bureau en train de faire des plans de maisons. Tante Jody raccommodait. Soudain la sonnette de la porte retentit et tante Jody fit entrer le voisin d'à côté, propriétaire et ex-occupant de la maison où nous habitions. Il s'appelait Burden ; c'était un homme de haute taille, brun et voûté, et lorsqu'on me présenta, je me levai et lui serrai la main.

« Eh bien, mon petit, me dit M. Burden, ça fait plaisir de voir un autre garçon dans cette maison.

— Il y a un autre garçon ici ? demandai-je avidement.

— Mon fils habitait ici, dit M. Burden en secouant la tête. Mais il n'est plus.

— Quel âge a-t-il ? demandai-je.

— A peu près ton âge, murmura tristement M. Burden.

— Où est-il allé ? demandai-je stupidement.

— Il est mort.

— Oh ! »

Je ne l'avais pas compris. Il s'ensuivit un long silence. M. Burden me couvait des yeux.

— Tu dors là-dedans ? demanda-t-il en désignant ma chambre.

— Oui, m'sieu.

— C'est là que mon fils couchait.

— Là ? demandai-je, pour bien m'assurer qu'il n'y avait pas d'erreur.

— Oui, là, dans cette chambre.

— Sur ce lit ?

— Oui, c'était son lit. Quand j'ai su que tu venais, j'ai donné ce lit à ton oncle pour toi », expliqua-t-il.

Je vis oncle Clark faire d'énergiques signes de tête à M. Burden, mais il était trop tard. Mon imagination se mit aussitôt à tisser des spectres sur cette trame. Je ne croyais pas vraiment aux fantômes, mais on m'avait enseigné qu'il existait un Dieu et j'avais (avec quelque gêne, il est vrai) plus ou moins admis son existence ; or, s'il y avait un Dieu, il devait certainement y avoir des fantômes. L'idée de dormir dans la chambre où était mort le garçon me devint subitement intolérable. En raisonnant, je savais que le garçon mort ne pouvait pas venir m'inquiéter, mais il s'était remis à vivre pour moi avec une intensité telle que je ne pouvais plus le chasser de mon esprit. Après le départ de M. Burden, j'allai timidement trouver oncle Clark.

« J'ai peur de dormir là, lui dis-je.

— Pourquoi ? Parce qu'un petit garçon est mort dans cette chambre ?

— Oui, m'sieu.

— Mais voyons, mon petit, il n'y a pas de quoi avoir peur.

— Je sais bien, mais j'ai peur.

— Nous mourrons tous un jour. Alors pourquoi avoir peur ? »

Je ne sus que répondre.

« C'est de l'enfantillage, continua oncle Clark.

— Mais j'ai peur, lui dis-je.

— Cela te passera.

— Je ne pourrais pas dormir ailleurs ?

— Il n'y a pas d'autre endroit où tu puisses dormir.

— Je peux me coucher sur le sofa ?

— S'il vous plaît, corrigea tante Jody d'un ton moqueur.

161

— Est-ce que je peux coucher sur le sofa, s'il vous plaît ? répétai-je après elle.

— Non », fit tante Jody.

Je gagnai la chambre obscure et je cherchai le lit à tâtons. J'avais l'impression qu'en le touchant je trouverais le garçon mort. Je tremblais. Finalement, je sautai d'un bond dans le lit et tirai violemment les couvertures sur ma tête. Je ne dormis pas de toute la nuit et le lendemain matin j'avais les yeux rouges et gonflés.

« Tu n'as pas bien dormi ? me demanda oncle Clark.

— Je ne peux pas dormir dans cette chambre, répondis-je.

— Tu y dormais bien avant d'avoir appris que ce garçon y était mort, n'est-ce pas ? me demanda tante Jody.

— Oui, m'dame.

— Alors pourquoi ne peux-tu plus y dormir maintenant ?

— C'est seulement que j'ai peur.

— Cesse de te conduire comme un bébé. »

La nuit suivante, ce fut pareil ; la peur m'empêcha de dormir. Lorsque tante Jody et oncle Clark furent allés se coucher, je me levai et me faufilai dans la salle à manger ; là, je dormis sur le canapé, roulé en boule, sans la moindre couverture. Je fus réveillé, le lendemain matin, par oncle Clark qui me secouait.

« Qu'est-ce qui te prend ? fit-il.

— J'ai peur de dormir là-dedans.

162

— Tu retourneras dormir dans la chambre ce soir, décida-t-il. Il faut que tu corriges cette manie. »

Le corps secoué de frissons, je passai une autre nuit blanche dans la chambre du mort — ce n'était plus ma chambre. J'avais si peur que j'étais couvert de sueur. Au moindre craquement mon cœur s'arrêtait de battre. Le lendemain en classe, j'étais hébété. Je rentrai et je passai une autre longue nuit tout éveillé. Le lendemain je m'endormis en classe. Lorsque l'instituteur m'interrogea, je ne pus lui répondre. Incapable de me libérer de cette terreur, je commençais à avoir la nostalgie de la maison. Une semaine entière d'insomnie m'amena tout près de la crise de dépression nerveuse.

Dimanche arriva et je refusai d'aller à l'église ; oncle Clark et tante Jody en furent sidérés. Ils ne comprenaient pas que mon refus d'aller à l'église était une façon muette de supplier qu'on me laissât dormir ailleurs. Ils me laissèrent seul et je passai toute la journée assis sur les marches du perron ; je n'avais pas le courage d'aller à la cuisine prendre à manger. Lorsque ma soif se fit sentir, je contournai la maison et j'allai boire à la pompe, dans la cour, plutôt que de m'aventurer à l'intérieur de la maison. Le désespoir me poussa de nouveau à soulever la question de la chambre quand arriva l'heure de me coucher.

« S'il vous plaît, laissez-moi dormir sur le sofa, implorai-je.

— Il faut que tu arrives à te débarrasser de ta peur », dit mon oncle.

Je résolus de demander à être renvoyé chez moi. J'allai trouver oncle Clark, sachant que ma venue lui avait occasionné des frais, qu'il avait pensé m'aider, qu'il m'avait acheté des vêtements et des livres.

« Oncle Clark, renvoyez-moi à Jackson », dis-je.

Il était penché au-dessus d'une petite table ; il se redressa et me regarda d'un air étonné.

« Tu n'es pas heureux ici ? demanda-t-il.

— Non, m'sieu, répondis-je en toute franchise, craignant que le ciel ne s'écroule sur ma tête.

— Et tu veux vraiment retourner chez toi ?

— Oui, m'sieu.

— Ça ne sera pas très facile pour toi, là-bas. Ça va être dur, au point de vue argent, nourriture et le reste.

— Je veux être avec maman, dis-je, pour donner plus de poids à ma requête.

— C'est à cause de la chambre, en réalité ?

— Oui, m'sieu.

— Eh bien... nous avons fait de notre mieux pour te rendre heureux ici, fit mon oncle avec un soupir. Peut-être nous y sommes-nous mal pris. Mais si tu veux retourner chez toi, tu le peux.

— Quand ? demandai-je avidement.

— Aux vacances, à la fin des classes.

— Mais je veux m'en aller tout de suite ! m'écriai-je, sentant venir les larmes.

164

— Mais en partant maintenant, tu perds une année de cours.

— Ça m'est égal.

— Tu le regretteras plus tard. Tu n'as pas encore été une seule fois au bout d'une année de classe, dit-il.

— Je veux rentrer chez nous, m'obstinai-je.

— Il y a longtemps que ça te tracasse, l'envie de t'en aller ?

— Oui, m'sieu.

— Je vais écrire à grand-mère ce soir », dit-il, une lueur d'étonnement dans les yeux.

Je demandai journellement s'il avait reçu des nouvelles de grand-mère et journellement, je m'entendais répondre qu'il n'y avait pas eu de lettres. Mon insomnie me donnait la sensation de journées passées dans un rêve échevelé, brûlant, et mes études en souffraient à l'école. J'avais eu d'excellentes notes, mais maintenant elles étaient mauvaises et je finis par échouer en tout. J'étais agité, inquiet, je vivais au jour le jour.

Un soir, faisant mes corvées ménagères, j'allai remplir un seau d'eau à la pompe de la cour. J'étais fatigué, crispé, à moitié endormi ; c'est tout juste si je tenais debout. J'accrochai l'anse du seau à la partie saillante du robinet de métal et j'attendis que le seau se remplisse ; le seau glissa et l'eau inonda mes culottes, mes bas et mes souliers.

« Espèce de nom de Dieu de saloperie de putain de seau ! dis-je à mi-voix, dans une explosion de rage désespérée.

165

— Richard ! »

La voix stupéfaite de tante Jody retentit derrière moi, dans l'obscurité.

Je me retournai. Tante Jody se tenait sur les marches de la cuisine. Elle descendit dans la cour.

« Qu'est-ce que tu as dit, mon garçon ? interrogea-t-elle.

— Rien, marmonnai-je, fixant le sol d'un air contrit.

— Répète ce que tu viens de dire », ordonnat-elle.

Je ne soufflai mot. Je me baissai et ramassai le seau. Elle me l'arracha des mains.

« Qu'est-ce que tu as dit ? » redemanda-t-elle.

Je m'obstinai à demeurer la tête basse, me demandant vaguement si elle voulait m'intimider ou si elle tenait vraiment à me faire répéter les jurons.

« Je vais le dire à ton oncle », dit-elle finalement. A ce moment, je ressentis de la haine pour elle. J'avais cru qu'en baissant la tête et en regardant silencieusement par terre, je faisais une sorte d'aveu tacite et j'implorais son pardon, mais elle n'avait pas voulu le comprendre ainsi.

« Ça m'est égal », dis-je.

Elle me donna le seau, je le remplis d'eau et le portai à la maison. Elle me suivit.

« Richard, tu es un très, très mauvais garçon, ditelle.

— Ça m'est égal », répétai-je.

Je l'évitai et j'allai m'asseoir sur les marches du porche d'entrée. Je n'avais pas fait exprès de jurer

166

devant elle, mais puisqu'elle m'avait entendu et puisqu'il n'y avait aucun moyen de l'apaiser, je résolus de laisser aller les choses. L'important était de rentrer chez nous, à la maison. Mais où était la maison ? Oui, je me sauverais.

Oncle Clark s'amena et m'appela dans la pièce de devant.

« Jody m'apprend que tu as dit des gros mots, commença-t-il.

— Oui, m'sieu.

— Tu l'avoues ?

— Oui, m'sieu.

— Pourquoi l'as-tu fait ?

— Je ne sais pas.

— Je vais te fouetter. Ôte ta chemise. »

Sans mot dire, je me dénudai le dos et il me fouetta à coups de ceinture ; je serrai les dents et réussis à ne pas pleurer.

« Recommenceras-tu à dire des gros mots ? demanda-t-il.

— Je veux aller chez nous, dis-je.

— Remets ta chemise. »

J'obéis.

« Je veux aller chez nous, répétai-je.

— Mais tu es chez toi, ici.

— Je veux aller à Jackson.

— Tu n'as pas de chez toi, à Jackson.

— Je veux aller chez ma mère.

— C'est bon. » Il s'adoucit. « Je te renverrai samedi. » Il me regarda d'un air perplexe. « Dis-moi, où as-tu appris ces mots que Jody t'a entendu prononcer ? »

Je le regardai sans répondre ; comme un éclair, l'image des taudis sordides où j'avais vécu me traversa l'esprit, et je me sentis plus que jamais un étranger vis-à-vis d'eux. Comment aurais-je pu lui raconter que j'avais appris à jurer avant d'avoir appris à lire ? Comment aurais-je pu lui dire que j'étais déjà un ivrogne à l'âge de six ans ?

Lorsqu'il m'accompagna au train le samedi matin, je me sentais coupable et je n'osais le regarder. Il me donna le billet et je grimpai précipitamment dans le wagon. Je lui fis des adieux froids par la fenêtre quand le train démarra. Lorsque j'eus cessé d'apercevoir son visage, ma tension se relâcha et je flanchai. Des larmes brouillaient ma vue. Je me laissai aller sur la banquette. Je fermai les yeux et je dormis tout au long du trajet.

Je fus heureux de revoir ma mère ; elle allait beaucoup mieux, bien qu'elle fût toujours couchée. Le docteur avait conseillé une nouvelle opération et on espérait qu'elle se remettrait. Mais je m'inquiétais. Pourquoi une nouvelle opération ? Ayant vu moi-même mes propres espoirs si souvent déçus, j'étais d'avis de laisser ma mère comme elle était. Mes sentiments étaient gouvernés par la peur et je ne me confiais à personne. Déjà, je m'étais rendu compte que mes sentiments différaient par trop de ceux de mon entourage pour que j'aie envie de faire étalage de ce que je ressentais.

Je ne retournai pas à l'école. Au lieu d'aller en

classe, je jouais seul dans la cour, à faire rebondir une balle contre la clôture ou à graver des dessins dans l'argile tendre avec un vieux couteau ; ou bien je lisais tous les livres qui me tombaient sous la main. Je désirais ardemment arriver à un âge où je serais capable de me suffire à moi-même.

Oncle Édouard vint de Carters chercher ma mère pour la faire opérer à Clarksdale ; au dernier moment, j'insistai pour aller avec eux. Je me dépêchai de m'habiller et me rendis à la gare. Durant tout le trajet, je me confinai dans un silence maussade. J'avais peur de regarder ma mère ; j'aurais voulu retourner à la maison et cependant j'avais envie de continuer. A Clarksdale, nous prîmes un taxi pour aller chez le docteur. Ma mère se montrait gaie, courageuse, souriante, mais je savais qu'elle était aussi sceptique que moi. En entrant dans la salle d'attente du docteur, la conviction que ma mère ne se remettrait jamais s'implanta en moi. Finalement, le docteur s'amena, en blouse blanche, et me serra la main, puis il emmena ma mère. Oncle Édouard me quitta pour s'occuper de la chambre et de l'infirmière. J'étais anéanti. J'attendais. Longtemps après, le docteur vint à la porte.

« Comment va ma mère ?
— Très bien ! répondit-il.
— Est-ce qu'elle s'en tirera ?
— Tout cela va s'éclaircir dans quelques jours.
— Je peux la voir, maintenant ?
— Non, pas maintenant. »

Oncle Édouard revint plus tard avec une ambulance et deux hommes porteurs d'une civière. Ils entrèrent dans le cabinet du docteur et en sortirent ma mère ; elle était allongée, les yeux clos, le corps emmailloté de blanc. J'aurais voulu courir vers le brancard et la toucher, mais j'étais comme paralysé.

« Pourquoi ils emmènent maman par là ? demandai-je à mon oncle.

— On ne reçoit pas les Noirs à l'hôpital, alors il faut que nous nous arrangions de cette façon. »

Je vis les hommes descendre la civière du perron dans la rue. Planté sur le trottoir, je les regardai soulever ma mère, la hisser dans l'ambulance et démarrer. J'eus la conviction que ma mère était sortie de ma vie ; je le sentais.

Oncle Édouard et moi étions logés dans une pension de famille ; tous les matins il allait à la maison meublée demander des nouvelles de ma mère et chaque fois, il en revenait sombre et taciturne. Finalement il m'annonça qu'il allait ramener ma mère à la maison.

« Est-ce qu'elle a des chances de s'en tirer, franchement ? lui demandai-je.

— Elle est très malade », répondit-il.

Nous quittâmes Clarksdale ; ma mère fit le trajet sur une civière dans le fourgon à bagages avec oncle Édouard pour veiller sur elle. De retour à la maison elle passa des semaines entières allongée, les yeux vagues, à gémir sans arrêt. Les médecins venaient la voir et s'en allaient sans faire de commentaires. Grand-mère s'affolait. Oncle Édouard, qui était rentré chez lui, revint et l'on fit venir encore d'autres médecins. Ils nous dirent qu'un caillot de sang s'était formé au cerveau et qu'une nouvelle attaque de paralysie s'était déclarée chez ma mère.

Une fois, ma mère m'appela auprès de son lit pendant la nuit et me dit qu'elle ne pouvait supporter la douleur et qu'elle désirait mourir. Je lui tins la main et je la suppliai de se calmer. Cette nuit-là, je cessai de réagir vis-à-vis de ma mère ; mes sentiments étaient figés. Je me bornai à l'entourer de soins, sachant qu'elle souffrait. Elle devait rester dix ans couchée ; son état s'améliora petit à petit, mais elle était sujette à des rechutes périodiques et ne se remit jamais complètement. La famille s'était ruinée pour faire soigner ma mère et il n'y avait plus d'argent à espérer de nulle part. Sa maladie devint peu à peu un fait acquis dans la maison, un état de choses auquel personne ne pouvait remédier.

Les souffrances de ma mère devinrent pour moi un symbole ; elles résumaient à elles seules toute la misère, l'ignorance, l'impuissance, les heures et les jours douloureux, déconcertants, dominés par la faim, les départs perpétuels, les recherches vaines, l'incertitude, la peur, la crainte, la douleur vide de sens et la souffrance infinie. Sa vie fixa le ton émotionnel de la mienne, donna leur couleur aux hommes et aux femmes que je devais rencontrer par la suite, conditionna mes rapports avec les événements futurs, détermina mon attitude en face de situations et de circonstances que j'aurais à affronter. Une attitude sombre, dont je ne devais plus me départir, s'instaura en moi pendant les lentes années de souffrances incessantes endurées par ma mère, attitude qui devait m'isoler et me faire considérer soupçonneusement toute joie excessive, qui devait me rendre gauche, emprunté, instable, agité et me pousser à chercher toujours plus loin, comme si j'avais voulu échapper à une fatalité sans nom qui se fût acharnée à me poursuivre.

A l'âge de douze ans, sans avoir bénéficié d'une seule année d'instruction scolaire complète, j'avais une conception de la vie qu'aucun événement ne pourrait jamais entamer, une prédilection pour le réel qu'aucun argument ne pourrait jamais ébranler, un sentiment du monde qui m'était réellement propre, une notion de la signification de la vie qu'aucune éducation ne pourrait jamais changer, et la conviction qu'on ne la saisissait qu'à force de lutter pour arracher un sens à des souffrances insensées.

A l'âge de douze ans, j'avais à l'égard de l'existence une attitude définitivement fixée, attitude qui devait me faire rechercher ces régions de la vie susceptibles de la confirmer et de l'affermir en moi, qui devait me rendre sceptique à l'égard de toute chose tout en m'intéressant passionnément à tout, tolérante et cependant critique. La mentalité que je m'étais faite me permettait de sonder profondément toutes les souffrances, m'attirait vers ceux dont les sentiments étaient semblables aux miens, me faisait rester assis des heures à écouter d'autres me raconter leur vie, me rendait étrangement tendre et cruel, violent et pacifique.

Elle me donna la volonté d'aller froidement jusqu'au fond de toute question, de l'étaler au grand jour et d'en dégager la souffrance que j'étais certain qu'elle recelait. Elle me donna la passion de fouiner dans la psychologie, dans le roman et l'art réalistes et naturalistes, de plonger dans ces tourbillons de la politique qui avaient le pouvoir de se réclamer de la totalité des âmes humaines. Elle aiguillait mon loyalisme vers le parti des révoltés ; elle me fit aimer les conversations où l'on cherchait des réponses à des questions qui ne pouvaient être d'aucun secours à personne, susceptibles seulement d'entretenir en moi cette sensation d'étonnement et de crainte que j'éprouvais devant le drame de la sensibilité humaine qui se cache derrière le drame superficiel de l'existence.

Grand-mère était une sabbataire ardente, membre de l'Église adventiste, et j'étais forcé de faire semblant d'adorer son Dieu, exigence qu'elle formulait en échange de mon entretien. Les anciens de son église commentaient un Évangile surchargé d'images de vastes lacs de feu éternel, de mers englouties, de vallées remplies d'ossements blanchis, d'un soleil qui réduisait tout en cendres, d'une lune sanglante, d'étoiles qui tombaient sur la terre, de bâtons changés en serpents, de voix qui émanaient des nuages, d'hommes marchant sur les eaux, de Dieu chevauchant les tempêtes, d'eau changée en vin, de morts qui se levaient et ressuscitaient, d'aveugles qui voyaient, de paralytiques qui marchaient... un Salut grouillant de bêtes fantastiques avec des têtes, des cornes, des yeux et des pieds multiples... des Sermons sur des statues qui possédaient une tête en or, des épaules d'argent, des jambes de bronze et des pieds d'argile ; une Histoire cosmique commençant avec le temps et se terminant dans les nuages célestes qui se retiraient avec le deuxième Avènement du Christ... des Chroniques qui s'achevaient sur l'Armageddon [1], des Drames bourrés de billions d'êtres humains ayant jamais vécu ou étant morts et qui devaient tous affronter la Justice divine...

En écoutant ce langage des sermons farcis d'images saisissantes, je me sentais émotionnellement poussé à croire, mais aussitôt sorti de l'église, voyant le gai soleil et sentant la vie palpitante des gens de la rue, je savais que rien de tout cela n'était vrai et qu'il n'arriverait rien.

Une fois de plus je connus la faim, une faim mordante, qui me mettait dans un perpétuel état d'énervement, qui me rendait terriblement irritable, une faim qui faisait surgir la haine de mon cœur comme un dard de serpent, une faim qui me donnait des désirs bizarres. Je ne pouvais rêver à aucun mets plus délicieux que les gaufrettes à la vanille. Chaque fois que j'avais cinq *cents,* je courais à l'épicerie du coin pour acheter une boîte de gaufrettes à la vanille et je rentrais lentement pour

1. Suprême mêlée des peuples. *Apocalypse,* XVI.

pouvoir les finir sans avoir à les partager avec quiconque. Puis je m'asseyais sur les marches de la porte d'entrée et je rêvais d'en manger une autre boîte ; mon désir devenait si intense que je m'obligeais à accomplir une besogne quelconque afin de l'oublier. J'appris une méthode de boire de l'eau, que j'eusse ou non envie de boire, qui me procurait pendant un certain temps l'illusion d'avoir l'estomac plein ; je me mettais la bouche sous le robinet, j'ouvrais tout grand le robinet et je laissais couler le jet en cascade dans mon estomac jusqu'à ce qu'il fût gonflé. Quelquefois j'avais mal au ventre, mais je me sentais rassasié pour un moment.

On ne mangeait jamais de porc ni de veau chez grand-mère, et en général la viande ne s'y montrait que fort rarement. Le poisson était rare également, et, quand il y en avait, il était toujours plein d'écailles et d'arêtes. On n'employait jamais de levure, car elle était censée contenir un produit chimique nocif pour la santé. Comme petit déjeuner, je mangeais de la bouillie de maïs et une sauce faite de farine et de saindoux, et des heures durant j'en avais des renvois. Nous étions constamment en train de prendre du bicarbonate de soude pour aider la digestion. A quatre heures de l'après-midi je mangeais un plat de légumes verts préparés au saindoux ; quelquefois, le dimanche, on achetait pour dix *cents* de bœuf ; il était généralement immangeable. Le plat favori de grand-mère était une friture de cacahuètes à laquelle elle s'efforçait de donner l'aspect d'un plat de viande, mais dont le goût rappelait tout autre chose.

Ma position dans la maison était délicate ; j'étais un mineur, une personne à charge non invitée, un parent qui ne reconnaissait pas le salut et dont l'âme se trouvait en état de péril mortel. Grand-mère, basant sa logique sur la justice de Dieu, déclarait hardiment à qui voulait l'entendre qu'une personne coupable de péché dans une famille pouvait attirer le courroux du Seigneur sur toute la maison, damnant à la fois innocents et coupables ; plus d'une fois elle alla jusqu'à interpréter la longue maladie de ma mère comme le résultat de mon manque de foi. Je devenais habile à feindre d'ignorer ces menaces cosmiques et peu à peu je me cuirassai d'insensibilité et d'indifférence contre tout ce qui était prêche métaphysique.

Mais grand-mère, en s'acharnant à me persuader d'adopter son Dieu, trouva une alliée dans la personne de tante Addie, la plus jeune de ses filles. Addie venait de terminer ses études à l'école religieuse des Adventistes du Septième Jour de Huntsville, dans l'Alabama ; de retour à la maison, elle soutint que puisque la famille avait suffisamment pitié de moi pour me nourrir, le moins que je pouvais faire était de suivre ses directives. Elle proposa de m'envoyer dans une école religieuse au lieu de l'école laïque, à la rentrée d'octobre. En refusant, non seulement je devenais un affreux infidèle, mais aussi un ingrat endurci. J'eus beau élever force arguments et objections, ma mère prit

176

le parti de grand-mère et de tante Addie et il ne me restait qu'à m'incliner.

L'école religieuse ouvrit ses portes, et bon gré mal gré je dus y aller. Vingt élèves de cinq à dix-neuf ans, qui suivaient des classes allant des cours élémentaires à l'enseignement secondaire, étaient parqués dans une seule pièce. Tante Addie était le seul membre enseignant de l'école et dès le premier jour un antagonisme violent s'éleva entre nous. C'était la première fois qu'elle faisait la classe, et la présence dans la salle d'un de ses parents — un parent qui ne voulait pas professer sa foi et n'était pas membre de son Église — la gênait et l'énervait considérablement. Elle était décidée à faire savoir à tous les élèves que j'étais un misérable pécheur, qu'elle désapprouvait ma conduite et qu'il ne fallait m'accorder aucune considération.

Les élèves étaient d'une espèce docile; ils manquaient de ce sens aigu de la rivalité qui faisait des garçons et des filles des écoles communales un groupe où tout garçon était mis à l'épreuve et jugé à sa valeur, une communauté au sein de laquelle il avait un aperçu de ce qu'était le monde. Ces garçons et ces filles manquaient totalement de caractère et de volonté; leur langage était plat, leurs gestes vagues, leur personnalité était inaccessible à la colère, à l'espoir, au rire, à l'enthousiasme, à la passion et au désespoir. Il m'était possible de les considérer avec une objectivité inconcevable pour eux. Ils étaient entièrement soumis à leur milieu et n'en pouvaient imaginer d'autre, alors que je venais d'une sphère d'existence peuplée de portes battantes, de cabarets, de gares de triage, de rotondes de chemin de fer, de bandes de vauriens, de digues, de rivières, d'orphelinats ; j'avais erré de ville en ville, de maison en maison ; je m'étais mêlé aux grandes personnes d'une manière probablement peu recommandable pour moi. Je dus surveiller mon langage et mettre un frein à mon habitude de jurer, mais pas avant d'avoir choqué plus de la moitié d'entre eux et mis tante Addie dans un état d'embarras voisin du complet désarroi.

Comme s'achevait la première semaine de classe, le conflit qui avait couvé entre tante Addie et moi éclata ouvertement : un après-midi, elle descendit de son bureau et vint dans la classe se placer à côté de moi.

« Tu devrais avoir honte, fit-elle en m'appliquant la règle sur les doigts.

— Honte de quoi ? demandai-je, éberlué, en me frottant la main.

— Regarde par terre », fit-elle.

J'obéis et je vis une quantité de petits morceaux de noix éparpillés sur le sol ; quelques-uns avaient été écrasés et faisaient des taches de graisse sur les planches propres du parquet de pin blanc. Je me rendis compte aussitôt que c'était l'élève placé devant moi qui les avait mangées ; mes noix étaient dans ma poche, intactes.

« Je n'y suis pour rien, dis-je.

— Tu sais très bien qu'il est défendu de manger en classe.

178

— Je n'ai pas mangé.

— Ne mens pas ! Ceci n'est pas seulement une école, c'est le territoire sacré de Dieu ! fit-elle sur un ton de fureur indignée.

— Tante Addie, mes noix sont là dans ma poche...

— Je m'appelle Miss Wilson ! » s'écria-t-elle.

Je la regardai avec de grands yeux, sans mot dire, comprenant enfin ce qui la tourmentait. Elle m'avait demandé de l'appeler Miss Wilson en classe, et la plupart du temps je l'avais fait. Elle craignait qu'en l'appelant tante Addie, je ne mine le moral des élèves. Tous les écoliers savaient qu'elle était ma tante et beaucoup d'entre eux la connaissaient depuis plus longtemps que moi.

« Je m'excuse », dis-je, et là-dessus je me détournai d'elle et j'ouvris un livre.

« Richard, lève-toi ! »

Je ne bougeai pas. L'atmosphère était tendue. Mes doigts se cramponnaient au livre et je savais que j'étais le point de mire de toute la classe. Je n'avais pas mangé de noix ; je regrettais de l'avoir appelée tante Addie, mais je ne voulais pas être choisi pour me voir infliger une punition gratuite. Et puis, je m'attendais à ce que le garçon devant moi invente quelque mensonge pour me disculper, puisque c'était lui le vrai coupable.

Je restai assis, sans détacher les yeux de mon livre. Soudain, elle me saisit par mon col et m'arracha de mon pupitre. Je fus projeté à travers la salle et manquai de tomber.

« Vas-tu me répondre ? » s'écria-t-elle, dans un accès de frénésie.

Je me redressai et la regardai haineusement.

« Je te défends de me regarder de cette façon, tu entends ?

— Ce n'est pas moi qui ai jeté ces noix par terre !

— Alors, qui est-ce ? »

Notre code de gamins des rues me plaçait dans une situation difficile. A l'école communale je n'avais jamais rapporté, et j'attendais que le garçon devant moi me vienne en aide, invente un mensonge, un prétexte, n'importe quoi. Dans le passé, il m'était arrivé de payer pour d'autres et j'avais vu des camarades faire de même. Mais le pieux chérubin, Dieu l'aidant, ne parla pas.

« Je ne sais pas, répondis-je enfin.

— Va-t'en au fond de la salle », dit tante Addie.

Je m'approchai lentement de son bureau, m'attendant à être sermonné, mais mon cœur se mit à battre furieusement lorsque je la vis s'approcher du coin de la salle et y choisir une baguette de bois vert, longue et flexible. Je fus incapable de me contenir :

« Je n'ai rien fait ! » hurlai-je.

Elle frappa mais j'esquivai le coup. Elle blêmit de fureur et tout son corps se mit à trembler.

« Ne bouge pas », siffla-t-elle.

Je m'immobilisai, vaincu davantage par le vertueux garçon dont je sentais la présence derrière moi que par tante Addie.

« Tends ta main ! »

Je tendis la main, me jurant bien que cela ne

m'arriverait plus jamais, quoi qu'il dût m'en coûter. Elle me cingla la paume de la main jusqu'au sang, puis elle fouetta mes jambes nues jusqu'à ce qu'elles fussent zébrées de rouge. Je serrais les dents pour m'empêcher d'émettre le moindre gémissement. Lorsqu'elle eut fini, je laissai ma main tendue pour lui signifier que ses coups ne pouvaient pas réellement m'atteindre, et je la regardai droit dans les yeux, sans ciller.

« Retire ta main et va te rasseoir », dit-elle.

Je laissai retomber ma main et tournai les talons, les mains et les jambes en feu, le corps roidi. Enveloppé d'un brouillard de colère, je regagnai mon pupitre.

« Et je n'en ai pas fini avec toi ! » lança-t-elle encore.

Elle avait dit une parole de trop ; sans même m'en rendre compte, j'avais fait volte-face et je la regardais les yeux étincelants et la bouche ouverte :

« Pas fini avec moi ! répétai-je. Mais qu'est-ce que je vous ai fait ?

— Assieds-toi et tais-toi ! » brailla-t-elle.

Je m'assis. J'étais sûr d'une chose ; je ne me laisserais plus battre par elle. On m'avait souvent cruellement battu, mais presque toujours j'avais senti que les corrections étaient méritées et logiques, que j'étais plus ou moins dans mon tort. Mais là, je me sentais pour la première fois l'égal d'une grande personne ; je savais que j'avais été battu pour une raison injuste. Je sentais chez tante Addie un problème d'ordre affectif autre que le simple souci

181

de m'empêcher de manger en classe. Ma présence lui faisait-elle perdre son assurance au point de l'obliger à me punir devant les élèves pour les impressionner et regagner ainsi une partie de son prestige à ses propres yeux et aux leurs ? J'y songeai tout l'après-midi, me demandant comment je pourrais quitter l'école.

Dès que tante Addie arriva à la maison — j'étais déjà rentré — elle m'appela à la cuisine. En entrant, je vis qu'elle tenait une nouvelle baguette à la main. Mes muscles se raidirent :

« Je ne me laisserai plus battre ! lui dis-je.

— Je vais t'apprendre à vivre ! » fit-elle.

Je ne bronchai pas ; une bataille se livrait en moi. Je luttais avec moi-même. Peut-être mon enfance difficile, peut-être mes pérégrinations de ville en ville, peut-être la violence que j'avais déjà vue et ressentie prirent-elles possession de moi ; toujours est-il que je devais m'efforcer de réprimer l'impulsion d'aller ouvrir le tiroir de la table de cuisine et d'y prendre un couteau pour me défendre. Mais cette femme qui se tenait plantée devant moi était ma tante, la sœur de ma mère, la fille de grand-mère ; mon sang coulait dans ses veines ; dans certaines de ses actions il m'arrivait de percevoir comme une insaisissable partie de moi-même et dans ses paroles des échos de mes propres paroles. Je ne voulais pas être brutal avec elle, mais je ne voulais cependant pas être battu pour une faute que je n'avais pas commise.

« Vous êtes en colère après moi pour quelque chose ! dis-je.

— Ne viens pas me dire que je suis en colère !

— Vous êtes trop en colère pour croire ce que je pourrais vous dire.

— Je te défends de me parler de cette façon !

— Alors comment voulez-vous que je vous parle ? Vous m'avez battu pour avoir jeté des noix par terre ! Mais ce n'est pas moi qui les ai jetées !

— Alors, qui est-ce ? »

Maintenant que j'étais seul avec elle et qu'elle me poussait à bout, je mis de côté mon loyalisme et je lui dévoilai le nom du coupable, estimant qu'il ne méritait pas tant d'égards.

« Pourquoi ne me l'as-tu pas dit avant ? demanda-t-elle.

— Je ne veux pas cafarder les autres.

— Alors, tu as menti, hein ? »

Elle me mettait dans l'impossibilité de lui répondre. Je ne pouvais pas lui expliquer la valeur que j'attachais à notre code de solidarité.

« Tends ta main !

— Je ne me laisserai pas battre ! Je n'ai rien fait.

— Je vais te battre pour avoir menti !

— Arrêtez ! Ne me frappez pas ! Si vous me frappez je me défendrai ! »

L'espace d'un moment, elle resta indécise, puis elle fit siffler la baguette ; j'esquivai le coup et, perdant mon équilibre, je m'écroulai dans un coin. Immédiatement, elle fut sur moi, me cinglant le visage. Je bondis en hurlant, réussis à lui échapper, et j'ouvris brutalement le tiroir de la table de la cuisine ; son contenu se répandit sur le sol avec un bruit de tonnerre. Je m'emparai d'un couteau et l'attendis de pied ferme.

« Je vous avais dit de ne pas me toucher ! m'écriai-je.

— Veux-tu remettre ce couteau !

— Laissez-moi tranquille ou je vous pique ! »

Elle restait immobile, se demandant ce qu'elle devait faire. Puis elle prit son parti et s'avança vers moi. Je lançai mon bras armé du couteau, mais elle m'agrippa la main et tenta de me l'arracher. D'un croc-en-jambe je la fis trébucher ; nous culbutâmes tous les deux. Elle était plus forte que moi et je sentais mes forces faiblir ; elle luttait toujours pour avoir mon couteau et, à l'expression de son visage, je vis clairement qu'elle s'en servirait si elle réussissait à s'en emparer. Je lui mordis la main et nous roulâmes sur le sol, échangeant des coups de pied, des coups de poing, nous égratignant furieusement, nous battant comme si nous avions été des étrangers, des ennemis mortels, luttant pour notre peau.

« Laissez-moi tranquille ! hurlai-je.

— Donne-moi ce couteau, petit chenapan !

— Je vous tuerai ! Je vous tuerai, si vous ne me laissez pas tranquille ! »

Grand-mère arriva en courant ; elle s'immobilisa en nous voyant et resta bouche bée, comme pétrifiée.

« Addie, qu'est-ce que tu fais ?

— Il a un couteau ! fit-elle d'une voix étranglée. Oblige-le à le lâcher !

— Richard, lâche ce couteau ! » s'écria grand-mère.

Ma mère s'amena en boitant jusqu'à la porte. « Richard, arrête ! hurla-t-elle.

— Non ! je ne veux pas qu'elle me batte !

— Addie, laisse ce garçon tranquille », dit ma mère.

Tante Addie se leva lentement, les yeux fixés sur le couteau, puis elle se détourna et sortit de la cuisine, ouvrant la porte d'un violent coup de pied en s'en allant.

« Richard, donne-moi ce couteau, fit ma mère.

— Mais elle va me battre, maman. Elle va me battre pour rien, dis-je. Je ne me laisserai plus battre par elle. On peut me faire ce qu'on veut, ça m'est égal !

— Richard, tu es un malfaisant, un malfaisant ! » dit grand-mère en pleurant.

J'essayai d'expliquer ce qui était arrivé, mais elles ne voulurent m'écouter ni l'une ni l'autre. Grand-mère s'approcha de moi pour me prendre le couteau, mais je lui échappai et je m'enfuis dans la cour. Je m'assis sur les marches de la cuisine, tremblant, à bout d'émotions, pleurant tout seul. Grand-père descendit ; tante Addie lui avait raconté ce qui s'était passé.

« Donne-moi ce couteau, mon petit ami ! » fit-il.

Je mentis : « Je l'ai remis », dis-je, tenant mon

185

bras serré contre mon corps de façon à dissimuler le couteau.

« Qu'est-ce qui t'a pris ? demanda-t-il.

— Je ne veux pas qu'elle me batte, dis-je.

— Tu n'es qu'un enfant, un gamin ! rugit-il.

— Mais je ne veux pas qu'on me batte !

— Qu'est-ce que tu as fait ?

— Rien.

— Tu mens plus vite qu'un chien ne galope, dit grand-père. Tu as de la chance que j'aie des rhumatismes, sans ça je te déculotterais et je te tannerais le cuir de belle façon. On n'a pas idée de menacer quelqu'un d'un couteau, espèce de petit morveux !

— Je ne me laisserai pas battre par elle, dis-je.

— Tu es une sale graine, dit-il. Je te conseille de prendre garde, mon garçon, sinon tu finiras sur la potence. »

J'avais depuis longtemps déjà cessé de craindre grand-père ; c'était un vieil homme malade et il ne savait rien de ce qui se passait à la maison. De temps à autre, les femmes l'utilisaient un peu comme croquemitaine, mais je savais qu'il était faible et je n'avais pas peur de lui. Enveloppé dans les ténèbres de ses souvenirs de jeunesse, il passait ses journées assis dans sa chambre en compagnie de son fusil de la guerre de Sécession qu'il conservait tout chargé dans un coin, à côté de son uniforme bleu de l'armée de l'Union, soigneusement plié.

Tante Addie encaissa mal sa défaite et, depuis ce jour, elle me considéra avec un mépris froid et silencieux. Je me rendis compte qu'elle était descendue à mon propre niveau d'émotions en essayant de me dominer, et tout le respect que j'avais pour elle s'en trouva éliminé. Jusqu'à son mariage qui eut lieu quelques années plus tard, nous nous adressâmes rarement la parole ; cependant nous mangions à la même table, nous dormions sous le même toit, et je n'étais qu'un petit garçon maigrichon et assez timide tandis qu'elle était secrétaire de la paroisse et institutrice à l'école religieuse. Dieu avait béni notre toit. Aimez-vous les uns les autres...

CHAPITRE IV

Je continuais à fréquenter l'école religieuse, bien que tante Addie s'abstînt de m'interroger ou de m'appeler au tableau noir. En conséquence, je cessai d'étudier. Je passais mon temps à jouer avec les garçons et je découvris que les seuls jeux qu'ils connaissaient étaient des jeux brutaux. Le base-ball, les billes, la boxe, la course étaient des amusements tabous, des inventions du diable ; ils les remplaçaient par un jeu de sauvage appelé « claque-fouet », un divertissement d'apparence innocente où l'animation ne se déclenchait que par brusques à-coups, par soubresauts qui risquaient tout bonnement de nous envoyer à notre mort. Chaque fois qu'elle nous trouvait à ne rien faire, dans la cour de récréation, tante Addie nous suggérait de jouer à claque-fouet. Il eût été moins dangereux pour notre corps et plus sain pour notre âme de nous pousser à jouer à la passe anglaise.

Un jour, à midi, tante Addie nous ordonna de faire une partie de claque-fouet. Je n'avais jamais

189

joué à ce jeu auparavant et je me mis sur les rangs en toute innocence.

Nous nous rangeâmes en une longue file, chaque garçon tenant la main de son voisin, jusqu'à former un long collier humain. Sans le savoir, j'étais à l'extrême pointe de la mèche du fouet. Le garçon qui se trouvait en tête, le manche du fouet, partit au petit trot, virant tantôt à droite, tantôt à gauche, augmentant sa vitesse jusqu'à ce que le fouet de chair ondoie dans un galop effréné. J'agrippai de toutes mes forces la main de mon voisin, sachant que si je la lâchais je serais projeté par terre. Le fouet devint aussi rigide que des os et de la chair humaine pouvaient le supporter, et j'eus l'impression qu'on m'arrachait les bras. Soudain la respiration me manqua. Entraîné par un violent remous, je décrivis un arc de cercle extrêmement tendu. On faisait maintenant claquer le fouet et je ne pouvais tenir plus longtemps ; la vitesse acquise me souleva du sol et me lança en l'air comme la lanière de cuir d'un fouet que l'on claque. Je fus projeté comme un bolide à travers l'espace et j'atterris la tête la première dans un fossé. Je roulai sur moi-même, assommé, meurtri, la tête en sang. Tante Addie riait ; c'est la première et la seule fois que je l'entendis rire sur le territoire sacré du Très-Haut.

À la maison, grand-mère maintenait un régime religieux sévère. Il y avait des prières au lever et au coucher du soleil, à déjeuner et au dîner, toujours suivies de versets de la Bible lus par chaque membre de la famille, à tour de rôle. De plus, j'étais censé prier avant d'aller me coucher. Les jours de semaine, j'esquivais le plus possible de services religieux en arguant de mes devoirs comme prétexte. Naturellement personne n'était dupe, mais on acceptait mes mensonges parce que personne ne voulait risquer une querelle. Les prières quotidiennes étaient un supplice et je finis par avoir des ampoules aux genoux à force de rester agenouillé si longtemps et si souvent. J'inventai un jour une méthode d'agenouillement qui m'évitait de me mettre à genoux pour de bon. A force d'entraînement, j'appris à me tenir en équilibre sur la pointe des pieds tout en appuyant ma tête contre un coin de mur proche. Personne ne s'en aperçut, sauf Dieu, et je ne pense pas qu'Il s'en soit formalisé. Grand-mère exigeait cependant que j'assiste à certaines réunions rituelles où l'on priait toute la nuit. Elle était le membre le plus ancien de son église, et si le seul de ses petits-enfants qu'elle hébergeât n'était pas venu à ces services solennels, la chose eût fait scandale ; elle avait le sentiment qu'en me laissant négliger complètement mes devoirs religieux, elle permettrait qu'on mît en doute la solidité de sa foi, sa capacité de convaincre et sa force de persuasion, ou plus simplement ses talents de jouer du bâton sur mes fesses.

Grand-mère préparait un repas froid pour la séance de prières nocturnes et nous partions tous trois, grand-mère, tante Addie et moi, laissant ma mère et grand-père à la maison. Pendant les prières passionnées et les chants des cantiques, je me

tortillais sur mon banc, rêvant d'être grand pour
pouvoir me sauver, écoutant avec indifférence le
thème de l'annihilation cosmique, me laissant ber-
cer par la caresse sensuelle des hymnes, mais
finissant par lancer des coups d'œil furtifs du côté
de grand-mère en me demandant quand je pourrais
sans danger m'allonger sur le banc et dormir. Vers
dix ou onze heures, je mâchais un sandwich et
grand-mère, d'un signe de tête, m'autorisait à faire
un somme. Par moments, je me réveillais et j'entendais des bribes d'hymnes ou de prières qui me
berçaient et me rendormaient. Finalement grand-
mère me secouait, j'ouvrais les yeux et je voyais le
soleil entrer à flots par les vitraux.

Un grand nombre de symboles religieux parlaient
à ma sensibilité et la conception dramatique de la
vie professée par l'Église trouvait un écho en moi,
car je sentais que vivre au jour le jour avec l'image
de la mort constamment présente à l'esprit, c'était
faire preuve, à l'égard de toute vie, d'une sensibilité
et d'une compassion telles que cela équivalait à voir
en chaque homme un être qui se mourait lentement ; le sentiment frémissant de la destinée qui
jaillissait, doux et mélancolique, des hymnes, se
mêlait au sens de la destinée que j'avais déjà puisé
dans la vie. Mais la pleine croyance affective et
intellectuelle ne vint jamais. Eussé-je emprunté à
l'Église mes premières impressions de la vie, j'aurais peut-être été amené à une acceptation complète,
mais les cantiques et les sermons de Dieu arrivèrent
dans mon cœur bien après que ma personnalité eut

été façonnée et formée par des conditions de vie chaotiques. J'avais le sentiment d'avoir en moi un sens de la vie aussi profond que celui que l'Église essayait de m'inculquer, et en fin de compte, mon fond demeura inchangé.

Mon corps se développait, fût-ce au régime de la bouillie de maïs et de la sauce au saindoux, miracle que l'Église aurait sûrement dû revendiquer. Je survécus à ma douzième année avec une nourriture qui eût stoppé net la croissance d'un chien de taille moyenne, et mes glandes commencèrent à répandre dans mon sang, telle la sève qui monte dans les arbres au printemps, ces étranges substances chimiques qui me faisaient considérer avec curiosité les femmes et les filles. La femme du diacre chantait dans les chœurs et je tombai amoureux d'elle comme seul un garçon de douze ans peut idolâtrer une femme distante et inaccessible. Je la couvais des yeux pendant les offices, essayant de me représenter ce que l'on pouvait éprouver en étant marié avec elle, et me demandant si elle était passionnée. Le fait que j'avais subi les premières tentations de la chair dans un lieu saint ne me donnait aucun remords. Le contraste entre le désir charnel naissant et la nostalgie douloureuse et solitaire des cantiques n'éveilla jamais en moi le moindre sentiment de culpabilité.

Il est possible que les sonorités suaves des cantiques aient amené chez moi une excitation sensuelle et il se peut qu'en retour, mes fantaisies charnelles ayant pour fondement une sensibilité

193

déjà enflammée, m'aient fait aimer ces prières masochistes. Il y avait toutes chances pour que le serpent du péché qui fouinait dans les replis de mon cœur eût été mis en appétit par les hymnes aussi bien que par les rêves, l'un alimentant l'autre. La vie spirituelle de l'Église a dû être polluée par mes basses convoitises, par la faim dévorante de mon sang pour la chair, car je fixais la femme du diacre des heures durant, essayant d'attirer son attention sur moi, m'efforçant de l'hypnotiser, cherchant à lui transmettre mes pensées. Si mes désirs avaient pu être convertis en un symbole religieux concret, le symbole eût ressemblé à quelque chose comme ceci : un diable noir à deux cornes, à la longue queue sinueuse et fourchue, aux sabots fendus, au corps nu couvert d'écailles, aux doigts moites et gluants, aux lèvres humides et sensuelles et aux yeux lascifs, se repaissant du visage de la femme du diacre...

On annonça un cycle de cérémonies pour la « Renaissance de la Foi » et grand-mère sentit que c'était sa dernière chance de m'amener à Dieu avant que je ne pénètre dans cet antre du péché qu'était l'école communale, car j'avais fait savoir de façon retentissante et définitive que je ne voulais plus fréquenter l'école de l'Église. L'hostilité de tante Addie se relâchait nettement ; peut-être avait-elle fini par conclure que le salut d'une âme en perdition importait plus qu'une mesquine question d'orgueil. Même l'attitude de ma mère se résumait par :

« Richard, tu devrais connaître Dieu grâce à une Église, *quelle qu'elle soit.* »

La famille entière se montrait gentille et compréhensive, mais je connaissais les raisons qui avaient motivé le changement, et cela m'éloignait d'eux, davantage encore. Quelques-uns de mes camarades de classe — qui m'avaient évité, conformément aux conseils de leurs parents — venaient maintenant me rendre visite, et j'étais capable de deviner instantanément si on leur avait ou non fait la leçon. Un garçon qui habitait de l'autre côté de la rue vint me voir un après-midi et son embarras le trahit. Il parlait avec tant de naïveté et d'embarras que je pouvais distinguer nettement la trame de son saint complot et entendre grincer les rouages des intrigues de grand-mère.

« Richard, tu sais que tu nous donnes beaucoup d'inquiétudes, commença-t-il.

— Moi, des inquiétudes ! Qui s'inquiète pour moi ? demandai-je avec une surprise feinte.

— Nous tous, répondit-il en évitant mon regard.

— Pourquoi ?

— Tu n'es pas sauvé, répondit-il d'un air désolé.

— Je me trouve très bien comme je suis, dis-je en riant.

— Ne ris pas, Richard, c'est grave.

— Mais puisque je te dis que je suis très bien.

— Écoute, Richard, je voudrais être ton ami.

— Je croyais que nous étions déjà amis, dis-je.

— Je veux dire des vrais frères en Dieu, fit-il.

195

— Nous nous connaissons déjà, dis-je à mi-voix, d'un ton légèrement ironique.

— Mais pas dans le Christ, fit-il.

— Pour moi, l'amitié est l'amitié.

— Mais tu ne veux donc pas sauver ton âme ?

— Il n'y a rien à faire, je n'arrive pas à sentir la religion, dis-je, au lieu de lui dire carrément que je n'avais pas le genre d'âme qu'il m'attribuait.

— As-tu vraiment essayé de sentir Dieu ?

— Non. Mais je sais que c'est inutile. Je n'arriverai jamais à sentir des choses de ce genre.

— Tu ne peux absolument pas laisser cette question en suspens, Richard.

— Qu'est-ce que tu veux que j'en fasse ?

— Ne te moque pas de Dieu.

— Puisque je te dis que je n'ai jamais senti Dieu. C'est inutile d'insister.

— Tu serais prêt à faire dépendre le sort de ton âme d'une question de fierté et de vanité ?

— Je ne crois pas que je laisse ma fierté intervenir dans des questions de ce genre.

— Richard, pense au Christ qui est mort pour toi, qui a répandu Son sang pour toi. Son sang précieux sur la croix.

— Il y en a d'autres qui ont répandu leur sang, risquai-je.

— Mais ce n'est pas la même chose. Tu ne comprends pas.

— Je ne crois pas que j'y arriverai jamais.

— Oh ! Richard, mon frère, tu es perdu dans les

196

ténèbres du monde. Il faut que tu laisses l'Église t'aider.

— Mais je te dis que je suis très bien comme ça.

— Viens dans la maison et laisse-moi prier pour toi.

— Je ne voudrais pas te vexer...

— Tu ne pourrais pas. C'est pour Dieu que je parle.

— Je ne veux pas vexer Dieu non plus », lâchai-je irrévérencieusement, sans même me rendre compte de la portée de mes paroles.

Il fut choqué. Il essuya ses yeux mouillés de larmes. Je regrettai de lui avoir fait de la peine.

« Ne dis pas cela. Dieu pourrait ne pas te pardonner », chuchota-t-il.

Il m'aurait été impossible de lui dire ce que je pensais de la religion. La question de savoir si je croyais en Dieu ou non n'était pas encore réglée dans mon esprit ; Son existence ou Sa non-existence ne me préoccupait pas. Je me disais que s'il existait un Dieu omniscient et tout-puissant qui connaissait le commencement et la fin, qui distribuait la justice à tous, qui était maître de la destinée de l'homme, ce Dieu saurait certainement que je doutais de Son existence et se moquerait de ma sotte dénégation. Et s'il n'y avait pas de Dieu, alors pourquoi tant d'histoires ? Je ne pouvais m'imaginer Dieu s'arrêtant dans la conduite d'univers inconcevablement vastes pour s'inquiéter de ma personne.

La notion des souffrances de la vie se trouvait incrustée en moi, mais ces souffrances ne me semblaient à aucun degré la conséquence du péché originel ; il m'était tout bonnement impossible de me sentir faible et perdu, cosmiquement parlant. Avant qu'on m'eût obligé à fréquenter l'église, j'avais donné une espèce d'assentiment tacite à l'existence de Dieu, mais après avoir vu de près Ses créatures Le servir, le doute m'était venu tout de suite. Ma foi, telle qu'elle existait, était liée aux conditions ordinaires de la vie, ancrée aux sensations de mon corps et à ce que mon esprit pouvait saisir ; rien n'arriverait jamais à ébranler cette foi et certainement pas la crainte d'une puissance invisible.

« Je n'ai pas peur de choses de ce genre, dis-je au garçon.

— Tu n'as donc pas peur de Dieu ? demanda-t-il.

— Non. Pourquoi aurais-je peur ? Je ne lui ai rien fait.

— C'est un Dieu jaloux, me dit-il en manière d'avertissement.

— J'espère qu'Il est bon, répliquai-je.

— Si tu es bon pour lui, alors Il est bon. Mais Dieu ne te regardera pas si tu ne Le regardes pas. »

Pendant notre conversation, j'émis une hypothèse qui résumait mon attitude envers Dieu et la souffrance dans le monde, un raisonnement qui émanait de la vie telle que je l'avais vécue, vue, sentie et endurée en termes de crainte, de peur, de faim, de terreur et de solitude.

198

« Si le sacrifice de ma vie pouvait mettre un terme à la souffrance de ce monde, je le ferais. Mais je ne crois pas que rien puisse l'arrêter. »

Il m'avait entendu mais il ne riposta pas. J'avais envie de lui en dire davantage, mais je savais que ce serait inutile. Bien qu'il fût plus âgé que moi, il n'avait rien connu de la vie, rien éprouvé de la vie par lui-même ; il avait été soigneusement élevé par ses père et mère et avait été dressé à ne ressentir les choses que sur commande.

« Ne sois pas fâché », dis-je.

Effrayé et décontenancé, il me quitta. Je le plaignais.

Immédiatement après la visite du garçon, grand-mère commença son offensive personnelle. Le garçon lui avait, sans aucun doute, rapporté mes paroles de blasphème, car elle me sermonna pendant des heures et m'avertit que je brûlerais éternellement dans un lac de feu. Avec l'approche du jour de « La Renaissance de la Foi », la pression exercée sur moi s'intensifia. Il m'arriva d'entrer dans la salle à manger pour une commission quelconque et d'y trouver grand-mère agenouillée, la tête appuyée sur une chaise, chuchotant mon nom dans une prière ardente. Dieu soudain se trouvait partout, même dans le visage maussade et sombre de tante Addie. Cette atmosphère commençait à me peser. J'attendais avec impatience le moment où je pourrais m'en aller. Elles me suppliaient de me rapprocher de

Dieu avec une telle insistance qu'il m'était impossible de ne pas en tenir compte sans obligatoirement les blesser. J'essayais désespérément de trouver une façon de dire non qui ne m'attirerait pas leur haine. J'étais résolu à quitter la maison plutôt que de me soumettre.

C'est alors que je fis une bévue et que je heurtai les sentiments de grand-mère. Je n'avais pas l'intention de la vexer ou de l'humilier ; assez ironiquement, mon projet avait pour objet de mettre du baume sur la blessure d'amour-propre que mon attitude lui avait infligée. Au lieu de quoi, il lui apporta la plus grande honte et la plus grande humiliation de toute sa vie religieuse.

Un soir, pendant le sermon de l'Ancien — je détachais assez longtemps mon regard de sa femme pour écouter, bien que son image sommeillât en permanence dans mes sens —, je l'entendis décrire la scène où l'ange était apparu à Jacob. Je sentis aussitôt que j'avais trouvé le moyen d'expliquer à grand-mère que j'avais besoin d'une preuve pour croire, qu'il m'était impossible de m'engager vis-à-vis d'une chose que je ne pouvais ni voir ni sentir. Je lui dirais que, s'il m'arrivait de voir un ange, j'accepterais cette vision comme un témoignage infaillible de l'existence de Dieu et je Le servirais sans hésiter ; elle devait comprendre une attitude de ce genre. C'est la certitude que je ne verrais jamais d'ange qui me donna le courage de formuler cet argument ; si j'en avais vu un, j'avais suffisamment de bon sens pour aller immédiatement consulter un médecin. Avec cette idée lumineuse qui germait dans mon cerveau, mû par le désir de soulager les craintes de grand-mère concernant mon âme et de la persuader qu'elle n'était pas si noire ni si mauvaise et que ses pressantes adjurations commençaient à me préoccuper sérieusement, je me penchai vers elle et lui murmurai :

« Tu comprends, grand-mère, si jamais je voyais un ange comme Jacob en a vu un, à ce moment-là, je croirais. »

Grand-mère se roidit et me regarda d'un air médusé, puis un sourire heureux illumina son visage blanc et ravagé. Elle me fit un petit signe de tête et me caressa la main. Voilà qui devrait la tranquilliser pendant un certain temps, me dis-je. Durant le sermon, grand-mère me regarda à plusieurs reprises en souriant. Oui, elle sait maintenant que je ne rejette pas entièrement ses allégations de mon esprit... Persuadé que mon plan était en bonne voie, je me consacrai avec une ardeur renouvelée et une conscience purifiée au culte de la femme de l'Ancien, me demandant ce que l'on devait ressentir en l'embrassant, souhaitant ardemment éprouver certaines émotions d'ordre sensuel que mes lectures m'avaient fait percevoir. Le service s'acheva et grand-mère se précipita vers l'entrée de l'église et se mit à parler à l'Ancien avec animation ; je vis l'Ancien me regarder d'un air surpris. Oh ! bon Dieu ! Elle est en train de tout lui raconter ! me dis-je avec colère. Mais je n'en avais pas deviné la millième partie.

Je vis l'Ancien accourir vers moi. Je me levai machinalement. Il me tendit la main et je la lui serrai.

« Ta grand-mère vient de m'apprendre... » commença-t-il en me regardant avec une stupeur admirative.

J'étais muet de rage.

« Je ne voulais pas qu'elle vous en parle, dis-je.

— Elle vient de m'apprendre que tu as vu un ange. » Les mots se précipitaient hors de sa bouche.

J'étais si atterré que j'en grinçai des dents. Finalement je recouvrai l'usage de la parole et je lui saisis le bras.

« Non... Nnooooon, monsieur ! Non, monsieur ! bégayai-je. Je n'ai pas dit ça. Elle a mal compris. »

Un gâchis pareil était bien la dernière chose que je désirais. L'Ancien clignait des yeux d'ahurissement.

« Que lui as-tu dit ? demanda-t-il.

— Je lui ai dit que si jamais je voyais un ange, à ce moment-là je croirais », répondis-je, envahi par la honte du ridicule, furieux et vexé d'avoir eu confiance en grand-mère. La figure de l'Ancien se décomposa. Il était consterné, assommé par la déception.

« Tu... tu n'as pas vu d'ange ?

— Jamais de la vie, monsieur ! » dis-je en secouant la tête avec énergie de façon à éliminer toute possibilité ultérieure de malentendu.

202

« Ah ! bon », dit-il dans un soupir.

Ses yeux s'attardèrent sur un coin de l'église. Je vis une lueur d'espoir s'allumer dans son regard.

« Avec Dieu, tu sais, tout est possible, insinua-t-il.

— Mais je n'ai *rien* vu, dis-je. Je regrette toute cette histoire.

— Si tu pries, Dieu viendra à toi », fit-il.

Il fit soudain une chaleur étouffante dans l'église ; j'avais envie de déguerpir à fond de train et de ne plus jamais y remettre les pieds. Mais l'Ancien me saisit par le bras, fermement décidé à ne pas me lâcher.

« Je vous assure que c'est un malentendu. Je ne voulais pas qu'il arrive une chose pareille, dis-je.

— Écoute, Richard, je suis plus vieux que toi. Je crois que tu as dans ton cœur la grâce divine. »

Je dus avoir l'air quelque peu sceptique, car il ajouta : « Je t'assure, vraiment...

— Je vous en supplie, monsieur, ne parlez de cela à personne », suppliai-je.

De nouveau, une vague lueur d'espoir apparut sur son visage.

« C'est peut-être par timidité que tu ne veux pas me le dire ? suggéra-t-il. Écoute-moi, Richard, c'est très important. Si tu as vu un ange, dis-le-moi. »

Je ne pouvais plus nier verbalement ; tout au plus pouvais-je secouer la tête en signe de dénégation. Au regard de la foi de cet homme, les mots n'avaient plus de poids.

« Promets-moi de prier. Si tu pries, Dieu te répondra », fit-il.

Je détournai la tête, car j'avais honte pour lui ; je sentais que j'avais volontairement commis un acte vil en faisant germer en lui de si grands espoirs et je le regrettais. En même temps je le plaignais. Je voulais être débarrassé de sa présence. Finalement, il me laissa aller en murmurant :

« Je te reverrai. Il faut que je te parle. »

Tous les fidèles me regardaient. Mes poings se serrèrent. Le large sourire innocent de grand-mère rayonnait sur moi. J'étais atterré. Qu'elle eût commis une telle erreur, cela signifiait qu'elle vivait dans une atmosphère propre à lui faire espérer un événement de ce genre. Elle l'avait dit aux membres de la paroisse, si bien que tout le monde était au courant, y compris la femme de l'Ancien ! Ils étaient tous plantés là devant moi, un étonnement joyeux peint sur leurs visages, chuchotant entre eux. Peut-être aurais-je pu à ce moment monter en chaire et m'instituer leur berger, peut-être était-ce là mon heure triomphale !

Grand-mère se précipita sur moi et m'étreignit violemment, en versant des larmes de joie. Alors j'éclatai ; d'une voix frémissante de réprobation contenue, je la blâmai de m'avoir mal compris. J'avais dû parler trop fort et plus doucement qu'il n'était opportun — les autres s'étaient attroupés autour de nous — car grand-mère s'écarta brusquement de moi, s'en alla dans le coin opposé de l'église et resta là à me regarder fixement, d'un air froid et sévère. J'étais anéanti. J'allai la trouver pour essayer de lui expliquer ce qui s'était passé.

« Tu n'aurais pas dû me parler », dit-elle d'une voix altérée qui montrait combien était profonde sa déception.

Sur le chemin du retour, elle ne m'adressa pas la parole. Je marchais à côté d'elle, inquiet, regardant à la dérobée son vieux visage blanc ravagé, les rides qui sillonnaient son cou, ses yeux noirs et creux où se lisait l'attente, son corps frêle, et j'en savais plus qu'elle ne l'imaginait sur le sens de la religion, la soif du cœur humain de conquérir et de dépasser les limites implacables de la vie humaine.

Par la suite, je la convainquis que je n'avais pas voulu la peiner, et elle saisit aussitôt le fait que je me préoccupais de ses sentiments comme une occasion d'essayer une fois de plus de m'amener à Dieu. Elle pleura et me supplia de prier, de prier réellement, de prier intensément, de prier jusqu'aux larmes...

« Grand-mère, ne me force pas à promettre, suppliai-je.

— Mais il le faut, pour le salut de ton âme », dit-elle.

Je promis ; après tout je sentais que je lui devais bien quelque chose pour l'avoir par inadvertance ridiculisée aux yeux des fidèles de son église.

Chaque jour, je montais dans ma chambre, je

fermais la porte à clef, je m'agenouillais et j'essayais de prier, mais tout ce qui me venait à l'esprit me semblait idiot. Une fois, toute cette histoire me parut si absurde que je me mis à rire tout haut tandis que j'étais à genoux. C'était inutile. Je ne pouvais pas prier. Mais je me gardai bien de révéler mon échec. J'étais convaincu que si j'arrivais jamais à prier, mes paroles rebondiraient sans bruit contre le plafond et retomberaient sur moi comme une pluie de plumes.

Mes tentatives quotidiennes devenaient une corvée car elles me gâchaient mes journées ; et je regrettais la promesse faite à grand-mère. Mais je tombai par hasard sur une façon de passer le temps dans ma chambre qui fit s'envoler les heures à la vitesse du vent. Je pris la Bible, du papier, un crayon, un dictionnaire de rimes et, armé de ce matériel, je tentai d'écrire des hymnes en vers. Je me justifiais à mes propres yeux en me disant que si j'écrivais une hymne réellement belle, grand-mère pourrait me pardonner. Mais là aussi j'échouai : je dus m'avouer que le Saint-Esprit ne voulait pas avoir affaire à moi, ni de près, ni de loin...

Un soir, alors que j'étais occupé à tuer le temps de cette façon pendant mon heure de prières, je me souvins d'une série de volumes d'Histoire indienne que j'avais lus l'année précédente. Oui, voilà ce que j'allais faire : écrire une histoire d'Indiens... Mais quoi ? Eh bien, une jeune Indienne... je me mis à écrire l'histoire d'une jeune Indienne, belle et réservée, qui s'asseyait seule sur la berge d'un fleuve tranquille, entourée d'un crépuscule éternel, sous des arbres centenaires, attendant... La jeune fille accomplissait un vœu, mais quel vœu ? J'étais bien incapable de le préciser et, ne sachant quel développement donner à l'histoire, je résolus de faire mourir la jeune fille. Elle se levait lentement, majestueuse et froide, s'avançait vers le fleuve sombre, entrait dans l'eau et continuait d'avancer jusqu'à ce que l'eau recouvre ses épaules... son menton... puis sa tête. Tout cela sans un murmure, sans un soupir, même dans la mort.

« Et finalement, les ténèbres de la nuit descendirent, et dans un silence que troublait seul le frémissement nostalgique des arbres centenaires, vinrent effleurer d'un doux baiser la surface du tombeau liquide », écrivis-je en achevant la dernière ligne.

J'étais surexcité ; je me relus et je constatai un vide béant dans mon histoire. Il n'y avait ni intrigue ni action, seulement de l'atmosphère, de la ferveur et de la mort. Mais je n'avais jamais rien fait de semblable ; j'avais créé une histoire, si mauvaise fût-elle ; elle était à moi... Et maintenant à qui allais-je pouvoir la montrer ? Pas à ma famille : on me croirait devenu fou. Je décidai de la lire à une jeune femme qui habitait à côté de chez nous. Je l'interrompis dans son travail alors qu'elle lavait sa vaisselle, et je lui lus ma composition à haute voix en lui faisant jurer de garder le secret. Quand j'eus terminé, elle me sourit d'une façon bizarre, avec des yeux stupéfaits et déroutés.

« A quoi ça rime ? demanda-t-elle.

— A rien, dis-je.

— Mais pourquoi as-tu écrit cette histoire ?

— Simplement parce que j'en avais envie.

— Où as-tu pris cette idée ? »

Je branlai la tête, abaissai les coins de ma bouche, fourrai le manuscrit dans ma poche, et la considérai d'un air suffisant, comme pour dire : « Oh ! ce n'est rien du tout. J'en écris à la douzaine, des trucs de ce genre. C'est facile, quand on sait s'y prendre. » Mais je dis simplement, d'une voix humble et tranquille :

« Oh ! je ne sais pas. Une idée qui m'est venue comme ça.

— Qu'est-ce que tu vas en faire ?

— Rien... »

Dieu sait ce qu'elle voulait bien penser. Rien n'était plus étranger à mon entourage que le fait d'écrire ou de désirer s'exprimer par le truchement de l'écriture. Mais jamais je n'oublierai l'expression d'ahurissement et d'égarement qui se montra sur le visage de la jeune femme quand je levai les yeux sur elle après avoir fini ma lecture. Au fond, son impuissance à saisir ce que j'avais fait ou essayé de faire me flatta. Par la suite, chaque fois que je me rappelais sa réaction, je souriais joyeusement pour quelque inexplicable raison.

CHAPITRE V

N'étant plus désormais mis au ban de la famille en qualité de pécheur impénitent, il me semblait que je respirais de nouveau, que je revivais, que je venais d'être libéré de prison. Je cessai d'être hanté par de vagues craintes d'essence cosmique, et le monde extérieur devint une réalité qui palpitait chaque jour devant mes yeux. Au lieu de passer mes heures à méditer sombrement et d'essayer sottement de prier, je pouvais maintenant courir et vagabonder, me mêler aux garçons et aux filles, me sentir à l'aise avec les gens, prendre un peu part à la vie en commun, satisfaire mon ardent désir d'être et de vivre.

Estimant que j'étais perdu et, comme tel m'abandonnant à mon sort, grand-mère et tante Addie changèrent d'attitude envers moi ; elles me dirent qu'elles étaient mortes pour le monde et qu'en conséquence, les personnes de leur sang qui vivaient dans ce monde étaient mortes pour elles. Elles passèrent de la sollicitude pressante à la froideur et à l'hostilité. Seule ma mère qui entre-temps s'était quelque peu rétablie, continuait à s'intéresser à moi et me poussait à étudier le plus possible pour rattraper le temps perdu.

Ma liberté nouvellement acquise posait des problèmes nouveaux ; j'avais besoin de livres de classe et je dus attendre des mois pour les avoir... Grand-mère déclara qu'elle ne voulait pas m'acheter des livres frivoles. Mes vêtements étaient dans un état minable. Grand-mère et tante Addie étaient devenues si farouchement hostiles qu'elles m'ordonnaient de laver et de repasser mes vêtements moi-même. La nourriture était toujours parcimonieuse, mais je m'étais adapté au régime de la fécule, du saindoux et des légumes. J'allais à l'école avec le sentiment que ma vie future dépendait moins de l'instruction que j'y recevrais que de la fréquentation d'un monde différent.

Lorsque j'entrai à l'école de Jim Hill, je n'avais fait qu'une année d'études suivies ; à part mon séjour à l'école religieuse, chacune de mes années scolaires avait été interrompue par un événement quelconque. Ma personnalité était déjà bancale, ma connaissance des sentiments étant infiniment supérieure à ma connaissance des faits. Bien que je ne m'en rendisse pas compte, les quatre années qui allaient suivre devaient m'offrir la seule occasion que j'aurais jamais d'étudier sérieusement.

Mon premier jour de classe posait le problème habituel et ma sensibilité était prête à l'affronter. A quelles conditions me permettrait-on de rester à l'école ? Muni de mon ardoise et de mon crayon, j'entrai nonchalamment dans la cour de l'école ; je portais un chapeau de paille bon marché, flambant neuf. Je me mêlai à la foule de garçons dans l'espoir de passer inaperçu, mais sachant que tôt ou tard on découvrirait que j'étais un nouveau. De fait, les ennuis arrivèrent rapidement. Un garçon noir bondit, jeta mon chapeau de paille par terre et s'enfuit en hurlant :

« Hé, chouchou Ducanotier ! »

Je ramassai mon chapeau ; un autre garçon passa devant moi et balaya mon chapeau avec plus de violence encore.

« Chouchou Ducanotier ! »

De nouveau je ramassai mon chapeau et j'attendis. Le cri se propagea. Des garçons s'attroupèrent autour de moi, et me montrant, ils commencèrent à chanter :

« Chouchou Ducanotier ! Chouchou Ducanotier ! »

Je ne m'estimais pas encore provoqué, n'ayant pas été jusque-là réellement défié par l'un quelconque des garçons. J'espérais que les taquineries s'arrêteraient et que le lendemain je pourrais laisser le chapeau de paille à la maison. Mais le garçon qui avait commencé le jeu s'approcha :

« Maman m'a acheté un chapeau de paille, railla-t-il.

— Fais attention à ce que tu dis, répliquai-je.

— Oh ! Vous avez vu ? Ça parle ! » s'exclama-t-il.

L'assistance hurla de joie, attendant impatiemment la suite.

211

« D'où tu viens ? me demanda le garçon.

— Ça ne te regarde pas, répondis-je.

— Eh là, attention. Ne t'avise pas de vouloir jouer les dessalés, sinon tu vas te faire moucher.

— Je dirai ce qui me plaira », fis-je.

Il ramassa un petit caillou, le posa sur son épaule et se rapprocha de moi.

« Fais-le tomber », proposa-t-il.

J'hésitai un instant, puis je me décidai. Je fis tomber le caillou de son épaule et, me baissant, je le saisis par les jambes et le jetai à terre. Une explosion de hurlements jaillit de la foule. Je bondis sur le garçon à terre et commençai à le bourrer de coups. Une violente secousse me redressa. Un autre garçon m'avait attaqué. Mon chapeau de paille avait été piétiné et oublié dans la bagarre.

« Je te défends de frapper mon frère ! hurla le nouveau venu.

— Deux contre un, c'est pas juste », vociférai-je.

Ils s'avancèrent sur moi tous les deux. Je reçus un coup derrière la tête. Je me retournai pour voir une brique rouler par terre et je sentis le sang couler dans mon dos ; jetant un regard autour de moi, je vis plusieurs morceaux de brique qui jonchaient le sol. Je ramassai le plus gros. Les deux garçons reculèrent. Prenant position tandis qu'ils tournaient autour de moi, je fis le geste de lancer ; un des garçons fit demi-tour et détala. Je lui lançai la brique en plein dos. Il poussa un cri strident.

Je poursuivis l'autre à travers toute une moitié de la cour. Les garçons braillaient de joie ; ils se massèrent autour de moi et me dirent que je m'étais battu avec deux brutes. Et soudain la foule s'apaisa et se dispersa. Je vis venir vers moi une institutrice. Je tamponnai le sang qui coulait sur mon cou.

« C'est toi qui as jeté cette brique ? demanda-t-elle.

— Ils s'étaient mis à deux contre moi, lui dis-je.

— Viens », fit-elle en me prenant par la main.

J'entrai à l'école, escorté par l'intitutrice, comme un prisonnier aux arrêts.

Elle m'emmena dans une salle de classe et me confronta avec les deux frères.

« Est-ce que c'est eux ? demanda-t-elle.

— Ils se sont jetés à deux sur moi, dis-je. J'étais forcé de me défendre.

— C'est lui qui m'a frappé le premier ! hurla un des deux frères.

— Menteur ! hurlai-je à mon tour.

— Surveille tes paroles, me dit l'institutrice.

— Mais ils ne disent pas la vérité, fis-je. Je suis nouveau et ils m'ont piétiné mon chapeau.

— C'est lui qui a commencé », répéta le garçon.

Je contournai l'institutrice placée entre nous et je le giflai. L'institutrice nous empoigna.

« C'est un peu fort ! me cria-t-elle. Tu as le toupet de vouloir te battre en pleine classe ! Qu'est-ce qui te prend ?

— Il ne dit pas la vérité », dis-je, n'en voulant pas démordre.

Elle m'ordonna de m'asseoir ; j'obéis, mais sans

213

cesser de surveiller les deux frères. La maîtresse les fit sortir et je restai assis jusqu'à son retour.

« Je ne sais pas ce qui me retient de te punir comme tu le mérites, dit-elle.

— Ce n'était pas ma faute.

— Je sais. Mais tu as frappé un de ces garçons en pleine classe.

— Je m'excuse. »

Elle me demanda mon nom et m'envoya dans une classe. Pour une raison que je ne compris pas, on me mit en cinquième. Allait-on découvrir que ce n'était pas ma classe ? Je m'assis et j'attendis. Lorsqu'on me demanda mon âge, je le dis et fus admis.

J'étudiai nuit et jour, et au bout de quinze jours, je passai en sixième. Débordant de joie, je courus à la maison annoncer la nouvelle. La famille n'en revenait pas. Comment l'affreux vaurien que j'étais avait-il pu accomplir ce tour de force ? D'un ton énergique, j'annonçai à ma famille que j'allais étudier la médecine, m'engager dans les recherches, faire des découvertes. Dans l'exaltation du succès, je n'avais pas réfléchi une seconde à la façon dont je paierais mes études de médecine. Mais du moment que j'avais sauté une classe en quinze jours, tout semblait possible, simple, facile.

J'étais maintenant avec des garçons et des filles qui étudiaient, se battaient, bavardaient ; tout mon être s'en trouvait revivifié et mes sens, comme sous l'effet d'un coup de fouet, acquéraient une acuité, un degré de réceptivité extraordinaires. Je savais que ma vie se déroulait dans un monde que j'aurais à affronter et à combattre quand je serais grand. L'avenir se dressait soudain devant moi, aussi tangible que peut se dessiner l'avenir d'un jeune Noir dans le Mississippi.

La plupart de mes camarades travaillaient matin et soir, et le samedi, il gagnaient de quoi s'acheter des vêtements et des livres. De plus, ils avaient de l'argent de poche à l'école. Voir un garçon entrer dans une épicerie à la récréation de midi, le voir parcourir des yeux les rayons garnis et choisir ce qui lui faisait envie — fût-ce pour la valeur de dix *cents*— tenait presque du miracle à mes yeux. Mais lorsque je soumis à grand-mère l'idée de travailler le samedi, elle ne voulut pas en entendre parler ; elle m'enjoignit formellement de ne pas travailler le samedi tant que je dormirais sous son toit. Je fis valoir que le samedi était le seul jour où je pouvais gagner une somme qui en valût la peine, mais grand-mère me regarda droit dans les yeux et cita l'Écriture : « Mais le septième jour est le sabbat du Seigneur, ton Dieu : ce jour-là, tu ne feras aucun travail, ni toi, ni ton fils, ni ta fille, ni ton serviteur, ni ta servante, ni ton bœuf, ni ton âne, ni ton bétail, ni l'étranger qui est sous ton toit, afin que ton serviteur et ta servante puissent se reposer comme toi... »

Ce fut son dernier mot. Bien que nous fussions vraiment presque à la limite de l'inanition, je ne pus corrompre grand-mère avec la promesse de la moitié ou des deux tiers de mon salaire ; sa réponse était non, jamais. Son refus me mit dans un état de nervosité aiguë et je me maudis d'être obligé de mener une existence insensée et différente de celle des autres. Je dis à grand-mère qu'elle n'était pas responsable de mon âme, à quoi elle répliqua que j'étais mineur, que le sort de mon âme reposait dans ses mains et que sur ce chapitre je n'avais pas un mot à dire.

Pour me protéger des questions scabreuses concernant ma famille et ma vie, pour éviter d'être invité au-dehors en sachant que je ne pouvais pas accepter, je me montrais réservé avec les garçons et les filles de l'école ; je recherchais leur société, mais je prenais soin de ne pas leur laisser entrevoir combien on me tenait éloigné du monde où ils vivaient ; j'appréciais leur amitié, à l'occasion, mais je m'en cachais, j'étais profondément gêné ; mais je déguisais mon embarras sous un sourire fugitif et une réplique toute prête. Tous les jours à midi, je suivais garçons et filles à la boutique du coin et je m'adossais au mur, les regardant acheter leurs sandwiches, et lorsqu'ils me demandaient : « Pourquoi ne déjeunes-tu pas ? » je répondais en haussant les épaules : « Oh ! je n'ai jamais faim à midi. » Et j'avalais ma salive en les voyant fendre leur miche de pain et y étaler des sardines juteuses. Je souhaitais ardemment pouvoir en finir un jour avec cette faim qui me torturait, cet isolement, cette perpétuelle différence ; je ne soupçonnais pas que je ne me mêlerais jamais intimement à eux ; que j'étais condamné à vivre avec eux, mais sans participer à leur vie, que je suivais mon propre chemin, un chemin singulier, distinct, sur lequel ils s'interrogeraient plus tard pour savoir comment j'étais arrivé à le fouler.

Je voyais maintenant un monde surgir et s'animer devant mes yeux parce qu'il m'était loisible de l'explorer, et cela signifiait qu'au lieu de rentrer après la sortie de l'école, je me promenais, j'observais, je posais des questions. Si j'étais rentré manger mon plat de légumes, grand-mère ne m'aurait pas permis de ressortir, aussi l'amende que j'avais à payer pour mes flâneries consistait-elle en une privation de nourriture pendant douze heures consécutives. Je mangeais de la bouillie le matin à huit heures et des légumes à sept heures du soir, et même plus tard. Mourir de faim pour apprendre à connaître le monde autour de moi était parfaitement déraisonnable, mais ma soif de connaissance l'était également. Mes livres en bandoulière, je vagabondais avec une bande d'enfants à travers bois, le long des rivières et des ruisseaux, dans les quartiers commerçants, devant les portes des salles de billard, dans les cinémas — quand nous réussissions à nous glisser sans payer — aux parties de base-ball du quartier, autour des fours à briques, dans des chantiers de bois de construction, dans les filatures, pour regarder travailler les ouvriers. Il y avait des moments où la faim m'affaiblissait au point qu'il m'arrivait de chanceler en marchant ; ou bien mon cœur faisait soudain un tel bond dans ma carcasse que tout mon corps en était secoué et que j'en avais le souffle coupé, mais le bonheur de me sentir libre me transportait au-delà de la faim, me rendait capable de dompter mes sensations corporelles au point de pouvoir les oublier momentanément.

Dans ma classe se trouvait un grand garçon noir, de nature rebelle, élève brillant, mais dont le toupet dépassait toute mesure ; quand cela le prenait, il était capable d'ébranler la discipline de toute la classe par ses singeries, sans que jamais le professeur pût trouver une façon appropriée de le tenir en main. C'est lui qui découvrit ma faim lancinante et me suggéra un moyen de gagner un peu d'argent.

« Tu ne peux pas passer tes journées à l'école sans manger, dit-il.

— Qu'est-ce que tu veux que je mange ? damandai-je.

— Pourquoi ne fais-tu pas comme moi ?

— Qu'est-ce que tu fais ?

— Je vends des journaux.

— J'ai essayé d'avoir un circuit de crieur, mais tout est pris, dis-je. J'aimerais bien vendre des journaux, comme ça je pourrais les lire. Je ne peux pas trouver de choses à lire.

— Tiens, toi aussi ! fit-il en riant.

— Qu'est-ce que tu veux dire ?

— C'est pour ça que je vends des journaux. J'aime bien les lire et c'est la seule façon que je puisse en avoir, expliqua-t-il.

— Tes parents ne veulent pas que tu les lises ?

— Non. Mon vieux est complètement braque.

— Qu'est-ce que tu vends, comme journaux ?

— Un journal publié à Chicago. Il sort toutes les semaines et il y a un supplément illustré, m'apprit-il.

— Quel genre de journal est-ce ?

— Ben... je ne lis jamais ce qu'il y a dedans. C'est pas grand-chose. Mais alors, le supplément illustré ! Des histoires formidables... je suis en train de lire le feuilleton. C'est : *Les Cavaliers du Désert rouge,* de Zane Grey. »

J'ouvris de grands yeux et le regardai d'un air incrédule.

« *Les Cavaliers du Désert rouge ?* m'exclamai-je.

— Oui.

— Tu crois que je pourrais en vendre, de ces journaux ?

— Bien sûr. Je me fais plus de cinquante *cents* par semaine et ça me fait des trucs à lire, en plus », expliqua-t-il.

Je le suivis chez lui et il me donna un numéro du journal et du supplément illustré. Le journal était mince, mal imprimé et destiné à une clientèle rurale de protestants blancs.

« Dépêche-toi de t'y mettre, me conseilla-t-il. J'aimerais te parler des histoires. »

Je lui promis d'en commander un paquet le soir même. Je rentrai chez moi à la nuit tombante ; je lisais tout en marchant, levant les yeux de temps à autre pour ne pas me heurter aux passants. J'étais absorbé par l'histoire d'un savant renommé qui avait équipé une chambre mystérieuse tout en métal dans le sous-sol de sa somptueuse villa. Mû par quelque obscure raison, il attirait ses victimes dans cette chambre et poussait la manette. Lentement l'air était aspiré, le vide se faisait dans la chambre de métal et les victimes mouraient dans d'atroces souffrances ; elles devenaient rouges, bleues, puis noires. Voilà ce que je voulais, des histoires de ce genre. Je n'avais pas lu suffisamment pour m'être formé le goût et avoir acquis aucune espèce de discernement dans mes lectures. Tout ce qui m'intéressait me satisfaisait.

Maintenant, je pouvais enfin lire à la maison sans avoir à encourir les foudres de grand-mère. Elle m'avait déjà donné la permission de vendre les journaux. Oh ! mes aïeux ! quelle chance que grand-mère ne sût pas lire. Elle avait toujours brûlé tous les livres que j'avais apportés à la maison sous prétexte qu'ils étaient frivoles ; mais il lui faudrait bien supporter ces journaux si elle voulait tenir ses promesses envers moi. L'opinion de tante Addie ne comptait pas ; d'ailleurs elle ne faisait plus attention à moi. J'étais mort à ses yeux. Je racontai à grand-mère que j'avais l'intention de gagner un peu d'argent en vendant des journaux et elle y consentit, pensant que j'étais enfin devenu un garçon sérieux et raisonnable. Ce soir-là je commandai les journaux et attendis avec impatience. Les journaux arrivèrent et j'écumai le quartier nègre, me constituant lentement une clientèle qui m'achetait des journaux plutôt parce qu'elle me connaissait que par envie de lecture. En rentrant chez moi le soir, je m'enfermais dans ma chambre et je me délectais aux exploits étranges d'hommes étranges dans des cités étranges et lointaines. C'est ainsi que pour la première fois je pris conscience de la vie dans le monde moderne, dans ses grandes villes, et cette vie m'attirait irrésistiblement, me subjuguait. Ce n'étaient que des histoires, mais je les tenais pour vraies parce que je voulais y croire, parce que j'avais soif d'une vie différente, soif de nouveauté. Cette littérature bon marché accrut encore ma connaissance du monde plus que tout ce que j'avais trouvé jusque-là. Pour moi, avec ma rotonde du dépôt de locomotives, mes portes de bar et mon quai de fleuve, elle était révolutionnaire, elle me donnait accès au monde.

J'étais heureux et j'aurais continué à vendre le journal et son supplément illustré indéfiniment, si la fierté raciale d'un ami de ma famille n'était pas intervenue. C'était un grand Nègre tranquille, sérieux, doux, sobre de paroles, charpentier de son état. Un soir, je passai chez lui avec mon journal. Il me donna dix *cents* et me regarda d'un air bizarre.

« Tu sais, mon petit gars, fit-il, ça me fait plaisir de te voir gagner un peu d'argent.

— Vous êtes bien aimable, monsieur, dis-je.

— Mais, dis-moi, qui t'a dit de vendre ces journaux ? demanda-t-il.

— Personne.

— D'où les reçois-tu ?

— De Chicago.

— Tu les as déjà lus ?

— Pour sûr. Je lis les histoires dans le supplé-

221

ment illustré, expliquai-je. Mais jamais ce qu'il y a dans le journal. »

Il resta un moment silencieux.

« Est-ce un Blanc qui t'a demandé de vendre ces journaux ?

— Non, m'sieur, répondis-je, intrigué. Pourquoi me demandez-vous ça ?

— Ta famille sait que tu vends ces journaux ?

— Oui, m'sieur. Mais pourquoi, qu'est-ce qu'il y a de mal ?

— Comment as-tu su où t'adresser pour te les faire envoyer ? reprit-il, sans se soucier de ma question.

— J'ai un copain qui les vend. C'est lui qui m'a donné l'adresse.

— Et c'est un Blanc, ton copain ?

— Non, m'sieur. Il est noir. Mais pourquoi me demandez-vous tout ça ? »

Il ne répondit pas. Il était assis sur les marches, devant sa porte d'entrée. Il se leva lentement.

« Attends-moi ici une seconde, mon petit, fit-il. Je vais te montrer quelque chose. »

Qu'est-ce qui n'allait pas, encore ? Les journaux étaient très bien, du moins c'est ce qu'il me semblait. J'attendais, ennuyé, impatient de finir ma tournée pour avoir le temps de rentrer me coucher et de lire la suite d'une passionnante histoire de meurtre. L'homme revint avec un numéro du journal soigneusement plié. Il me le passa.

« Tu as vu ça ? demanda-t-il en désignant une caricature aux couleurs criardes.

— Non, m'sieur, répondis-je. Je ne lis pas le journal, je ne lis que le supplément.

— Eh bien, regarde ça. Prends ton temps et dis-moi ce que tu en penses », fit-il.

C'était le numéro de la semaine écoulée ; la caricature représentait un énorme Nègre, au visage gras et luisant de sueur, aux lèvres épaisses, au nez épaté, aux dents en or, assis sur un fauteuil tournant devant un immense bureau magnifiquement astiqué. Confortablement installé dans son fauteuil, il avait posé sur le bureau ses pieds chaussés de souliers d'un jaune éclatant. Ses lèvres épaisses hébergeaient un gros cigare noir terminé par un bon pouce de cendres blanches.

Sur la cravate à pois rouges, une extravagante épingle en fer à cheval étincelait de tous ses feux. L'homme portait des bretelles rouges, sa chemise était de soie rayée, et d'énormes bagues de diamants ornaient ses gros doigts noirs. Une chaîne d'or ceignait son ventre et de son gousset pendait une patte de lapin porte-bonheur. Par terre, à côté du bureau, se trouvait un crachoir débordant de mucosités. Accrochée au mur, une pancarte clamait :

LA MAISON BLANCHE

Sous la pancarte se trouvait le portrait d'Abraham Lincoln, les traits déformés pour le faire ressembler à un gangster. Mes yeux se portèrent sur le haut du dessin et je lus :

LE SEUL RÊVE DU NÈGRE EST DE DEVENIR PRÉSIDENT DES ÉTATS-UNIS ET DE COUCHER AVEC DES BLANCHES ! AMÉRICAINS, PERMET-TREZ-VOUS CE SACRILÈGE DANS NOTRE BEAU PAYS ?

ORGANISONS-NOUS ET SAUVONS LA FEMME BLANCHE DE LA DÉGRADATION !

J'écarquillais des yeux effarés, m'efforçant de saisir l'idée et la légende de l'illustration, me demandant pourquoi tout cela me semblait si étrange et pourtant si familier.

« Tu sais ce que ça veut dire ? me demanda l'homme.

— Mince alors... non j' sais pas, avouai-je.

— Tu as déjà entendu parler du Ku Klux Klan ? me demanda-t-il en baissant la voix.

— Je comprends. Pourquoi ?

— Tu sais ce que les types du Klan font aux gens de couleur ?

— Ils nous tuent. Ils nous empêchent de voter et d'obtenir de bonnes places, répondis-je.

— Eh bien, le journal que tu vends prêche les doctrines du Ku Klux Klan.

— Oh ! non, m'exclamai-je.

— Tu l'as entre les mains, mon petit, fit-il.

— Je lis le supplément mais jamais le journal, dis-je vaguement, fortement ébranlé par ce que je venais d'apprendre.

— Écoute, mon petit gars, fit-il. Tu es un jeune garçon noir et tu tâches de te faire quelques sous. Parfait. Je ne veux pas t'empêcher de vendre ces

224

journaux, si tu tiens à les vendre. Mais ça fait deux mois que je les lis et je sais ce qu'ils veulent. En les vendant, tu pousses tout simplement les Blancs à te tuer.

— Mais ces journaux viennent de Chicago », protestai-je innocemment, complètement perdu maintenant que ma confiance en la stabilité du monde s'était évanouie, et pénétré soudain du sentiment que cette propagande raciale ne provenait sûrement pas de Chicago, la ville où les Nègres se réfugiaient par milliers.

« Peu importe d'où vient ce journal, fit-il. Écoute seulement ça. »

Il me lut un long article qui préconisait passionnément le lynchage en tant que solution du problème noir. Mais même en l'entendant lire je ne parvenais pas à le croire.

« Faites voir », dis-je.

Je lui pris le journal des mains et je m'assis au bas des marches ; à la lumière pâlissante du crépuscule, je le feuilletai et je lus des articles si violemment antinègres que j'en eus la chair de poule.

« Ça te plaît ? fit-il.

— Non, m'sieur, répondis-je dans un souffle.

— Tu comprends ce que tu fais ?

— Je ne savais pas, balbutiai-je.

— Tu vas recommencer à vendre ces journaux ?

— Non, m'sieur. Plus jamais.

— J'avais entendu dire que tu étais un garçon intelligent, à l'école ; en lisant ces journaux que tu vendais, je ne savais plus quoi penser. Alors je me suis dit : " Sûrement ce garçon ne sait pas ce qu'il vend là. " Je dois dire qu'il y a un tas de gens qui voulaient t'en parler, mais ils n'osaient pas. Ils croyaient que tu étais peut-être de mèche avec ces Blancs du Klan et que s'ils te disaient d'arrêter de vendre ces journaux, tu les dénoncerais. Mais moi j'ai dit : " Cette blague ! Il ne sait pas ce qu'il fait, ce garçon. " »

Je lui tendis sa pièce de dix *cents*, mais il ne voulut pas la prendre.

« Garde les dix *cents*, mon petit. Mais bon sang, trouve autre chose à vendre. »

Je n'essayai plus de vendre de journaux, ce soir-là ; je rentrai chez moi, les journaux sous mon bras, m'attendant à chaque instant à voir un Nègre surgir de derrière un buisson ou d'une clôture pour m'attirer dans un guet-apens. Comment diable avais-je pu commettre une telle erreur ? La façon dont je m'étais fourvoyé était simple, mais absolument incroyable. Les feuilletons du supplément m'avaient tellement captivé que je n'avais pas lu un seul numéro du journal. Je résolus de garder ma mésaventure secrète, de ne dire à personne que j'avais été un agent de littérature pro Ku Klux Klan. Je jetai les journaux dans un fossé et, en rentrant, je dis à grand-mère, d'un air dégagé, que la maison ne voulait plus m'envoyer de journaux parce qu'elle avait déjà trop d'agents à Jackson, mensonge qui, selon moi, minimisait singulièrement l'importance de l'incident. Grand-mère ne fit pas de difficultés, peu lui importait que je vende ou non des journaux puisque cela m'avait rapporté trop peu d'argent pour me permettre de contribuer dans une mesure notable aux frais du ménage.

Le père du garçon qui m'avait incité à vendre les journaux découvrit lui aussi leur caractère de propagande et défendit à son fils d'en vendre. Mais la question ne revint jamais sur le tapis, entre mon camarade et moi ; nous avions terriblement honte. Un jour, il me demanda prudemment :

« Dis donc, tu vends toujours ces journaux ?

— Oh ! non, je n'ai pas le temps, répondis-je en évitant son regard.

— Moi non plus, fit-il avec une moue de dédain. J'ai trop à faire. »

A l'école, je brûlais les étapes. Au commencement de l'année scolaire, je lisais d'un bout à l'autre mes livres d'instruction civique, d'anglais et de géographie, et je ne m'y reportais qu'en classe. Je faisais mes problèmes de mathématiques longtemps à l'avance ; puis durant les heures de classe, quand je n'étais pas appelé au tableau, je lisais de vieux numéros détériorés du *Flynn's Detective Weekly* [1] ou du *Argosy All-Story Magazine* [2], ou bien je rêvais ; j'imaginais des histoires fantastiques à propos de villes que je n'avais jamais vues et de gens que je n'avais jamais rencontrés.

Les vacances arrivèrent. Je ne pus trouver une place où il m'aurait été possible de ne pas travailler

1. Hebdomadaire policier.
2. Revue populaire d'aventures, d'histoires policières.

le saint jour du sabbat comme l'exigeait grand-mère. Les longues et chaudes journées d'été passées dans le désœuvrement me pesaient. Je restais assis à la maison à méditer, à ruminer, à cultiver la faim physique et spirituelle qui me rongeait. L'après-midi, quand le soleil avait perdu de son ardeur, je jouais au ballon avec les garçons du voisinage. Le soir, je m'asseyais sur les marches du perron et je regardais d'un œil morne les passants, les voitures, les autos...

Par une de ces soirées chaudes et languissantes, grand-mère, ma mère et tante Addie se trouvaient assises sous le porche d'entrée, en train de discuter quelque point obscur de doctrine religieuse. J'étais accroupi sur les marches, pelotonné sur moi-même, l'air morose, la tête dans les mains, écoutant à moitié ce que disaient les grandes personnes et rêvassant à demi. Soudain, une phrase éveilla une idée en moi, et, oubliant que je n'avais pas le droit de parler sans permission, je mis mon grain de sel dans la discussion. Je fis une réflexion qui dut sembler odieusement sacrilège, car grand-mère s'écria : « Tais-toi ! » et se pencha vivement en avant pour m'allonger négligemment du dos de la main une de ces claques sur la bouche qui étaient sa spécialité. Mais j'étais maintenant devenu expert dans l'art d'esquiver les coups et je baissai prestement la tête. Elle me manqua ; la force du coup était telle que grand-mère dégringola les marches la tête la première, son vieux corps allant se coincer entre la clôture et la première marche. D'un bond je fus debout. Tante Addie et ma mère poussèrent un cri strident et se précipitèrent au bas de l'escalier pour essayer de la relever. Mais elles furent incapables de la remuer. On appela grand-père et il dut arracher la clôture pour la tirer de là. Elle avait presque perdu connaissance. On la mit au lit et on fit venir le docteur.

J'avais peur. Je courus dans ma chambre et je verrouillai la porte, craignant que grand-père ne me hache en petits morceaux. Avais-je bien agi ou avais-je mal agi ? Si je m'étais tenu tranquille et si j'avais laissé grand-mère me gifler, elle ne serait pas tombée. Mais n'était-il pas naturel d'esquiver un coup ? J'attendis, tout tremblant. Mais personne ne vint. La maison était tranquille. Grand-mère était-elle morte ? Plusieurs heures après, j'ouvris la porte et me glissai furtivement au bas de l'escalier. Tant pis, me disais-je, si grand-mère meurt, je m'en irai. Il n'y avait rien d'autre à faire. Dans le couloir, je me trouvai nez à nez avec tante Addie ; elle me fixa de ses yeux noirs et brûlants.

« Tu te rends compte de ce que tu as fait à grand-mère ? fit-elle.

— Je ne l'ai pas touchée, dis-je. J'avais eu l'intention de demander de ses nouvelles, mais l'effroi m'ôta subitement la mémoire.

— Tu voulais la tuer, dit tante Addie.

— Je n'ai pas touché grand-mère, vous le savez très bien !

— Tu as le mal en toi. Tu n'amènes que du mauvais !

229

— Mais je voulais juste esquiver le coup. Elle allait me frapper. Je n'ai rien fait de mal... »

Elle remuait les lèvres en silence, comme si elle cherchait des paroles propres à me confondre.

« Pourquoi te mêles-tu de la conversation des grandes personnes ? demanda-t-elle, ayant enfin trouvé l'argument qu'elle cherchait.

— Je voulais juste parler, maugréai-je. Je reste là assis des heures et des heures et j'ai même pas le droit de parler.

— Dorénavant, tu parleras quand on t'aura adressé la parole, pas avant.

— Mais grand-mère ne devrait pas être tout le temps à vouloir me taper dessus, dis-je le plus délicatement possible.

— Tu as du toupet d'oser me dire ce que grand-mère *devrait* ou ne *devrait pas* faire, lança-t-elle furieusement, ayant enfin trouvé un grief valable à ses yeux. Si tu ne fermes pas ton bec, c'est *moi* qui te corrigerai ! poursuivit-elle.

— Je voulais seulement expliquer pourquoi grand-mère est tombée, dis-je.

— Tu vas te taire, oui ? Sinon je te tords le cou, espèce d'imbécile !

— Imbécile vous-même ! » ripostai-je, incapable de me contenir plus longtemps. Elle tremblait de fureur.

« Tu vas me payer ça tout de suite ! » fit-elle en se jetant sur moi.

Je lui échappai et m'enfuis à la cuisine. Là, je m'emparai du grand couteau à pain. Elle me poursuivit et je lui fis face. J'étais dans un tel état d'énervement que j'en pleurais.

« Si vous me touchez, je vous jure que je vous donne un coup de couteau, articulai-je d'une voix entrecoupée. Je m'en irai aussitôt que je pourrai travailler et gagner ma vie. Mais tant que je serai ici, je ne... vous conseille pas de me... toucher. »

Nous nous regardions les yeux dans les yeux, nos deux corps frémissant de haine.

« Tu me le paieras, me promit-elle d'une voix grave et posée. Je t'attraperai quand tu n'auras plus ton couteau.

— J'en aurai toujours un de prêt pour vous.

— Il faudra bien que tu dormes, la nuit, ragea-t-elle. C'est là que je t'aurai.

— Si jamais vous me touchez pendant que je dors, je vous tuerai », lui dis-je.

Elle sortit de la cuisine et ouvrit la porte d'un coup de pied en s'en allant. Tante Addie avait la manie de donner des coups de pied dans les portes ; devant une porte entrebâillée, elle s'arrêtait toujours une seconde, puis elle l'ouvrait d'un coup de pied ; si la porte s'ouvrait vers l'intérieur, elle la refermait d'un coup de talon ou bien, quand la porte était fermée, elle l'entrouvrait d'abord légèrement avec la main, puis elle achevait de l'ouvrir avec le pied ; on eût dit qu'elle voulait jeter un coup d'œil dans la pièce où elle entrait, avant d'y pénétrer, peut-être pour s'assurer qu'elle ne contenait rien d'effrayant ou de sacrilège.

Durant tout un mois après cet incident, j'emportai un couteau de cuisine au lit tous les soirs ; je le cachais sous mon oreiller pour l'avoir à portée de la main au cas où tante Addie s'amènerait. Mais elle ne vint jamais. Peut-être priait-elle.

Grand-mère resta six semaines au lit ; elle avait attrapé un tour de reins en voulant me gifler.

Il y avait au sein de notre foyer si pieux, si profondément religieux, des querelles plus violentes que dans la maison d'un gangster, d'un cambrioleur ou d'une prostituée, chose à laquelle je ne manquai pas de faire discrètement allusion, mais qui ne me servit pas auprès de grand-mère. Grand-mère portait l'étendard de Dieu, mais elle était toujours en train de livrer bataille. Cette paix qui dépasse l'entendement n'entra jamais chez nous. Moi aussi je combattais, mais je combattais parce que je sentais qu'il me fallait éviter d'être écrasé, parer sans cesse les attaques continuelles. Mais grand-mère et tante Addie ne se querellaient et ne se battaient pas seulement avec moi, mais avec tout le monde et pour des questions secondaires de doctrine religieuse, ou même pour quelque infraction imaginaire à ce qu'elles appelaient leur code moral. Chaque fois que je rencontrais la religion dans ma vie, je trouvais le désaccord, la lutte, la tentative d'un individu ou d'un groupe de gouverner l'autre au nom de Dieu. La convoitise du pouvoir semblait toujours marcher dans le sillage d'un cantique.

Alors que l'été tirait à sa fin, j'obtins un emploi bizarre. Notre voisin d'à côté, un concierge, décida de changer de métier et de devenir agent d'assuran-

232

ces. Handicapé par son manque d'instruction, il m'offrit de l'accompagner dans ses tournées des plantations du Delta, pour faire ses écritures et ses comptes, aux appointements de cinq dollars par semaine. En compagnie de frère Mance — comme on l'appelait —, je fis plusieurs voyages parmi les bicoques des plantations, dormant sur des paillasses de cosses de maïs, mangeant du porc salé et des fayots au déjeuner, au dîner et au souper, et pour une fois buvant autant de lait que je voulais.

C'est tout juste si je n'avais pas oublié que j'étais né dans une plantation, aussi restais-je confondu devant l'ignorance des enfants que je rencontrais. Moi qui m'étais plaint de n'avoir pas de livres à lire, j'avais devant les yeux des enfants qui n'avaient jamais lu un seul livre. Leur timidité chronique me donnait par contraste l'air hardi d'un citadin ; quand une mère noire essayait d'attirer sa progéniture dans la maison pour me serrer la main, les gosses restaient sur le pas de la porte, me regardant du coin de l'œil et se trémoussant nerveusement. Le soir, assis à une table grossière, à la lumière d'une lampe à pétrole crachotante, je remplissais des formulaires d'assurances sous les regards ébahis d'une famille de métayers qui venait de rentrer des champs. Frère Mance arpentait la pièce et vantait mon habileté à manier la plume. Beaucoup de ces familles naïves s'assuraient chez nous parce qu'elles avaient l'impression de se mettre en rapport avec quelque chose qui permettrait à leurs enfants

« d'écrire et de causer comme ce beau p'tit gars de Jackson ».

Les voyages étaient durs. Nous circulions en train, en auto ou en cabriolet. Nous étions en mouvement du matin au soir, de cabane en cabane, de plantation en plantation. Exténué, je remplissais des formulaires. J'avais sous les yeux un marais désolé et sinistre de vie noire, et cela m'était insupportable ; les gens étaient tous pareils, leurs intérieurs étaient tous pareils et leurs fermes étaient toutes pareilles. Le dimanche, frère Mance allait à l'église campagnarde la plus proche et y faisait son boniment de vendeur de polices d'assurances sous forme de prêche, en claquant les mains tout en parlant, en crachant par terre à chaque fin de paragraphe et en piétinant les crachats pour ponctuer ses phrases, tous gestes qui captivaient les métayers noirs. Après la représentation, les rustres bornés accouraient en foule auprès de frère Mance et je remplissais des formulaires à en avoir des crampes dans les doigts.

Je rentrai à la maison les poches pleines d'argent qui se vaporisa au contact de la faim insondable du ménage. Ma mère était fière ; même l'hostilité de tante Addie fondit temporairement. Aux yeux de grand-mère, j'avais accompli un miracle et une partie de ma qualité de pécheur s'évapora, car pour elle le succès récompensait automatiquement la vertu, et l'échec était le gage du péché. Mais Dieu rappela frère Mance au ciel cet hiver-là et comme la compagnie d'assurances ne voulait pas d'un mineur pour agent, ma condition redevint impie, la sainte famille se retrouva accablée du fardeau d'un garçon indocile auquel, en dépit de tout, le péché s'attachait avec une certaine obstination.

A la rentrée des classes, j'entrai en septième. Ma bonne vieille faim me tenait toujours compagnie et je vivais de ce que je ne mangeais pas. Peut-être le soleil, l'air et le fumet des légumes me maintenaient-ils en vie. Parfois, le soir, assis dans ma chambre à lire, je percevais soudain une odeur de viande mise à rôtir dans une cuisine voisine et je me demandais ce que l'on éprouvait quand on avait de la viande à manger à volonté. Je laissais mon esprit aller à sa fantaisie et je m'imaginais que j'étais le fils d'une famille où l'on servait de la viande à chaque repas ; puis, dégoûté de mes rêvasseries futiles, je me levais et j'allais fermer la fenêtre pour ne plus sentir l'odeur torturante.

Un matin, alors que je descendais à la salle à manger prendre ma bouillie de maïs et ma sauce au saindoux, je sentis qu'il était arrivé un événement grave dans la famille. Grand-père, comme d'habitude, n'était pas à table ; il prenait toujours ses repas dans sa chambre. Grand-mère me fit signe de m'asseoir ; j'obéis et je penchai la tête. Entre mes cils, je vis le visage crispé de ma mère. Tante Addie avait les yeux fermés, les sourcils froncés et les lèvres tremblantes. Grand-mère se cacha le visage dans ses mains. J'avais envie de demander ce qui était arrivé, mais je savais qu'on ne me répondrait pas.

Grand-mère priait et invoquait la bénédiction de Dieu pour chacun de nous, lui demandant d'être notre guide si telle était Sa volonté, puis elle dit à Dieu : « Mon pauvre mari est malade par cette belle matinée », après quoi elle Lui demanda de le guérir si telle était Sa volonté. C'est ainsi que j'appris l'ultime maladie de grand-père. En de nombreuses occasions, je prenais connaissance d'événements quelconques, tels qu'un décès, une naissance, une visite en perspective, ou de menus faits arrivés dans le quartier, à l'église ou chez un parent, par les prières informatrices de grand-mère aux heures des repas.

Grand-père était un grand vieillard noir et maigre, au long visage anguleux, aux dents d'une blancheur éclatante et à la toison blanche et laiteuse. Sous l'empire de la colère, il montrait ses dents, habitude, disait grand-mère, qu'il avait contractée dans les combats de la guerre de Sécession — et émettait une sorte de sifflement tout en serrant les poings à s'en faire éclater les veines. Quand il riait, chose qui lui arrivait rarement, il montrait ses dents de la même manière. Mais maintenant ses dents éclatantes ne brillaient plus guère et son corps était flasque. Il possédait un couteau de poche que l'on m'avait défendu de toucher et il restait assis pendant des heures au soleil à l'aiguiser en sifflotant tranquillement, ou parfois quand il se sentait bien, à chantonner quelque mélodie bizarre.

J'avais souvent essayé de l'interroger sur la guerre de Sécession, de lui demander à quelle occasion il s'était battu, ce qu'il avait ressenti, s'il avait vu Lincoln, mais il ne répondait jamais.

« Veux-tu te sauver, p'tit jeunot », était tout ce que je parvenais à tirer de lui.

J'appris par grand-mère en l'espace d'un certain nombre d'années qu'il avait été blessé pendant la guerre de Sécession et qu'il n'avait jamais touché de pension d'invalidité, chose qui lui tenait au cœur et le remplissait d'amertume. Je ne l'entendis jamais mentionner les Blancs, je crois qu'il les haïssait trop pour parler d'eux. Le jour de sa démobilisation, il était allé trouver un officier blanc pour qu'il l'aide à établir ses papiers. En les remplissant, l'officier blanc avait mal orthographié son nom ; il avait écrit Richard Vinson au lieu de Richard Wilson. Il est possible que l'accent du Sud du grand-père et son ignorance aient été la cause de cette méprise. Le bruit courait que l'officier blanc était un Suédois et qu'il connaissait mal l'anglais. Selon une autre version, l'officier blanc était Sudiste et avait délibérément falsifié les papiers de grand-père. Quoi qu'il en soit, grand-père ne découvrit qu'il avait été démobilisé sous le nom de Richard Vinson qu'au bout de pas mal d'années, et lorsqu'il adressa une demande de pension au ministère de la Guerre on ne retrouva aucune trace de son passage dans l'armée de l'Union sous le nom de Richard Wilson.

Je posais d'innombrables questions à propos de la pension de grand-père, mais on me refusa toujours tout renseignement sous prétexte que j'étais trop jeune pour comprendre de quoi il s'agissait. Il y eut pendant des années une longue correspondance entre grand-père et le ministère de la Guerre ; grand-père expédiait lettre sur lettre, relatant des événements et des conversations (il dictait toujours à d'autres ces longs rapports) ; il nommait des personnes mortes depuis longtemps, donnait leur âge et leur signalement, reconstituait des batailles auxquelles il avait pris part, nommait des cités, des rivières, des ruisseaux, des routes, des villes et des villages, citait le nombre et le nom des régiments et des compagnies avec lesquels il avait combattu, situait le jour et l'heure exacts de certains événements et envoyait le tout à Washington.

Je prenais le courrier le matin de bonne heure et chaque fois qu'il y avait dans le tas une longue enveloppe qui ressemblait à une lettre d'affaires, je la montais en hâte. Grand-père soulevait la tête de son oreiller, me prenait la lettre des mains et l'ouvrait lui-même. Il restait un long moment à considérer les caractères imprimés, puis il me passait la lettre à regret, avec méfiance.

« Alors ? » faisait-il.

Alors je lui lisais la lettre — je lisais lentement, en détachant soigneusement chaque mot —, je lui disais que sa réclamation pour une pension n'était pas motivée et que sa demande avait été rejetée. Grand-père ne sourcillait pas, mais il jurait doucement à voix basse.

« C'est ces cochons de rebelles », sifflait-il.

Comme s'il n'avait pas eu confiance en mon savoir, il s'habillait et portait la lettre à une bonne douzaine d'amis du quartier en leur demandant de la lui lire ; si bien qu'il ne tardait pas à la savoir par cœur. Finalement, il rangeait soigneusement la lettre et se replongeait dans ses songeries, fouillant sa mémoire pour essayer de se rappeler quelque événement capital du passé susceptible de l'aider à obtenir sa pension. Semblable au « K » du roman de Kafka, *Le Château,* il essaya désespérément jusqu'au jour de sa mort de convaincre les autorités de sa véritable identité, et il échoua.

Souvent, quand il n'y avait rien à manger à la maison, je rêvais que le gouvernement envoyait une lettre conçue à peu près dans ces termes :

Cher Monsieur,

Votre demande de pension a été vérifiée. La question de votre identité a été éclairée de façon satisfaisante. Conformément au règlement en vigueur, nous donnons les instructions nécessaires au ministère des Finances afin que votre compte soit réglé et mis à jour et que vous soit expédié au plus tôt le montant de vos arriérés, augmenté des intérêts, pour les... années écoulées, soit la somme de...

Nous regrettons profondément de vous avoir fait attendre si longtemps. Soyez assuré que votre sacrifice a été un bienfait et une consolation pour le pays.

Mais nulle lettre de ce genre n'arriva jamais et grand-père était si maussade la plupart du temps que je cessais de songer à lui et à ses espoirs. Chaque fois qu'il passait devant moi je me taisais et j'attendais qu'il m'adresse la parole en me demandant s'il allait me gronder. Quand il s'en allait, je respirais. Peu à peu, je perdis tout désir de m'entretenir avec lui. C'est par les conversations de grand-mère que, petit à petit, au cours des années, les maigres détails de la vie de grand-père me furent rapportés. Quand la guerre de Sécession avait éclaté, il s'était enfui de chez son maître, était parti à l'aveugle et avait traversé les lignes des Confédérés pour aller rejoindre les Nordistes. Il se vantait sombrement d'avoir tué en chemin « ma belle et bonne part de ces satanés rebelles ». Mû par un ressentiment actif à l'égard de l'esclavage, il avait rejoint l'armée de l'Union pour tuer les Sudistes blancs, traversant les rivières glacées, dormant dans la boue, souffrant, combattant... Démobilisé, il était retourné dans le Sud et pendant les élections il avait gardé les urnes avec son fusil de l'armée pour que les Noirs puissent voter. Mais lorsque les Noirs avaient été chassés de la vie politique, son moral s'en était terriblement ressenti. Il était convaincu que la guerre n'était pas réellement terminée, qu'elle recommencerait.

Et maintenant, tout en déjeunant (nous mangions en silence ; il n'y avait jamais de conversations à table ; grand-père disait que parler en mangeant était un péché, que Dieu pouvait faire en sorte que les aliments vous étouffent), nous songions à la pension de grand-père. Pendant les jours qui suivirent on écrivit des lettres, on établit des attestations, on prêta serment, on conféra, mais il n'en advint rien. (J'avais la conviction — fondée non sur des preuves, mais sur la crainte des Blancs — que grand-père avait été frustré de sa pension à cause de son opposition à la suprématie des Blancs.)

Un après-midi, alors que je rentrais de l'école, je rencontrai tante Addie dans le couloir. Elle avait le visage tremblant et les yeux rouges.

« Monte là-haut dire adieu à grand-père, fit-elle.
— Qu'est-il arrivé ? »

Elle ne répondit pas. Je montai en courant et là-haut je trouvai oncle Clark, qui était venu de Greenwood. Grand-mère me prit par la main.

« Viens dire adieu à ton grand-père », fit-elle.

Elle me conduisit dans la chambre de grand-père ; il était couché tout habillé sur son lit et avait l'air aussi bien portant que d'habitude. Il avait les yeux grands ouverts, mais il était d'une immobilité telle que je n'aurais su dire s'il était vivant ou mort.

Grand-père me regarda et montra ses dents blanches pendant une fraction de seconde.

« Adieu, grand-père, murmurai-je.
— Adieu, fiston, fit-il, d'une voix rauque. Réjouis-toi, car Dieu m'a rés...er...vé... ace...ace... au ciel... »

Sa voix s'éteignit. Je n'avais pas compris ce qu'il avait dit et je me demandais si je devais le prier de me le répéter. Mais grand-mère me prit par la main et me fit sortir de la chambre. La maison était calme ; personne ne pleurait. Ma mère était assise dans un fauteuil à bascule et regardait silencieuse-

241

ment par la fenêtre ; de temps à autre elle se cachait la tête dans ses mains. Grand-mère et tante Addie circulaient sans bruit dans la maison. Je restai assis sans parler, attendant que grand-père meure. J'étais toujours intrigué par ce qu'il avait essayé de me dire ; il me semblait important de connaître ses dernières paroles. Je suivis grand-mère à la cuisine.

« Grand-mère, qu'est-ce qu'il a dit, grand-père ? Je ne l'ai pas bien compris », chuchotai-je.

Elle fit brusquement volte-face et, du revers de la main, elle m'assena une de ses claques sur la bouche.

« Tais-toi ! L'ange de la mort est dans la maison !

— Je voulais seulement savoir », dis-je en frottant mes lèvres meurtries.

Elle me regarda et s'adoucit.

« Il a dit que Dieu lui avait réservé une place au ciel, répondit-elle. Maintenant, tu le sais. Alors assieds-toi et cesse de poser des questions stupides. »

Lorsque je me réveillai le lendemain matin, ma mère m'apprit que grand-père était rentré au bercail.

« Mets ton chapeau et ton pardessus, dit grand-mère.

— Pour quoi faire ? demandai-je.

— Cesse de questionner et fais ce qu'on te dit. »

Je m'habillai pour sortir.

« Va trouver Tom et dis-lui que grand-père est rentré au bercail. Prie-le de venir s'occuper de tout », fit grand-mère.

Tom, son fils aîné, avait quitté récemment Hazel-hurst pour Jackson et habitait un faubourg de la ville, à quelque trois kilomètres de chez nous. J'étais conscient d'avoir une mission importante à remplir et je courus tout le long du chemin, j'estimais qu'un décès devait être annoncé aussitôt. J'arrivai à bout de souffle chez mon oncle, montai les marches quatre à quatre et frappai à la porte.

Ma petite cousine Maggie vint m'ouvrir.

« Où est oncle Tom ? demandai-je.

— Il dort », répondit-elle.

Je me précipitai dans sa chambre, allai jusqu'à son lit, et le secouai de toutes mes forces.

« Oncle Tom, grand-mère vous fait dire de venir tout de suite, grand-père est rentré au bercail », dis-je à bout de souffle.

Il me considéra longuement.

« Tu peux te vanter d'être un bel idiot, fit-il calmement. Tu ne sais donc pas que ce n'est pas une façon d'apprendre à quelqu'un que son père est mort ? »

J'ouvris de grands yeux et le regardai d'un air ahuri, la poitrine haletante.

« J'ai couru tout le temps en venant, dis-je en essayant de reprendre mon souffle. Je suis hors d'haleine. Je m'excuse. »

Il se leva lentement et se mit à s'habiller sans faire attention à moi ; il ne prononça pas une seule parole pendant les cinq minutes qui suivirent.

« Qu'est-ce que tu attends ? me demanda-t-il enfin.

— Rien », répondis-je.

Je rentrai lentement à la maison, me demandant ce qui pouvait bien se passer avec moi, pourquoi il fallait que je fasse toujours tout autrement que ce qu'on attendait de moi. Chacun de mes mots et chacun de mes gestes semblaient provoquer l'hostilité. Je n'avais jamais pu parler aux autres à cœur ouvert, aussi devais-je deviner leurs intentions et leurs mobiles. Je n'avais pas fait exprès de choquer oncle Tom et cependant sa colère contre moi semblait être plus forte que son chagrin. Ne trouvant pas de réponse, je me dis que j'étais bien sot de me tracasser ; quoi que je fasse j'étais sûr d'avoir tort aux yeux de ma famille.

On ne me permit pas d'aller à l'enterrement de grand-père ; on me donna l'ordre de rester là et de « garder la maison ». Je demeurai donc à lire des histoires policières jusqu'à ce que la famille revînt du cimetière. On ne me dit rien et je ne demandai rien. Le train-train quotidien reprit ; pour moi c'était le sommeil, la bouillie de maïs, les légumes, l'école, la solitude, l'élan de l'âme vers autre chose, et de nouveau le sommeil.

Mes vêtements étaient si usagés que j'avais honte d'aller à l'école. Beaucoup de garçons de ma classe portaient leur premier pantalon long. Poussé par le dépit et l'amertume, je décidai d'avoir une explication avec grand-mère ; je lui dirais que si elle ne me laissait pas travailler le samedi, je quitterais la maison. Mais lorsque j'entamai la discussion elle ne voulut pas m'écouter. Je la suivis à travers la

maison, lui demandant la permission de travailler le
samedi. Sa réponse était non, non et non.

« Alors je quitterai l'école, déclarai-je.

— Très bien. Quitte l'école. Si tu crois que ça me
fait quelque chose...

— Je m'en irai d'ici et vous ne me reverrez plus
jamais !

— Je t'en défie ! fit-elle d'un ton de mépris
provocant.

— Comment voulez-vous que j'apprenne à travailler pour pouvoir trouver une place ? » dis-je,
changeant de tactique. Puis, lui montrant mes bras
en loques et mon pantalon rapiécé :

« Regardez, m'écriai-je. Je ne retournerai pas à
l'école comme ça ! Je ne vous demande pas d'argent,
ni rien. Tout ce que je veux, c'est travailler !

— Que tu ailles ou non à l'école, ça ne me
concerne pas, fit-elle. Tu as quitté l'Église, à toi de
te débrouiller tout seul. Tu as préféré le monde et
ses tentations. Tu es perdu pour le Christ, tu es
mort pour moi.

— C'est votre Église de malheur qui me gâche
ma vie, dis-je.

— Je te défends de dire des choses pareilles dans
cette maison !

— C'est la vérité et vous le savez très bien !

— Dieu te punit, dit-elle. Et tu es trop orgueil-
leux pour Lui demander de te venir en aide.

— Je trouverai une place quand même.

— Alors tu n'habiteras plus chez nous.

245

— Dans ce cas je m'en irai, dis-je en tremblant violemment.

— Tu ne t'en iras pas, fit-elle.

— Vous croyez que je blague, hein ! fis-je, décidé à la convaincre de l'authenticité de mes sentiments. Je m'en vais tout de suite. »

Je courus à ma chambre, m'emparai d'une valise cabossée et me mis à emballer mes hardes. Je n'avais pas un sou sur moi, mais j'étais décidé à partir. Elle vint à la porte.

« Petit imbécile ! Laisse là cette valise !

— Je m'en vais là où j'aurai le droit de travailler ! »

Elle m'arracha la valise des mains ; elle tremblait.

« C'est bon, fit-elle. Si tu veux aller en enfer, vas-y. Mais Dieu saura que ce n'était pas ma faute. Il me pardonnera, mais il ne te pardonnera pas ! »

Elle sortit précipitamment de la pièce, le visage en larmes. Ses sentiments d'humanité avaient eu raison de sa peur. Je déballai la valise, complètement épuisé. J'avais horreur de ces explosions de sentiments, de ces tempêtes de passion, car j'en sortais toujours crispé et affaibli. Désormais, j'étais bien mort aux yeux de grand-mère et de tante Addie, mais ma mère sourit quand je lui racontai que je leur avais tenu tête. Elle se leva, vint à moi en clopinant sur ses jambes de paralytique et m'embrassa.

CHAPITRE VI

Le lendemain matin à l'école, je m'enquis de places auprès des élèves et on me donna le nom d'une famille blanche qui cherchait un garçon pour faire des courses et des travaux ménagers. L'après-midi, à la sortie de l'école, je me rendis à cette adresse. Ce fut une grande femme blanche à l'air austère qui m'accueillit. Oui, elle avait besoin de quelqu'un, de quelqu'un d'honnête. Deux dollars par semaine. Le matin et le soir, et le samedi toute la journée. Laver la vaisselle. Casser le bois. Frotter les planchers. Nettoyer la cour. Elle me donnerait à déjeuner et à dîner. Et pendant que je posais quelques timides questions, mes yeux furetaient partout. Que me donnerait-on à manger ? La maison était-elle aussi misérable que la cuisine le laissait supposer ?

« Alors, tu la veux, cette place, oui ou non ? me demanda la femme.

— Oui, m'dame, répondis-je, craignant de me fier à mon propre jugement.

— Bon, et maintenant, mon garçon, je vais te

247

poser une question et je veux que tu me répondes franchement.

— Oui, m'dame, dis-je, tout oreilles.

— Es-tu un voleur ? » me demanda-t-elle avec le plus grand sérieux.

J'éclatai de rire, puis je me repris.

« Je ne vois pas c'qu'y a de drôle là-dedans, fit-elle.

— Madame, si j'étais un voleur, je ne le dirais à personne.

— Comment ça ? » siffla-t-elle, rouge de colère.

J'avais déjà commis une faute pendant les cinq premières minutes que j'avais passées dans le monde blanc. Je baissai la tête.

« Non, m'dame, marmonnai-je. Je ne vole pas. »

Elle me dévisagea, essayant de se faire une opinion.

« Attention, hein ? Je ne veux pas d'un petit Nègre insolent dans la maison !

— Non, m'dame, assurai-je ; je ne suis pas insolent. »

Après avoir promis d'arriver le lendemain à six heures, je rentrai à pied à la maison en me demandant quelle idée cette femme avait bien pu avoir dans la tête pour me poser à brûle-pourpoint une pareille question. C'est alors que je me rappelai avoir entendu dire que les Blancs considéraient les Nègres comme une certaine catégorie d'enfants ; ce n'est qu'à la lumière de cette interprétation que sa question pouvait avoir un sens. Si j'avais eu le dessein de l'assassiner, je ne le lui aurais certainement pas dit, et logiquement, elle devait sans nul doute le comprendre. Et cependant l'habitude avait triomphé de la logique et de la raison, et lui avait fait me demander : « Es-tu un voleur, mon garçon ? » Seul un idiot eût répondu : « Oui, madame, je suis un voleur. »

Que m'arriverait-il, maintenant que j'allais rester parmi les Blancs durant des heures d'affilée ? Allaient-ils me battre ? Allaient-ils m'injurier ? S'ils le faisaient, je plaquerais aussitôt. Pendant que je souhaitais ardemment trouver du travail, je n'avais pas pensé à la façon dont je serais traité, et voilà que cette considération s'avérait importante, décisive, au point de balayer toutes les autres. Je serais poli, humble, je dirais : « Oui, monsieur, non, monsieur » et « oui, madame, non, madame », mais je me fixerais une limite qu'ils ne dépasseraient pas. Oh ! je vais peut-être chercher des ennuis imaginaires, me dis-je. Peut-être m'aimeront-ils bien.

Je passai la matinée du lendemain à casser du bois pour la cuisinière, à traîner des seaux de charbon pour les foyers, à laver l'entrée de la maison, à balayer l'entrée de la cour et la cuisine, à servir à table et à laver la vaisselle. Je transpirais. Je balayai l'allée devant la maison et je courus faire les achats dans une boutique. En revenant, la femme me dit :

« Ton petit déjeuner est dans la cuisine.

— Merci, m'dame. »

Je vis une assiette de mélasse épaisse et noire et un quignon de pain blanc sur la table. Était-ce tout ce qu'on allait me donner ? Ils avaient mangé des œufs, du lard et du café... Je pris le pain et m'efforçai de le rompre ; il était rassis et terriblement dur.

Bon, je boirais la mélasse. Je soulevai l'assiette pour la porter à mes lèvres et je vis des taches vertes et blanches de moisissure flotter à la surface du liquide noir. Bon Dieu... Je ne peux tout de même pas manger ça, me dis-je. La nourriture n'était même pas propre. La femme vint à la cuisine pendant que je m'habillais.

« Tu n'as pas mangé, dit-elle.

— Non, m'dame, dis-je. Je n'ai pas faim.

— Tu mangeras chez toi ? demanda-t-elle avec une nuance d'espoir dans la voix.

— Oh ! c'est seulement que je n'avais pas faim, ce matin, dis-je, niant l'évidence.

— Tu n'aimes pas la mélasse ni le pain, fit-elle d'un ton dramatique.

— Oh ! si, m'dame, répliquai-je immédiatement, ne voulant pas qu'elle s'imagine que j'osais critiquer ce qu'elle m'avait donné.

— Décidément vous devez bien difficiles, vous autres Nègres », soupira-t-elle en branlant la tête. Elle regarda attentivement le plat de mélasse. « C'est un vrai péché de jeter de la bonne mélasse comme ça. Je vais te la mettre de côté pour ce soir.

— Oui, m'dame », dis-je avec chaleur.

Elle couvrit l'assiette de mélasse d'une autre assiette, puis tâta le pain et le mit aux ordures. Elle se retourna vers moi, le visage illuminé par une idée.

« En quelle classe es-tu à l'école ?

— En septième, m'dame.

— Alors quel besoin as-tu d'aller à l'école ? demanda-t-elle, surprise.

— Ben... je voudrais devenir écrivain », marmonnai-je, pas très sûr de moi. Je n'avais pas eu l'intention de lui dire cela, mais elle m'avait donné un tel sentiment de culpabilité et m'avait tellement humilié que j'avais absolument besoin de me réhabiliter.

« Un quoi ? fit-elle, d'un air impératif.

— Un écrivain, marmonnai-je.

— Pour quoi faire ?

— Pour écrire des histoires, murmurai-je en me cabrant.

— Tu ne seras jamais un écrivain, dit-elle. Qui diable a bien pu mettre des idées pareilles dans ta caboche de Nègre ?

— Personne, répondis-je.

— Ça m'aurait étonnée aussi », déclara-t-elle avec indignation.

En longeant la maison pour gagner la rue, je savais que je ne reviendrais pas. La femme avait attaqué mon moi ; elle prétendait me fixer ma place dans la vie, savoir ce que je ressentais, ce que je devais être, et je lui en voulais cordialement. Peut-être avait-elle raison ; peut-être ne serais-je jamais écrivain. Mais je ne voulais pas le lui entendre dire. Si j'avais conservé cette place, j'aurais appris rapidement comme les Blancs agissent envers les Nègres, mais j'étais trop naïf pour penser qu'il y

251

avait beaucoup de Blancs de ce genre. Je me disais qu'il y avait de bons Blancs, des gens avec de l'argent et des sentiments. Je croyais qu'ils étaient mauvais dans l'ensemble, mais que j'aurais suffisamment de chance pour tomber sur les exceptions.

Craignant que ma famille ne me trouve trop difficile, je mentis et je racontai que la femme blanche avait déjà engagé un autre garçon. A l'école je continuai à me renseigner au sujet des possibilités d'embauche et l'on m'indiqua une autre adresse. Aussitôt la classe finie, je m'y rendis. Oui, la femme voulait un garçon capable de traire une vache, de donner à manger aux poules, de ramasser les légumes, d'aider à servir le déjeuner et le dîner.

« Mais je ne sais pas traire une vache, m'dame, dis-je.

— D'où es-tu ? me demanda-t-elle d'un ton incrédule.

— D'ici, de Jackson, répondis-je.

— Et t'as le toupet de venir me dire que tu es de Jackson et que tu ne sais pas traire une vache ! » fit-elle, sidérée.

Je ne dis rien, mais j'apprenais rapidement à connaître la vérité sur le monde blanc — le monde blanc vu par un Nègre. Une femme avait supposé que je lui dirais tout de go si j'étais ou non un voleur, et celle-ci était confondue que je ne sache pas traire une vache, moi un moricaud, qui osais vivre à Jackson... Je découvrais qu'ils se ressemblaient tous, qu'ils ne différaient que par le détail.

252

Je me trouvais en face d'un mur dans l'esprit de la femme, un mur dont elle ignorait l'existence.

« Je n'ai jamais appris, finis-je par dire.

— Je te montrerai », dit-elle, comme si elle eût été heureuse de se montrer assez charitable pour remédier à la carence d'un Nègre sur ce point particulier.

« C'est facile. »

La maison était grande ; ils avaient une vache, des poules, un jardin, toutes choses dispensatrices de nourriture, ce qui me décida à accepter. Je lui dis que je prendrais la place et le lendemain matin je me présentai. L'ouvrage était facile, mais multiple ; je dus traire la vache sous sa surveillance, ramasser les œufs, balayer, et j'eus fini à temps pour servir le déjeuner. La table dans la salle à manger était mise pour cinq ; il y avait des œufs, du jambon, du pain grillé, de la confiture, du beurre, du lait, des pommes... c'était prometteur. La femme me dit d'apporter les plats au fur et à mesure qu'on me les demanderait ; je me familiarisai avec la cuisine de façon à être à même de faire vite quand on m'appellerait. Finalement la femme arriva dans la salle à manger, suivie d'un jeune homme pâle qui s'assit et regarda d'un œil torve la nourriture étalée sur la table.

« Nom de Dieu ! ragea-t-il. Toujours ces saloperies d'œufs à déjeuner.

— Dis donc, espèce d'enfant de putain, répondit la femme en s'asseyant à son tour, personne ne te force à les manger.

253

— Tu pourrais nous servir de la merde pendant que tu y es », dit-il en raflant le bacon d'un coup de fourchette.

J'avais l'impression de rêver. Étaient-ils toujours ainsi ? Si c'était le cas, je ne resterais pas là. Une jeune fille entra et s'affala sur sa chaise.

« C'est ça, s'pèce de salope ! fit le jeune homme. Enlève-moi la nourriture de la gueule !

— Tu sais où tu peux aller », répliqua la fille.

Je les fixais avec une telle intensité que je ne me rendis pas compte que le jeune homme m'observait.

« Dis donc, qu'est-ce que t'as à me faire des yeux de merlan frit, espèce de cochon de Nègre ? fit-il. Enlève-moi ces foutues galettes de dessus le fourneau et pose-les sur la table.

— Oui, m'sieur. »

Deux hommes d'un certain âge entrèrent et prirent place à la table. Jamais je ne pus savoir qui était de la famille, quel degré de parenté les unissait les uns aux autres, ni même si c'était bien une famille. Ils s'injuriaient avec une désinvolture inouïe et personne ne semblait s'en soucier. Tout en s'abreuvant d'insultes, ils se regardaient à peine. J'étais dans un état de tension continuelle, car j'essayais d'aller au-devant de leurs désirs et d'éviter des injures et j'étais loin de soupçonner que la tension que j'avais commencé de ressentir ce matin-là allait devenir la passion dominante de toute ma vie. Peut-être avais-je commencé trop tard à travailler pour les Blancs, peut-être aurais-je dû commencer plus tôt, quand j'étais plus jeune — comme la plupart des jeunes Noirs — peut-être alors la tension serait-elle devenue une habitude, contenue et contrôlée par les réflexes. Mais tel ne devait pas être mon sort ; je devais toujours être conscient de ma condition, y songer constamment, la porter dans mon cœur, vivre avec elle, dormir avec elle, lutter avec elle.

La matinée était fatigante au point de vue physique, mais l'effort nerveux, la crainte que ma manière d'agir n'amène une tempête d'injures sur ma tête, étaient encore plus épuisants. Quand arrivait l'heure d'aller à l'école, j'étais à bout de nerfs. Mais je m'accrochais à cette place parce qu'il y avait assez à manger et que personne ne me surveillait à ce point de vue. J'avais rarement goûté aux œufs et je me rattrapais. Je mettais de gros morceaux de beurre jaune dans une poêle, je battais en toute hâte trois ou quatre œufs et je me confectionnais des œufs brouillés que j'engloutissais par bouchées énormes pour que la femme ne me voie pas. Et j'emportais des verres de lait derrière une porte bien commode et les avalais d'un trait comme s'ils eussent contenu de l'eau.

Bien que la nourriture que je mangeais fortifiât mon corps, un autre problème se posait : mes notes à l'école baissaient beaucoup. Si j'avais été plus fort physiquement, si la tension nerveuse n'avait pas sapé mon énergie déjà limitée, j'aurais pu, en travaillant matin et soir, continuer malgré tout mes études avec succès. Mais au milieu de la journée, je me sentais faiblir ; en classe, j'avais l'impression que l'instituteur et les élèves s'estompaient, et je savais que je sombrais dans le sommeil. J'allais à la fontaine qui se trouvait dans le couloir et je faisais couler de l'eau sur mes poignets, pour me rafraîchir le sang et tâcher de rester éveillé.

Mais le travail avait son côté bienfaisant. A la récréation de midi, je me mêlais avec joie à la foule qui se pressait dans la boutique du coin et je mangeais des sandwiches avec les autres garçons, claquant mon argent sur le comptoir en passant ma commande, tout en échangeant avec les autres des impressions sur les maisons des Blancs dans lesquelles nous travaillions. Je les amusais avec la description des mots imagés de la famille qui s'injuriait, de leurs silences prolongés, de l'indifférence qu'ils se manifestaient mutuellement. Je leur décrivais toute la nourriture que j'ingurgitais dès que la femme avait le dos tourné, et cela les remplissait d'amicale envie.

Parfois, mes camarades examinaient quelque nouvel article d'habillement que j'avais acheté ; aucun de nous ne laissait passer une semaine sans acheter une chose neuve que nous payions à crédit, cinquante *cents* par semaine. Nous savions qu'on nous volait, mais nous n'avions pas assez d'argent pour payer autrement.

Ma mère se remettait rapidement. Je fus transporté de joie quand elle m'exprima son espoir d'avoir bientôt un chez-nous. En dépit de la colère et du dégoût manifestés par grand-mère, ma mère se mit à fréquenter l'église méthodiste du voisinage ;

et de mon côté, je commençai à aller à l'école du dimanche, non pour me conformer au désir de ma mère — elle m'avait effectivement supplié d'y aller — mais pour voir mes camarades de classe et bavarder avec eux.

A l'église protestante noire, je pénétrai dans un monde nouveau ; jeunes puritaines, brunes et guindées, qui enseignaient à l'école communale ; étudiants noirs venus des plantations, qui essayaient de dissimuler leur origine ; filles et garçons noirs chez lesquels on sentait cette gêne et cette gaucherie d'êtres émergeant de l'adolescence ; dévotes matrones jaunes et noires aux seins mafflus ; concierges et bagagistes noirs tout fiers de chanter dans le chœur ; porteurs de gare et charpentiers aux manières onctueuses qui faisaient office de diacres ; femmes de ménage noires et café au lait, aux yeux sans expression, qui hurlaient, gémissaient et se démenaient avec frénésie au rythme des cantiques ; évêques noirs réjouis et bedonnants, vieilles filles desséchées, perpétuellement occupées à organiser des quêtes ; snobisme, pose, coteries, cancans, intrigues, mesquines rivalités de classe, étalage criard de vêtements bon marché... Cela me plaisait et cela me déplaisait ; je désirais vivement me mêler à eux, et cependant quand j'étais parmi eux, je les regardais comme s'ils eussent été à des milliers de lieues de moi. J'avais été tenu trop longtemps écarté de leur monde pour pouvoir jamais m'y intégrer réellement.

Néanmoins, j'avais été si privé de société jusque-

257

là que je me laissai séduire, et pendant quelques mois je vécus la vie d'un optimiste. Sous le signe de la « Renaissance de la Foi », une série de meetings religieux furent organisés à l'église et mes camarades de classe m'exhortèrent à y assister. J'y consentis, plus pour leur faire plaisir que par intérêt pour la religion. Tandis que les offices se déroulaient, soir après soir, ma mère essayait de me persuader de me rallier à l'Église, de sauver enfin mon âme, de devenir membre d'une communauté religieuse digne de confiance. Bien que je leur eusse dit maintes fois que je n'éprouvais aucun sentiment religieux, les garçons de mon équipe me supplièrent de « venir à Dieu ».

« Tu crois en Dieu, n'est-ce pas ? » me demandèrent-ils.

J'éludai la question.

« Mais une aube nouvelle se lève », dirent-ils, et leurs visages prirent une expression lugubre. « Nous ne braillons plus et nous ne gémissons plus à l'église comme autrefois. Assiste aux offices avec nous et deviens un membre de la communauté.

— Oh ! j' sais pas trop, fis-je.

— Nous ne voulons pas te forcer », eurent-ils la délicatesse de me dire, me signifiant par là que si je voulais continuer à les fréquenter, je devrais adhérer.

Le dernier soir du « Réveil religieux » le pasteur pria tous les membres de l'église de se lever. Une bonne partie des assistants se leva. Puis le pasteur demanda aux chrétiens qui n'étaient pas membres de l'église de se lever. D'autres obéirent. Il ne restait plus maintenant que quelques jeunes gens qui, n'appartenant à aucune Église et ne professant aucune foi, se trouvaient disséminés au hasard des bancs, gênés d'être brusquement devenus le point de mire de tous les regards. Ayant ainsi isolé les pécheurs, le pasteur requit les diacres d'amener ceux « qui vivaient dans les ténèbres » à s'entretenir avec lui de l'état de leur âme. Les diacres firent diligence et nous prièrent d'aller dans une pièce voisine parler à l'homme « choisi et oint par le Seigneur ». Ils nous tenaient fermement le bras et se penchaient sur nous avec un sourire tout en nous parlant. Entouré de gens que je connaissais et que j'aimais, avec ma mère qui me regardait dans les yeux d'un air suppliant, il m'était difficile de refuser. Je suivis les autres dans une pièce et nous nous trouvâmes devant le pasteur ; il souriait et nous serra la main.

« Eh bien, jeunes gens, dit-il d'un ton enjoué, en homme qui ne fait pas de phrases, je voudrais que vous appreniez tous à connaître Dieu. Je ne vous demande pas de faire partie de notre communauté religieuse, mais il est de mon devoir d'homme de Dieu de vous dire que vous êtes en danger. Le péril est grand ; seule la prière peut vous venir en aide. Alors je vais demander à chacun de vous de m'accorder une faveur. Je voudrais que vous permettiez aux membres de nótre Église d'adresser une prière au Seigneur pour vous. Voyons, y a-t-il ici un être assez froid, assez dur, assez perdu pour répondre non à cela ? Pouvez-vous refuser de laisser tous ces braves cœurs de notre paroisse prier pour vous ? »

Il fit une pause dramatique et personne n'éleva la voix. La technique de son appel m'était familière ; je me sentais stupide, j'avais une envie folle de sauter par la fenêtre, de courir à la maison et de ne plus penser à tout cela. Mais je restai assis, plus rempli de dégoût que du sentiment du péché.

« Y a-t-il parmi vous quelqu'un qui ose lancer un " non " à la face de Dieu ? »

De nouveau ce fut le silence.

« Et maintenant, je vais vous demander à tous de vous lever, d'entrer dans l'église et de vous asseoir sur le premier banc, dit-il, nous poussant insensiblement à nous engager plus avant. Levez-vous ! » dit-il en levant les mains, la paume en l'air, comme s'il avait eu le pouvoir magique de nous faire lever d'un simple geste.

Je les suivis et nous prîmes place sur un banc, comme des canetons mouillés, face à la congrégation. Une partie de moi-même jurait férocement. Un cantique s'éleva, lent, doux, enveloppant.

C'est peut-être la dernière fois, je ne sais...

Ils le chantaient, le fredonnaient, le gémissaient, et leurs intonations douces, effrayantes, nous laissaient entendre que si nous ne nous ralliions pas à l'Église sur-le-champ nous pourrions mourir pendant notre sommeil, cette nuit même, et aller droit

260

en enfer. Les membres de l'Église comprenaient le défi qui nous était lancé et le volume du chant s'accrut. Pouvaient-ils rendre leur chant assez doux et assez terrifiant pour entraîner notre adhésion, nous faire éclater en larmes et nous écrouler à genoux ? Quelques garçons se levèrent et donnèrent la main au pasteur. Quelques femmes se mirent à crier et à danser de joie. Un autre cantique s'éleva :

C'est pas mon Frère, mais c'est moi, ô Seigneur, Qui ai tant besoin de prières...

Pendant le chant, le pasteur essaya d'une autre ruse encore ; il se mit à psalmodier lugubrement, laissant sa voix se fondre dans le chant, et le dominant de temps à autre avec des phrases plus nettes.

« Combien de mamans de ces jeunes gens avons-nous ici, ce soir ? »

Parmi les autres, ma mère se leva, toute fière.

« Et maintenant, tendres et douces mamans, avancez et venez toutes vous placer là », dit le pasteur.

Dans l'espoir que l'heure tant attendue de mon salut était enfin venue, ma mère s'avança en boitillant, pleurant et souriant à travers ses larmes. Les mères encerclèrent leurs fils, chuchotant, suppliant...

« Et maintenant, tendres et douces mères, symboles de Marie, mère de Dieu, devant la tombe, agenouillez-vous et priez pour vos fils, vos fils uniques », entonna le pasteur.

Les mères s'agenouillèrent. Ma mère me saisit les mains et je sentis sur mes doigts tomber des larmes brûlantes. Je m'efforçai de réprimer mon dégoût. Tous ces jeunes gens dont j'étais avaient été pris au piège par la communauté, par la tribu au sein de laquelle ils vivaient et à laquelle ils appartenaient. Pour sa propre sécurité, la tribu nous demandait de nous unir à elle. Nos mères étaient à genoux et priaient publiquement pour nous amener à faire notre soumission. Le cantique s'acheva et le pasteur se lança dans un sermon hautement symbolique et puissamment chargé d'émotion, nous rappelant que nos mères nous avaient donné naissance, qu'elles nous avaient élevés depuis notre première enfance, qu'elles nous avaient soignés quand nous étions malades, qu'elles nous avaient vus grandir, qu'elles avaient veillé sur nous, qu'elles avaient toujours su ce qui nous convenait le mieux. Il réclama ensuite une nouvelle hymne, qui fut simplement fredonnée. Et sa voix, dominant le chœur, s'éleva sur un ton de plain-chant :

« Et maintenant, je demande à la première d'entre vous, tendres et douces mères, qui aime vraiment son fils, de le conduire vers moi pour le baptême ! »

Nom de Dieu ! me dis-je. C'était arrivé plus vite que je ne m'y attendais. Ma mère me fixait avec intensité.

« Viens, fils, laisse ta vieille maman te mener à

262

Dieu, dit-elle d'un ton suppliant. Je t'ai donné le jour, laisse-moi t'aider à sauver ton âme. »

Elle me saisit la main, mais je résistai.

« J'ai toujours essayé d'être une bonne mère pour toi », me chuchotait-elle à travers ses larmes.

Cette entreprise pour sauver les âmes ne reposait sur aucune donnée morale ; tous les facteurs humains étaient honteusement exploités. En principe, la tribu nous demandait si nous partagions ses sentiments ; si nous refusions de nous rallier à l'Église, cela équivalait à dire non, à adopter une attitude monstrueuse. Une des mères conduisit son fils, déprimé et terrifié, auprès du pasteur parmi des cris d' « amen » et d' « alleluia ».

« Tu n'aimes donc pas ta pauvre vieille maman infirme, Richard ? me demanda ma mère. Ne me laisse pas là debout, les mains vides », ajouta-t-elle, craignant que je ne l'humilie devant tout le monde.

Il ne s'agissait plus de savoir si je croyais ou non en Dieu, si je volais, si je mentais ou si je tuais ; c'était tout bonnement une pressante question d'orgueil, d'orgueil mis à l'épreuve en public, une question de savoir ce que j'avais de commun avec les autres. Si je refusais, cela signifierait que je n'aimais pas ma mère, et dans cette minuscule communauté noire dont tous les membres étaient étroitement liés les uns aux autres, nul n'eût été assez fou pour se placer dans une telle situation. Ma mère me tira par le bras et me conduisit auprès du pasteur ; je lui serrai la main, geste qui faisait de moi un candidat au baptême. Il y eut encore des chants

263

et des prières qui durèrent jusqu'après minuit. Je me sentais mou comme une chiffe en rentrant à la maison. Je n'avais éprouvé qu'une sombre colère et un sentiment écrasant de honte. Mais dans un sens, j'étais content d'en avoir fini ; il n'y avait plus de barrière entre moi et la communauté.

« Maman, je ne sens rien du tout, lui déclarai-je en toute franchise.

— Ne t'inquiète pas, ça viendra », m'assura-t-elle.

Et lorsque je confessai aux autres garçons que je ne ressentais rien, ils m'avouèrent qu'ils ne ressentaient rien non plus. Mais ce qui importe, c'est d'être membre de l'Église, disaient-ils.

Le dimanche du baptême arriva. Je revêtis mes plus beaux habits et arrivai en nage à l'église. Les candidats se pressaient pour écouter un sermon dans lequel la route du salut était tracée, du berceau à la tombe. Ensuite, on nous fit avancer sur le devant de l'église et on nous fit mettre en rang. Le pasteur, drapé de blanc, trempa une petite branche dans un grand bol d'eau et la promena au-dessus de la tête du premier candidat.

« Je te baptise au nom du Père, du Fils et du Saint-Esprit », prononça-t-il d'une voix sonore en secouant la branche mouillée. Des gouttes coulèrent sur le visage du jeune garçon.

Il alla de l'un à l'autre, trempant chaque fois la branche dans l'eau. Finalement, mon tour vint ; j'étais contracté et je me sentais stupide ; j'aurais voulu lui crier de s'arrêter ; j'aurais voulu lui dire que tout ceci n'était que sottises. Mais je me tus. Il secoua la branche mouillée au-dessus de ma tête et fit tomber des gouttes d'eau sur ma figure et mon crâne ; quelques-unes me coulèrent dans le cou et me mouillèrent le dos ; je les sentais courir comme des insectes sur ma peau. J'avais envie de me tortiller, mais je me tins tranquille, c'était fini. Je me détendis. Le pasteur secouait la branche au-dessus de la tête d'un autre garçon. Je poussai un soupir. J'étais baptisé.

Même après avoir reçu la poignée de main « confraternelle », je m'ennuyais ferme à l'école du dimanche. Les histoires de la Bible me semblaient monotones et dénuées d'intérêt quand je les comparais aux tempêtes sanglantes de la littérature bon marché. Et je n'étais pas seul à penser ainsi ; certains de mes camarades s'endormaient à l'école du dimanche. Un beau jour, les plus hardis d'entre nous finirent par admettre que toute l'entreprise n'était qu'une vaste supercherie, et dès lors nous fîmes l'école buissonnière.

A l'approche de l'été, ma mère eut une nouvelle attaque de paralysie et de nouveau je dus la regarder souffrir, l'entendre gémir, sans pouvoir la soulager. La nuit, je restais éveillé et je revoyais en pensée les jours passés dans l'Arkansas ; je reconstituais la vie de ma mère, revivant certains événements et me demandant pourquoi elle avait apparemment été choisie pour tant d'épreuves, tant de souffrances sans objet, et à cette idée j'éprouvais plus de crainte que je n'en avais jamais ressenti à l'église. Mon esprit ne trouvait pas de réponse et un sentiment de révolte montait en moi ; je m'insurgeais contre la vie. Mais jamais je n'éprouvai d'humilité.

Un autre changement eut lieu à la maison. Nous avions grand besoin d'argent, aussi grand-mère et tante Addie décidèrent-elles que nous ne pourrions plus occuper toute la maison, et oncle Tom et sa famille furent invités à demeurer au premier, pour un loyer insignifiant. La salle à manger et le « salon » furent convertis en chambres à coucher et pour la première fois nous nous trouvâmes à l'étroit au point de vue logement. Nous ne tardâmes pas à nous porter mutuellement sur les nerfs. Oncle Tom avait été pendant trente ans instituteur dans les écoles de campagne et il ne fut pas plus tôt installé qu'il se mit en devoir de me sermonner au sujet de la vie que je menais. Comme je ne l'écoutais pas, il m'en voulut.

A présent, j'étais réveillé le matin par un grand remue-ménage à la cuisine. Un tintamarre de casseroles et de marmites m'apprenait qu'oncle Tom et sa famille étaient en train de déjeuner. Un matin, je fus réveillé par la voix de mon oncle qui m'appelait doucement, mais avec insistance. J'ouvris les yeux et je vis la vague tache que faisait son visage me regarder par l'entrebâillement de la porte.

« Quelle heure as-tu ? crus-je l'entendre demander, sans en être très sûr.

— Hum ? répondis-je d'une voix pâteuse.

— Quelle heure as-tu ? » répéta-t-il.

Je me soulevai sur un coude et je regardai ma montre d'un dollar qui était posée sur une chaise à côté de mon lit.

« Cinq heures dix-huit, marmonnai-je.

— Cinq heures dix-huit ? demanda-t-il.

— Oui, mon oncle.

— Es-tu sûr que ce soit l'heure exacte ? » fit-il.

J'étais fatigué, j'avais sommeil ; je n'avais nulle envie de consulter encore une fois ma montre, car j'étais persuadé de lui avoir à peu près donné l'heure juste.

« C'est exact, dis-je en me renfonçant douillettement dans mes couvertures. En tout cas, il ne s'en faut pas de beaucoup. »

Il y eut un bref silence, je crus qu'il était parti.

« Qu'est-ce que c'est que cette façon de répondre ? Qu'est-ce que tu veux dire ? » s'écria-t-il soudain d'une voix frémissante de colère.

Je m'assis dans mon lit, clignant des yeux, fixant l'obscurité de ma chambre, m'efforçant de distinguer l'expression de son visage.

« Ce que je veux dire ? fis-je, complètement éberlué. Je veux dire ce que j'ai dit. » L'avais-je mal renseigné ? De nouveau je consultai ma montre. « Il est cinq heures vingt, maintenant.

— Espèce de petit voyou ! » clama-t-il.

Je repoussai les couvertures de mon lit, pressentant du vilain.

« Qu'est-ce que vous avez à être en colère ? demandai-je.

— Je n'ai jamais vu un petit démon plus effronté que toi », bredouilla-t-il.

D'une secousse, je posai mes pieds sur le plancher pour pouvoir le surveiller.

« Qu'est-ce que vous racontez ? demandai-je. Vous m'avez demandé l'heure et je vous l'ai donnée.

— En tout cas, il ne s'en faut pas de beaucoup, fit-il en singeant ma voix, d'un ton irrité et sarcastique. J'ai enseigné à l'école pendant trente ans et jamais personne ne m'a encore répondu de cette façon !

— Mais qu'est-ce que j'ai dit de mal ? demandais-je, ahuri.

— Tais-toi ! s'écria-t-il. Ou sans ça je vais te les faire rentrer dans ta gorge avec mon poing, tes paroles de sale petit effronté ! Si tu dis encore un seul mot, je vais chercher un bâton et te corriger comme tu le mérites.

— Qu'est-ce qui vous prend, oncle Tom ? demandai-je. Qu'est-ce que j'ai dit de mal ? »

J'entendais le sifflement que faisait sa respiration dans sa gorge ; je savais qu'il était furieux.

« Aujourd'hui tu vas recevoir la fouettée qu'on aurait dû te donner il y a longtemps », promit-il solennellement.

Je me suis mis debout et j'empoignai mes vêtements ; toute cette histoire me semblait irréelle. Je venais d'être provoqué de façon si soudaine et si inattendue que je n'arrivais pas à rassembler tous les fils de la situation. Je n'éprouvai pas le sentiment de lui avoir donné un motif de me traiter de voyou et d'effronté. Je lui avais parlé comme je parlais à tout le monde. Les autres n'avaient pas mal pris mes paroles, pourquoi s'en formalisait-il ? Je l'entendis sortir par la porte de la cuisine et j'en déduisis qu'il était allé dans la cour. J'enfilai mes vêtements et je courus à la fenêtre. Je le vis arracher une longue branche verte d'un ormeau. Mon corps se contracta. Du diable si j'allais me laisser battre par lui. Avant ces quelques jours qui venaient de s'écouler, il n'avait jamais vécu auprès de moi, il n'avait jamais eu son mot à dire dans mon éducation ou mon manque d'éducation. Je travaillais, je prenais mes repas en dehors de la maison, j'achetais des vêtements et je donnais les quelques sous que je pouvais donner à grand-mère pour aider à subvenir aux frais du ménage. Et voilà que sous prétexte qu'il me trouvait impoli, cet oncle étranger allait me dicter ma conduite et me traiter comme si j'eusse été un jeune Noir frais débarqué des plantations ; il allait m'apprendre à sourire, à pencher la tête, à murmurer des excuses quand on me parlait...

Mon sang ne fit qu'un tour. Non, il ne me battrait pas. Il bluffait. Sa colère allait passer. Il réfléchirait et se rendrait compte que le jeu n'en valait pas la chandelle. Ayant fini par m'habiller, j'attendais, assis tout habillé au bord de mon lit. J'entendis ses pas sur les marches de la cuisine. Une faiblesse m'envahit. Combien de temps cela dure-rait-il ? Pendant combien de temps continuerait-on à me battre pour des niaiseries, pour moins que des niaiseries ? J'étais déjà dans une telle disposition à l'égard des membres de ma famille qu'en passant à côté d'eux j'étais agité de tics nerveux ; et maintenant j'allais être corrigé par quelqu'un qui n'aimait pas le ton sur lequel je parlais. Je traversai la chambre d'un bond, j'ouvris le tiroir de la commode et, m'emparant de mon paquet de lames de rasoir, je l'ouvris et je pris une mince lame d'acier bleu dans chaque main. Maintenant je pouvais l'attendre de pied ferme. La porte s'ouvrit. J'espérais contre tout espoir que tout ceci n'était pas vrai, que ce rêve allait finir.

« Richard ! appela-t-il d'une voix calme, glaciale.

— Oui, m'sieur, répondis-je, m'efforçant de ne pas laisser percer l'agitation qui m'étreignait.

— Viens ici. »

Je m'avançai jusqu'à la cuisine, les yeux rivés sur lui, mes mains tenant les rasoirs cachés derrière mon dos.

« Mais enfin, oncle Tom, qu'est-ce que vous me voulez ? lui demandais-je.

— Tu as besoin d'une leçon. Je vais t'apprendre une fois pour toutes comment on se conduit avec les gens, fit-il.

— Si j'ai besoin d'une leçon ce n'est pas vous qui me la donnerez, ripostai-je.

— Tu regretteras ce que tu viens de dire avant que j'en aie fini avec toi !

— Écoutez bien, oncle Tom, dis-je. Vous ne me fouetterez pas. Pour moi, vous êtes un étranger. Ce n'est pas vous qui me faites vivre. Et je ne suis pas chez vous.

— Ferme ton sale bec et file dans la cour », fit-il
d'un ton cinglant.

Il n'avait pas vu les rasoirs dans mes mains.
M'esquivant par la porte de la cuisine, je franchis
d'un bond le perron et me retrouvai debout près de
la porte d'entrée. Il descendit les marches en
courant et s'avança en levant sa baguette.

« J'ai un rasoir dans chaque main ! lui dis-je
d'une voix sourde et chargée de menace. Si vous me
touchez, je vous coupe ! Je serai p'têt' coupé aùssi,
mais je vous jure que je vous fais une entaille ! »

Il s'arrêta, les yeux fixés sur mes mains levées
dans la lumière de l'aube. Je tenais une lame
tranchante d'acier bleu bien serrée entre le pouce et
l'index de chaque main.

« Grands dieux ! fit-il dans un souffle.

— Je ne voulais pas vous vexer, ce matin, lui dis-
je. Vous prétendez que si. Eh bien, moi je vous dis
que j'veux être pendu si je me laisse fouetter sous
prétexte que vous vous vexez pour rien.

— Tu es le pire criminel que j'aie jamais vu,
s'exclama-t-il à mi-voix.

— Si vous voulez vous battre, je suis prêt. C'est
comme ça que ça se passera entre nous, lui dis-je.

— Tu ne feras jamais rien de bon, dit-il en
secouant la tête et en clignant des yeux d'un air
ahuri.

— Ce n'est pas ça qui me tracasse, dis-je. Tout ce
que je vous demande, c'est de me laisser tranquille
une fois pour toutes...

— Tu finiras à la potence, prophétisa-t-il.

— Possible, mais en tout cas, ce ne sera pas à cause de vous », dis-je.

Il me regarda en silence, il ne me croyait évidemment pas, car il fit un pas en avant pour me mettre à l'épreuve.

« Lâche ces lames de rasoir, ordonna-t-il.

— Je vais vous couper ! Je vais vous couper ! » m'écriai-je d'une voix démente, tout en reculant et en tranchant le vide de mes mains armées d'acier.

Il s'arrêta ; il n'avait encore jamais eu à affronter une personne animée d'une résolution plus sauvage. De temps à autre, il clignait des yeux et secouait la tête.

« Imbécile ! brailla-t-il subitement.

— Je vous ferai saigner si vous me touchez ! » lui dis-je en manière d'avertissement.

Sa poitrine se soulevait et son corps parut se voûter.

« Quelqu'un te matera, fit-il.

— Ça ne sera pas vous !

— Tu trouveras ton maître un jour.

— Ça ne sera pas vous !

— Et dire que tu viens juste d'être baptisé, fit-il d'une voix sourde.

— Opi, oh ! ça je m'en fous ! » dis-je.

Nous étions plantés là dans la lumière du petit matin et le soleil se montrait à l'horizon. Des coqs chantaient, un oiseau gazouillait tout près. Peut-être les voisins nous écoutaient-ils. Finalement, le

272

visage d'oncle Tom fut agité de tiraillements. Des larmes commencèrent à couler sur ses joues. Ses lèvres tremblaient.

« Je te plains, mon garçon, dit-il enfin.

— C'est vous qui êtes à plaindre, répliquai-je.

— Tu te crois un homme », dit-il en abaissant le bras et en laissant traîner sa baguette dans la poussière de la cour. (Ses lèvres se mouvaient tandis qu'il cherchait ses mots.) « Mais tu apprendras, la vie se chargera de te dresser. Je voudrais pouvoir être un exemple pour toi. »

Son attitude me montrait que j'avais triomphé de lui, que je m'étais débarrassé de lui, mais je voulus m'en assurer complètement.

« Vous n'êtes pas un exemple pour moi, vous ne pourriez jamais l'être, lui lançai-je avec dédain. Vous êtes un *avertissement*. Votre vie n'est pas tellement brillante, pour que vous veniez me donner des conseils. » (Il était rempailleur de chaises depuis qu'il avait quitté l'enseignement.) « Vous vous imaginez que j'ai envie de faire ce que vous faites, quand je serai grand : rempailler des fonds de chaises pour que les gens s'assoient dessus ? »

Il frissonna violemment, s'efforçant de se maîtriser.

« Tu regretteras ce que tu viens de dire », marmonna-t-il.

Puis il tourna son long corps maigre et voûté et gravit lentement les marches. Je restai un long moment assis sur le pas de la porte, attendant que mes émotions se calment. Puis je me glissai avec

273

précaution dans la maison, et prenant mon chapeau, mon manteau et mes livres, je me rendis à
mon travail, je m'en fus subir les caprices des
Blancs.

CHAPITRE VII

L'été. Journées lumineuses et brûlantes. La faim toujours présente, toujours une part vitale de mon être conscient. Passer à côté de mes proches dans le corridor de la maison surpeuplée et ne pas leur parler. Manger en silence à une table où l'on récite des prières. Ma mère se remet lentement, mais elle est maintenant infirme à vie. Pourrai-je retourner à l'école en septembre ? Solitude. Lectures. La chasse au travail. De vagues espoirs d'aller dans le Nord. Mais qu'adviendrait-il de ma mère si je la laissais dans cette bizarre maison ? Et que deviendrais-je dans une ville étrangère ? Doutes. Crainte. Mes amis s'achètent des costumes à pantalons longs qui coûtent de dix-sept à vingt dollars, une somme qui me paraît aussi énorme que les Alpes. Telle était ma situation en 1924.

Ayant entendu dire qu'on embauchait dans une briqueterie voisine, j'allai m'informer. J'étais frêle, je ne pesais pas quarante-cinq kilos. A midi, je me faufilai dans la cour de la fabrique et je déambulai à travers les allées où l'argile humide exhalait une

275

odeur de propreté ; trouvant devant moi une brouette remplie de briques humides qui sortaient du moule, je saisis les poignées de la brouette et j'eus beaucoup de peine à la soulever ; elle pesait peut-être quatre fois mon poids. Si seulement j'étais plus fort et plus lourd !

Un peu plus tard, je me renseignai et j'appris que le porteur d'eau n'était pas venu travailler ; je courus au bureau et je fus embauché. Je me promenais sous le soleil brûlant, traînant un grand seau de zinc d'une équipe d'ouvriers noirs à l'autre pour un dollar par semaine ; les hommes portaient la louche de fer-blanc à leurs lèvres, prenaient une gorgée d'eau, se rinçaient la bouche, crachaient, puis buvaient lentement à longs traits tandis que la sueur dégouttait dans la louche. Et je m'en allais en poussant mon cri :

« Porteur d'eau ! »

Et quelqu'un criait : « Par ici ! »

M'enfonçant dans des cratères d'argile, dans des fossés gluants, montant des pentes glissantes, je peinais, traînant mon seau. Cependant je tenais bon, chancelant de faim par moments, m'arrêtant pour reprendre mon souffle avant d'escalader un monticule. A la fin de la semaine l'argent s'engloutissait dans les dépenses incessantes de la maison. Plus tard, j'obtins dans le chantier un travail qui me rapportait un dollar et demi par semaine : je triais les briques... je circulais entre les murs d'argile et je ramassais les briques fendues ; quand ma brouette était pleine, je la menais sur une montée en bois et la vidais dans une mare.

Je n'avais qu'une peur : un chien. Il appartenait au patron de la briqueterie et il errait dans les allées d'argile en grognant et en essayant de mordre. Le chien avait été blessé à plusieurs reprises, car les ouvriers noirs lui jetaient tout le temps des briques. Aussitôt que je voyais l'animal, je saisissais une des briques de ma charge et je la lui lançais ; il s'esquivait pour reparaître plus tard en montrant ses crocs. Plusieurs Nègres avaient été mordus et avaient été malades ; on avait demandé au patron d'attacher le chien, mais il avait refusé. Un après-midi, alors que je poussais ma brouette vers la mare, quelque chose d'aigu s'enfonça dans ma cuisse. Je fis volte-face, le chien était accroupi à quelques pas de là, grognant et retroussant ses babines. Il m'avait mordu. Je chassai le chien et je défis mon pantalon ; les marques de ses dents étaient rouges et profondes.

Je me souciais assez peu de la douleur cuisante, mais j'avais peur d'une infection. Quand je me présentai au bureau pour déclarer que le chien du patron m'avait mordu, je fus reçu par une jeune fille blanche, grande et blonde.

« Qu'est-ce que vous voulez ? demanda-t-elle.

— J' voudrais voir le patron, m'dame.

— Pourquoi ?

— Son chien m'a mordu, m'dame, et j'ai peur que ça ne s'infecte.

— Faites-moi voir, dit-elle.

277

— Oh! non, m'dame, j' pourrais pas voir le patron ?

— Il n'est pas là pour l'instant », fit-elle, puis elle se rassit et se remit à taper à la machine.

Je retournai à mon travail, m'arrêtant de temps à autre pour examiner la morsure. Elle enflait. Au cours de l'après-midi, un Blanc de haute taille qui portait un vêtement d'été blanc et léger, un panama et des souliers blancs, vint me trouver.

— C'est ce Nègre-là ? fit-il en me désignant du doigt à un autre garçon noir.

— Oui, m'sieur, répondit l'autre.

— Hé, le Nègre, viens ici ! » me cria-t-il.

Je m'avançai vers lui.

« Paraît que mon chien t'a mordu ?

— Oui, m'sieur. »

Je défis mon pantalon et il regarda :

« Hummm », grogna-t-il, puis il se mit à rire :

« Une morsure de chien ne peut pas faire grand mal à un Nègre.

— Ça enfle et ça me fait mal, dis-je.

— Si ça devient embêtant, fais-moi prévenir, dit-il ; mais je n'ai encore jamais vu de chien capable d'abîmer vraiment un Nègre. »

Il fit demi-tour et s'en alla, et les jeunes Noirs se réunirent pour regarder disparaître sa longue silhouette dans les allées de briques humides.

« L'enfant de salaud !

— Il le paiera un jour !

— Ce qu'ils ont le cœur dur, quand même !

— Seigneur, les Blancs sont vraiment capables de tout.

— Vous avez fini de dire vos prières, là-bas ? Allez, circulez ! » hurla le contremaître blanc.

Les brouettes se remirent en mouvement. Un jeune homme me frôla.

« Tu ferais bien de voir un médecin, me chuchota-t-il.

— J'ai pas d'argent », fis-je.

Deux jours se passèrent et heureusement la rougeur et l'enflure disparurent.

L'été s'avançait et la briqueterie ferma ; je me trouvai de nouveau sans travail. J'entendis dire que l'on demandait des caddies et je parcourus huit kilomètres jusqu'au terrain de golf. Je fus engagé par un Blanc au visage sanguin, à raison de cinquante *cents* les neuf trous. Je ne connaissais pas le jeu, et je perdis trois balles en autant de minutes ; il semblait que mes yeux fussent incapables de suivre la balle dans sa trajectoire. L'homme me renvoya. Je restai à observer les autres caddies dans l'exercice de leurs fonctions, et au bout d'une demi-heure j'étais nanti d'un autre sac de golf et je suivais une balle. Je me fis un dollar. Je rentrai à la maison, dégoûté, fatigué, affamé et incapable de souffrir la vue d'un autre terrain de golf.

La rentrée des classes eut lieu et je m'inscrivis, bien que je ne me fusse pas préparé. L'école était à l'autre bout de la ville, et le chemin que je devais parcourir absorbait à lui seul mon déjeuner de bouillie de maïs et de sauce au saindoux. Je suivis la classe sans avoir de livres pendant un mois, puis je trouvai une place où je travaillais le matin et le soir pour trois dollars par semaine.

Je devenais silencieux et réservé. A mesure que la nature du monde autour de moi se révélait de façon nette et probante, l'avenir sinistre que je voyais poindre affectait ma volonté d'étudier. Grand-mère avait déjà suggéré qu'il était temps que je me suffise. Mais qu'avais-je appris jusque-là qui pût m'aider à gagner ma vie ? Rien. Je pouvais être postier comme mon père l'avait été avant moi, mais quoi d'autre ? Et le problème de la vie pour un Nègre était dur et rebutant... Qu'est-ce qui rendait la haine des Blancs pour les Noirs si constante, qu'est-ce qui la mêlait — eût-on dit — si intimement à la contexture des choses ? Quel était le genre de vie possible avec cette haine ? D'où provenait-elle ? On n'enseignait rien de ce problème en classe, et chaque fois que je soulevais la question avec mes camarades, ils demeuraient silencieux ou la tournaient en plaisanterie. Ils étaient loquaces à propos des petits torts individuels qu'ils subissaient, mais n'étaient pas tourmentés par le désir de connaître le tableau dans son ensemble. Alors, de quoi me souciais-je ?

Étais-je réellement aussi mauvais que mes oncles, mes tantes et grand-mère me le répétaient ? Pourquoi était-ce mal de poser des questions ? Avais-je raison de résister aux punitions ? Il me semblait inconcevable de se soumettre à ce qui était faux, et la plupart des personnes que j'avais vues me semblaient raisonner faux. Devait-on se soumettre à une autorité même si on ne la trouvait pas fondée ? Si la réponse était affirmative, j'étais destiné à toujours avoir tort, car je savais que je ne pourrais jamais le faire. Alors comment pouvait-on vivre dans un monde dans lequel l'intelligence et la perception des faits ne voulaient rien dire, et où l'autorité et la tradition étaient tout ? Il n'y avait pas de réponse.

En huitième, les jours filaient, toujours dominés par la faim ; je prenais de plus en plus conscience de ma personnalité. Les cours m'ennuyaient ; je restais là assis à méditer, à rêver. Par un long après-midi stérile, je pris mon cahier de compositions et je décidai d'écrire une histoire ; uniquement par désœuvrement. Qu'est-ce que j'allais bien pouvoir raconter ? Finalement, cela devint l'histoire d'un gredin qui complotait de s'emparer de la maison d'une veuve et je l'intitulai *Le Vaudou du demi-arpent de l'Enfer*. Il y régnait une ambiance très rudimentaire, et de l'émotion ; dans l'ensemble, c'était une œuvre purement instinctive avec des passages de psychologie intuitive. Je la terminai en trois jours et ensuite je me demandai ce que je pourrais bien en faire.

Le journal nègre local : c'est cela... je filai d'une traite au bureau et là je mis mon cahier de composition en loques, sous le nez de l'homme qui s'intitulait directeur.

« Qu'est-ce que c'est ? demanda-t-il.

— Une histoire, répondis-je.

— Un fait divers ?

— Non, un conte.

— C'est bon, je le lirai », dit-il.

Il repoussa mon cahier de composition sur son bureau et me regarda avec curiosité, en tétant sa pipe.

« Mais je voudrais que vous le lisiez *tout de suite* », insistai-je.

Il cligna des yeux. Je n'avais aucune idée de la façon dont s'imprimait un journal. Je croyais qu'on apportait un article au directeur, qu'il s'asseyait pour le lire sur-le-champ et vous disait oui ou non.

« Je vais le lire, et je vous en parlerai demain », dit-il.

J'étais déçu ; j'avais mis du temps à l'écrire et il ne semblait pas montrer le moindre enthousiasme.

« Rendez-moi mon histoire », dis-je en tendant la main pour la reprendre.

Il me tourna le dos, prit le cahier et en lut une dizaine de pages ou davantage.

« Revenez donc demain, dit-il. D'ici là, je l'aurai terminée. »

En toute sincérité, je me détendis.

« Très bien, répondis-je, je passerai demain. »

Je partis, convaincu qu'il ne la lirait pas. A qui pourrais-je la présenter après qu'il l'aurait refusée ? Le lendemain après-midi en allant à mon travail, j'entrai au bureau du journal.

« Où est mon histoire ? demandai-je.

— A la composition, répondit-il.

282

— Comment ça ? (Je ne savais pas ce que cela voulait dire.)

— On est en train de le composer en caractères d'imprimerie, précisa-t-il. Nous la publions.

— Combien me donnerez-vous ? demandai-je, tout excité.

— Nous ne pouvons pas payer la copie, fit-il.

— Mais vous vendez vos journaux pour de l'argent, dis-je, non sans logique.

— Oui, mais nous débutons dans la partie, expliqua-t-il.

— Vous me demandez de vous faire cadeau de mon histoire, mais vous ne faites pas cadeau de vos journaux », dis-je.

Il se mit à rire.

« Écoutez, vous débutez dans le métier. Du fait que nous vous publions, votre nom va être connu de nos lecteurs. Il me semble que c'est quelque chose, fit-il.

— Mais si mon histoire est assez bonne pour être vendue à vos lecteurs, alors vous devriez me donner une partie de l'argent qu'elle va vous rapporter », insistai-je.

Il se remit à rire, et je sentis que je l'amusais.

« Je vais vous proposer quelque chose de plus précieux que de l'argent, dit-il, je vais vous donner l'occasion d'apprendre à écrire. »

Cela me fit plaisir, mais je gardais néanmoins l'impression qu'il profitait de moi.

« Quand publierez-vous mon histoire ?

— Je la fais paraître en trois fois, répondit-il. Le

premier chapitre paraîtra cette semaine. Mais ce qui m'intéresse, c'est ceci : voulez-vous me dénicher de l'actualité ? Vous serez payé à la ligne.

— Je travaille le matin et le soir pour trois dollars par semaine, répondis-je.

— Ah ! fit-il. Dans ce cas, vous feriez bien de ne pas lâcher ça. Mais qu'est-ce que vous faites cet été ?

— Rien.

— Alors venez me voir avant de prendre une autre place. Et continuez à écrire des nouvelles. »

Quelques jours plus tard, je vis venir à moi mes camarades de classe, l'air égaré ; ils avaient tous des numéros du *Southern Register*.

« C'est toi qui as écrit cette histoire ? me demandèrent-ils.

— Oui.

— Pourquoi ?

— Parce que ça me plaisait.

— Dans quoi l'as-tu prise ?

— Je l'ai inventée.

— C'est pas vrai. Tu l'as copiée dans un livre.

— Si je l'avais copiée, personne ne la publierait.

— Mais pourquoi ils la publient ?

— Pour que les gens la lisent.

— Qui t'a conseillé de faire ça ?

— Personne.

— Alors pourquoi l'as-tu fait ?

— Parce que ça me plaisait », répétai-je.

Ils étaient convaincus que je ne leur disais pas la vérité. Nous n'avions jamais suivi de cours de littérature à l'école ; de littérature nationale ou

284

nègre, il n'était jamais question. Mes camarades n'arrivaient pas à comprendre pour quelle raison on pouvait bien avoir envie d'écrire une histoire ; et ce qui les déroutait par-dessus tout, c'était que je l'eusse intitulée : *Le Vaudou du demi-arpent de l'Enfer.* La disposition d'esprit dans laquelle une histoire pouvait s'élaborer était pour eux la chose la plus étrange qui se pût concevoir. Ils me regardaient d'un nouvel œil et un éloignement, une suspicion s'établirent entre nous. Si j'avais pensé quelque chose en écrivant cette histoire, c'était qu'elle me rendrait peut-être plus acceptable à leurs yeux, et voilà qu'elle me séparait plus que jamais de leur groupe.

A la maison, les conséquences n'en furent pas moins désastreuses.

Grand-mère vint dans ma chambre un matin de bonne heure et s'assit sur mon lit.

« Richard, qu'est-ce que tu fais imprimer dans le journal ? demanda-t-elle.

— Une histoire, répondis-je.

— Sur quoi ?

— Simplement une histoire, grand-mère.

— Mais il paraît qu'elle est passée trois fois.

— C'est la même histoire. Mais elle est en trois parties.

— Mais de quoi s'agit-il ? » insista-t-elle.

Je me dérobai, de peur de me laisser entraîner dans une discussion religieuse.

« C'est simplement une histoire que j'ai inventée, dis-je.

285

— Alors, c'est un mensonge.

— Oh ! Grands dieux ! fis-je.

— Je ne veux plus de toi dans cette maison, si tu prostitues le nom du Seigneur, fit-elle.

— Écoute, grand-mère... je m'excuse, dis-je. Mais ça m'est difficile de t'expliquer ce qu'est l'histoire. Tu comprends, grand-mère, tout le monde sait qu'elle n'est pas vraie, mais...

— Alors pourquoi l'écrire ?

— Parce que des gens pourraient avoir envie de la lire.

— C'est de l'ouvrage de Satan », fit-elle en me plantant là.

Ma mère s'inquiétait, elle aussi.

« Tu devrais être plus sérieux, fils, me dit-elle. Te voilà grand, maintenant, et tu ne trouveras pas de place si tu laisses croire aux gens que tu as la cervelle dérangée. Imagine que le directeur de l'Enseignement veuille te demander d'être instituteur ici, à Jackson, et qu'il apprenne que tu as écrit des histoires. »

Qu'aurais-je pu lui répondre ?

« Rassure-toi, tout ira bien, maman », dis-je.

Oncle Tom, encore que surpris, me critiqua dédaigneusement. L'histoire ne rimait à rien, selon lui, et quelle idée biscornue d'appeler un conte : *Le Vaudou du demi-arpent de l'Enfer*. Tante Addie déclara que c'était un péché d'employer le mot « enfer », et elle ajouta que je tournais mal parce que je n'avais personne pour me guider. Elle rejeta tout le blâme sur la façon dont j'avais été élevé.

Tout cela finit par me mettre dans un tel état d'irritation que je ne voulus plus entendre un mot sur ce sujet.

De nulle part, à l'exception du directeur du journal nègre, ne m'était venue la moindre parole d'encouragement. Le bruit courait que le directeur de l'école voulait me demander des explications parce que j'avais employé le mot « enfer ». J'avais l'impression d'avoir commis un crime. Eussé-je réalisé à quel point je m'opposais aux tendances de mon milieu, que la peur m'aurait à tout jamais ôté l'envie d'essayer d'écrire. Mais je ne réagissais qu'à l'attitude de mon entourage et je ne faisais ni spéculations ni généralisations.

Je rêvais d'aller dans le Nord et d'écrire des livres, des romans. Le Nord symbolisait pour moi tout ce que je n'avais encore jamais senti ni vu ; et cela n'avait pas le moindre rapport avec ce qui existait réellement. Cependant, le fait d'imaginer un lieu où tout était possible, me permettait de garder un espoir vivant en moi. Mais où avais-je pris cette idée de quitter la maison, cette notion que je pourrais accomplir dans l'avenir quelque chose qui serait reconnu par les autres ? J'avais naturellement mon bagage d'histoires d'Horatio Algers, de romans d'aventures ; je connaissais par cœur le *Comment devenir riche rapidement* de Wallingford, bien que j'eusse assez de bon sens pour ne pas espérer devenir riche, car même pour mon imagination naïve, une telle possibilité était vraiment trop brumeuse. Je savais que je vivais dans un pays où les aspirations des Noirs étaient circonscrites, délimitées. Cependant, j'avais le sentiment que je devais m'en aller quelque part et faire quelque chose qui rachèterait ma vie.

Le rêve que j'échafaudais, tout le système d'éducation du Sud avait pour mission de l'étouffer. L'État du Mississippi avait dépensé des millions de dollars pour s'assurer que je n'éprouverais jamais les sentiments que j'étais précisément en train d'éprouver ; je commençais à ressentir ce que les lois de ségrégation des Nègres devaient empêcher de laisser parvenir à ma conscience ; j'agissais d'après les impulsions que les sénateurs du Sud, dans la capitale de notre pays, s'étaient efforcés d'éliminer de la vie noire ; je commençais à rêver les rêves que l'État avait proclamés faux, dont les écoles avaient dit qu'ils étaient tabous.

Si j'avais été plus explicite quant à mes ultimes aspirations, on m'aurait probablement expliqué ce à quoi je m'exposais ; mais personne n'avait l'air de le savoir, et moi encore moins que les autres. Mes camarades de classe avaient le sentiment que je faisais quelque chose de vaguement répréhensible, mais ils ne savaient pas comment l'exprimer. Plus le monde extérieur acquérait de sens à mes yeux, plus je m'inquiétais, plus je me contractais, ce qui faisait dire à mes camarades et à mes professeurs : « Pourquoi poses-tu tant de questions ? » Ou simplement : « Tais-toi. »

Je n'avais que quatorze ans. Au point de vue scolaire, j'étais très en retard sur la moyenne des jeunes gens du pays, mais je l'ignorais. En moi naissait le désir d'une sorte de conscience, d'un mode d'existence qui étaient niés et bannis par tout ce qui m'entourait et qui étaient sanctionnés par la peine de mort. Quelque part au cœur de la nuit du Sud, ma vie avait été aiguillée sur une fausse voie, et sans que j'en eusse conscience, la locomotive de mon cœur descendait à toute allure une pente raide et dangereuse, allant au-devant d'une collision, au mépris des feux rouges qui scintillaient autour de moi, des sirènes, des coups de sifflets, et des hurlements qui remplissaient l'atmosphère.

CHAPITRE VIII

L'été de nouveau. Le vieux problème de la chasse au travail. Je déclarai à la dame chez qui je travaillais, une certaine Mme Bibbs, que je voulais trouver un emploi assez rémunérateur pour me permettre d'acheter des vêtements et des livres en vue de la prochaine année scolaire. Elle en parla à son mari qui était contremaître dans une scierie.

« Alors tu veux travailler au chantier ?

— Oui, m'sieur. »

Il vint vers moi, me prit sous les bras et me souleva comme il eût fait d'un sac de plumes :

« Tu es trop léger pour notre genre de travail, dit-il.

— Mais je pourrais peut-être faire quelque chose, à la scierie, insistai-je.

— C'est bien là le problème, fit-il d'un ton bref, le travail est dur et dangereux. »

Il se tut et je compris qu'il considérait l'affaire comme close. C'est ainsi qu'étaient les rapports entre Blancs et Noirs dans le Sud ; on ne parlait jamais ouvertement de la plupart des sujets importants. On les minimisait et on n'y faisait allusion que de façon indirecte. De mon côté, je ne dis mot ; mais je ne quittai pas la pièce ; rester debout devant lui sans rien dire équivalait à lui demander de reconsidérer la question, à lui faire entendre que je désirais ardemment travailler dans son chantier.

« C'est bon, dit-il finalement, viens à la scierie demain matin, je verrai ce que je peux faire. Mais je ne crois pas que ça te plaise. »

Le lendemain à l'aube, je me présentai au chantier et je vis des hommes soulever d'énormes troncs à l'aide de poulies. Il y avait des dizaines de scies d'acier bourdonnantes qui mordaient dans le bois vert avec de longs hurlements.

« Attention ! » cria quelqu'un.

Je me tournai pour regarder et je vis un Noir désigner quelque chose au-dessus de ma tête. Je levai les yeux. Un tronc d'arbre m'arrivait dessus en se balançant. Je me mis précipitamment hors de portée. Le Noir vint se placer à côté de moi.

« Qu'est-ce que tu viens faire ici, mon garçon ?

— M. Bibbs, le contremaître, m'a dit de jeter un coup d'œil. Je cherche de l'embauche », dis-je.

L'homme me regarda attentivement.

« A ta place, je chercherais ailleurs, fit-il. Quand on connaît le truc ça va, mais pour un bleu, c'est pas indiqué. C'est trop dangereux. »

Il leva en l'air une main à laquelle manquaient trois doigts :

« Tu vois ? »

Je fis un signe affirmatif et je m'en allai.

Journées creuses. Longues journées. Journées éclatantes et chaudes. Le soleil cuisait la chaussée jusqu'à ce qu'elle devînt comme la plaque d'un four. Je passais mes matinées à chercher du travail et l'après-midi je lisais. Un matin que j'allais dans le centre de la ville, je passai devant la maison d'un camarade de classe, Ned Greenley. Il était assis devant sa porte et avait l'air cafardeux.

« Alors, Ned, quoi de neuf ? demandai-je.

— T'es au courant, non ? fit-il.

— Au courant de quoi ?

— De mon frère Bob ?

— Non, qu'est-ce qui est arrivé ? »

Ned se mit à pleurer silencieusement :

« Ils l'ont tué, réussit-il à articuler.

— Les Blancs ? » demandai-je à mi-voix, devinant d'instinct.

Sa réponse me parvint dans un sanglot : Bob était mort ; je ne l'avais rencontré que deux ou trois fois, mais j'avais l'impression de le connaître par son frère.

« Qu'est-il arrivé ? demandai-je.

— Ils l'ont en... en... emmené en aut.t.to... sur une p...p...petite route de cam... campagne. Ils... ils... ils l'ont tué », gémit Ned.

J'avais entendu dire que Bob travaillait dans un hôtel de la ville.

« Pourquoi ?

— Ils... ils ont dit qu... qu'il fricotait avec une prostituée blanche, là-bas à l'hôtel », répondit Ned.

En moi, ce fut un effondrement ; j'avais l'impres-

293

sion que mon corps était de plomb. Je regardais la
rue tranquille et ensoleillée. Bob avait été pris par la
mort blanche, ce fléau dont la menace était suspen-
due au-dessus de la tête de chaque mâle noir vivant
dans le Sud. J'avais entendu chuchoter des histoires
de jeunes Noirs qui avaient eu des relations sexuelles avec des prostituées blanches dans les hôtels en
ville, mais je n'y avais jamais fait attention ; et
maintenant ces histoires me revenaient sous la
forme de la mort d'un homme que je connaissais.

Ce jour-là, je renonçai à chercher une place ; je
regagnai la maison et je m'assis moi aussi devant ma
porte, le regard absent. Ce que je venais d'entendre
changeait l'aspect du monde, paralysait momentanément chez moi toute volonté et toute énergie. Si
je faisais le moindre faux pas, c'était la peine de
mort qui m'attendait. Je me demandais si cela valait
la peine d'entreprendre quoi que ce fût. Il n'était
pas nécessaire que les événements susceptibles
d'influencer mon comportement de Noir m'arrivent
à moi, il me suffisait de les entendre raconter pour
ressentir leur effet total au plus profond de ma
conscience. En fait, la brutalité blanche dont je
n'avais pas été témoin, avait plus de poids sur ma
conduite que celle que j'avais vue. Une expérience
véritable m'aurait permis d'apercevoir les contours
réels d'un événement effectif, mais aussi longtemps
que celui-ci demeurait terrible et cependant lointain, et que sa sanglante horreur pouvait s'abattre
sur moi à tout instant, j'étais contraint de lui
consacrer mon imagination tout entière, acte qui

tarissait chez moi les sources de la pensée et des
sentiments et qui établissait un fossé entre moi et le
monde dans lequel je vivais.

Quelques jours plus tard, j'allai trouver le directeur du journal nègre local, mais il ne put m'engager. Je craignais désormais de ne pouvoir retourner
à l'école en automne. Les journées vides de l'été se
succédaient avec monotonie. Chaque fois que je
rencontrais des camarades de classe, ils me parlaient
des emplois qu'ils avaient trouvés, ou bien ils
m'apprenaient que certains d'entre eux avaient
quitté la ville pour aller travailler dans des stations
climatiques du Nord. Pourquoi ne m'avaient-ils pas
parlé de ces places, leur demandais-je. Ils me
répondaient qu'ils n'y avaient tout simplement pas
pensé, et tandis que ces mots tombaient de leurs
lèvres, le sentiment de mon isolement devenait
doublement pénible. Mais après tout, pourquoi
m'auraient-ils associé dans leur pensée à un emploi
qu'on leur offrait, alors que pendant des années je
ne les avais vus qu'occasionnellement en classe ? Je
n'avais eu avec eux que des rapports superficiels ; la
maison pieuse où je vivais, ma pauvreté à base de
bouillie de maïs et de sauce au saindoux, m'avaient
retranché du cours de vie normal des jeunes Noirs
de mon âge.

Je fis un après-midi une découverte qui me
stupéfia. Je parlais à ma cousine Maggie, qui avait
quelques mois de moins que moi, lorsque oncle
Tom entra dans la chambre. Il s'arrêta, me fixa en
silence d'un air hostile, puis il appela sa fille. Je

n'attachai aucune importance à cet incident. Quelques instants plus tard, je posai mon livre, me levai et passai dans le couloir, quand j'entendis oncle Tom gronder sa fille. Je surpris quelques phrases :

« Tu veux donc que je te torde le cou ? Est-ce que je ne t'ai pas défendu de lui adresser la parole ? Ce garçon est un dangereux écervelé, tu entends !

— Alors pourquoi le fréquentes-tu ? Et pourquoi n'empêches-tu pas les autres enfants de le fréquenter ?

— Cesse de me poser des questions et fais ce que je te dis ! Si jamais je te revois avec lui, je te tanne le cuir ! »

Et j'entendis ma cousine répondre en pleurnichant. De colère, ma gorge se serra. J'avais envie de me précipiter dans la pièce pour réclamer une explication, mais je me contins. Depuis combien de temps cela durait-il ? Je repassai dans ma mémoire la période qui s'était écoulée depuis qu'oncle Tom et sa famille étaient venus habiter la maison, et je constatai avec un sentiment de stupeur effrayé qu'il ne m'était à peu près jamais arrivé de rester seul avec un de ses enfants. Attention, me dis-je, ne vois pas ce qui n'est pas... Mais j'avais beau éplucher attentivement le passé, je ne me souvenais d'aucune intimité innocente, d'aucun jeu, d'aucun amusement, d'aucun de ces rapports qui existent généralement entre enfants du même âge habitant la même maison. Et soudain, je revécus les premières heures de cette matinée où j'avais tenu oncle Tom à distance en le menaçant de mes rasoirs. Il est certain que j'avais dû lui apparaître comme un garçon brutal, prêt à tout, mais je ne m'étais jamais vu sous ce jour, et maintenant, j'étais consterné en voyant comment on me considérait. Dans un éclair d'intuition, la véritable nature de mes rapports avec ma famille me fut révélée et cette brève illumination changea le cours de mon existence. J'étais maintenant définitivement résolu à quitter la maison. Mais je resterais jusqu'à ce que j'eusse terminé ma neuvième. Durant des jours entiers, je ne parlais à personne, sauf à ma mère. Ma vie s'en allait en lambeaux, je m'en rendais clairement compte. J'étais prêt à fuir, mais j'attendais quelque événement, un mot, un acte, une circonstance qui m'en fournirait le prétexte.

Je retournai travailler chez Mme Bibbs et j'achetai mes livres de classe ; mes vêtements étaient en loques ou peu s'en fallait. Par bonheur, les études en neuvième — ma dernière année d'école — étaient faciles, et pendant une partie de l'année scolaire le professeur me chargea de faire la classe, honneur qui me toucha et, par là, m'aida moralement et me donna de vagues espoirs. On me fit même entendre que si je continuais d'être bien noté, je pourrais être amené à enseigner dans les écoles de la ville.

Cet hiver-là, mon frère rentra de Chicago ; j'étais content de le voir, quoique nous fussions devenus des étrangers. Mais je ne tardai pas à remarquer que ma famille lui montrait beaucoup plus d'affection qu'elle ne m'en avait jamais témoigné. Peu à peu, mon frère, influencé par les autres, se mit à me critiquer ouvertement et j'en fus peiné. Ma solitude devint organique. Je me sentais emmuré et je devenais irritable. Je me mêlais de moins en moins à mes camarades de classe, car leur conversation n'avait trait qu'aux écoles qu'ils se proposaient de fréquenter à la fin de l'année scolaire. Les jours glacés s'égrenaient lentement, automatiquement ; me lever de bonne heure pour me rendre à mon travail, fendre du bois, porter du charbon, balayer, puis l'école, l'ennui.

L'année scolaire s'acheva. Je fus désigné pour faire le discours d'adieu à ma classe ; je devais écrire une composition destinée à être lue en séance officielle. Un matin, le directeur me fit appeler dans son cabinet.

« Alors, Richard Wright, voici votre discours », fit-il avec une brusquerie bon enfant, en me désignant une pile de papiers posée sur son bureau.

« Quel discours ? demandai-je en prenant les papiers.

— Le discours que vous devez prononcer le soir de la remise des diplômes, répondit-il.

— Mais, monsieur le directeur, j'ai déjà écrit mon discours. »

Il eut un rire assuré, indulgent.

« Écoutez-moi, mon garçon, vous allez parler à des *Blancs* et à des Noirs, ce soir-là. Qu'est-ce que vous pourriez bien trouver à leur dire, tout seul ? Vous n'avez pas d'expérience... »

La colère me prit.

« Je ne sais peut-être pas grand-chose, dis-je. Mais ce sont les élèves que les gens viennent entendre, et je ne lirai pas un discours écrit par vous. »

Il s'installa commodément dans son fauteuil et me considéra d'un air surpris.

« C'est drôle, nous n'avons encore jamais eu de garçon comme vous à l'école, fit-il. Vous avez toujours fait ce que bon vous semblait dans cette maison. Comment vous vous y êtes pris, je n'en sais rien. Mais croyez-moi, prenez ce discours et lisez-le. Je suis meilleur juge que vous pour ces choses-là. Vous ne pouvez pas vous permettre de dire *n'importe quoi* à ces Blancs qui seront là, ce soir. »

Il s'interrompit, puis il ajouta d'un air entendu :

« L'inspecteur général sera là, vous avez l'occasion de faire bonne impression sur lui. J'étais directeur avant que vous ne soyez né, mon garçon, j'ai vu bien des garçons et bien des jeunes filles passer leurs examens dans cette école et aucun d'eux n'a cru démériter en lisant un discours que j'avais préparé à son intention. »

Il me fallait prendre une décision rapide ; je me trouvais devant une question de principe. Je voulais obtenir mon diplôme, mais je ne voulais pas faire un discours public qui ne fût pas mien.

« Monsieur le directeur, ce sera mon propre discours que je lirai ce soir-là. »

Il se fâcha :

« Vous n'êtes qu'un jeune écervelé ! Une forte tête ! » dit-il. Il resta un moment à tripoter son crayon, puis il leva les yeux : « Et si vous n'obtenez pas votre diplôme ?

— Mais j'ai passé mes examens, dis-je.

— Dites donc, mon petit ami, siffla-t-il, n'oubliez pas que c'est moi qui décide de l'attribution des diplômes, ici. »

J'eus un sursaut d'étonnement ; je fréquentais cette école depuis deux ans et je n'avais jamais soupçonné quel genre d'homme était le directeur ; il ne m'était jamais venu à l'idée de me poser des questions à son sujet.

« Alors je me passerai de diplôme », décidai-je carrément.

Je fis demi-tour et me dirigeai vers la porte.

« Dites donc... venez me voir un peu ici », fit-il.

Je me retournai et le regardai ; il me souriait d'un air distant et supérieur.

« Vous savez, je suis fort content de vous avoir parlé, me dit-il, j'envisageais sérieusement de vous donner un poste dans l'enseignement. Mais tout bien réfléchi, je ne crois pas que vous fassiez l'affaire. »

Il me tentait, m'appâtait ; c'était la technique grâce à laquelle on amenait de jeunes esprits noirs à approuver et à défendre les conditions de vie dans le Sud.

« Voyez-vous, monsieur le directeur, je n'aurai peut-être plus jamais l'occasion de poursuivre mes études, mais je veux faire les choses proprement, dis-je.

— Que voulez-vous dire ?

— Je n'ai pas d'argent. Je vais travailler. Or il faut avouer que mon diplôme de neuvième ne me sera pas d'une grande utilité dans la vie. Je le constate sans amertume ; ce n'est pas votre faute. Mais c'est simplement que je ne veux pas faire les choses de cette façon.

— En avez-vous parlé à quelqu'un ? me demanda-t-il.

— Non, pourquoi ?

— Vous en êtes bien sûr ?

— Je n'en savais absolument rien jusqu'ici, je vous assure, répondis-je, de plus en plus surpris.

— Vous n'avez parlé de cette question à aucun Blanc ?

— Non, monsieur.

— Je voulais simplement savoir », fit-il.

Mon étonnement s'accrut : le personnage craignait de perdre sa place !

« Vous ne me comprenez pas, monsieur le directeur, dis-je en souriant.

— Vous n'êtes qu'un jeune écervelé, fit-il, rassuré. Ouvrez les yeux, mon garçon. Apprenez à voir le monde autour de vous. Vous êtes intelligent et je connais vos ambitions. Je suis plus renseigné que vous ne l'imaginez, je connais votre famille. Allons, fit-il avec un clin d'œil complice, si vous voulez être raisonnable, je vous aiderai à poursuivre vos études. Je vous ferai entrer à l'Université.

— J'ai envie de m'instruire, monsieur le directeur, dis-je. Mais il y a des choses que je ne tiens pas à savoir.

— Au revoir », fit-il.

Je rentrai chez moi, blessé, mais résolu. J'avais parlé à un homme « acheté » et il avait essayé de m' « acheter ». J'avais le sentiment d'avoir eu affaire à quelque chose de malpropre. Ce soir-là, Griggs, un garçon qui avait suivi plusieurs classes avec moi, vint à la maison.

« Écoute, Dick, tu es en train de gâcher toutes tes possibilités d'avenir ici, à Jackson, fit-il. Va trouver le directeur, parle-lui, prends son discours et dis-le. Moi, je dis celui qu'il a écrit pour moi. Pourquoi n'en ferais-tu pas autant ? Qu'est-ce que ça peut foutre ? Qu'as-tu à perdre ?

— Non, dis-je.

— Pourquoi ?

— Je sais peu de choses, mais mon discours sera inspiré de ce que je sais.

— Alors tu seras mis sur la liste noire et tu ne pourras pas être instituteur.

— Mais, bon Dieu ! qui t'a dit que je voulais être instituteur ?

— C'est fou ce que tu peux être entêté, fit-il.

— Ce n'est pas de l'entêtement. C'est seulement que je ne veux pas faire les choses de cette façon. »

Il s'en alla. Deux jours après, oncle Tom vint chez moi. Je savais que le directeur l'avait fait appeler.

« J'apprends que tu as refusé le discours que le directeur t'avait préparé ? dit-il.

— Oui, mon oncle, c'est exact.

302

— On peut voir celui que tu as écrit ? demanda-t-il.

— Mais bien sûr », dis-je ; et je lui remis mon travail.

« Et celui que le directeur a préparé ? »

Je lui donnai également le discours du directeur. Il alla les lire dans sa chambre. Je l'attendais, tranquillement assis. Il revint.

« Le discours du directeur est le meilleur des deux, fit-il.

— Je n'en doute pas, répliquai-je. Mais pourquoi m'a-t-on demandé d'écrire un discours si on ne me permet pas de le prononcer ?

— Veux-tu me laisser le revoir et y faire quelques retouches ? demanda-t-il.

— Non, mon oncle.

— Enfin, voyons, Richard. Il s'agit de ton avenir...

— Oncle Tom, je ne tiens pas à en discuter avec vous », dis-je.

Il me regarda fixement, puis s'en alla. Le discours du directeur était plus simple et plus clair que le mien, mais il n'exprimait rien ; le mien était nébuleux, mais il disait ce que je voulais lui faire dire. Que faire ? J'avais presque envie de ne pas me présenter à la remise des diplômes. Je détestais mon entourage un peu plus chaque jour. Dès que l'école aurait fermé ses portes, je chercherais une place, je mettrais de l'argent de côté, et je m'en irais.

Griggs, qui avait accepté un discours écrit par le directeur, venait tous les jours à la maison et nous allions dans les bois nous exercer à l'art oratoire ; sans nous lasser, nous parlions aux arbres, aux ruisseaux, effarouchant les oiseaux, mettant de la terreur dans les yeux des vaches. A la fin, je savais tellement bien mon discours que j'aurais pu le réciter en dormant.

La nouvelle de mon entrevue orageuse avec le directeur s'était répandue en classe et les élèves me critiquaient ouvertement.

« Richard, tu es fou. Tu sabotes toutes tes chances. S'ils avaient su à quel genre d'imbécile ils avaient affaire, jamais ils ne t'auraient chargé de parler au nom de la classe », disaient-ils.

Je serrais les dents et je restais bouche close, mais ma rage montait d'heure en heure. Mes camarades, mus par le désir de me « sauver », me tourmentèrent à tel point que je faillis faire une crise de dépression nerveuse. A la fin, le directeur lui-même dut leur conseiller de me laisser tranquille, de peur que je ne plaque tout et que je ne m'en aille.

J'avais un autre problème à résoudre avant de pouvoir prononcer mon discours. J'étais le seul élève de la classe à porter des culottes courtes et j'étais absolument décidé à quitter l'école en pantalon long. Est-ce que je n'allais pas travailler ? Est-ce que je n'allais pas subvenir à mes besoins ? Lorsqu'on apprit chez nous que je voulais un pantalon long, un nouvel orage secoua la maison.

« Tu veux aller trop vite, dit ma mère.

— Tu n'es qu'un enfant, proféra oncle Tom.

— Il n'a plus sa tête à lui », dit grand-mère.

Je fis savoir que désormais je prendrais moi-même mes décisions. J'empruntai de l'argent à Mme Bibbs, ma patronne, et je versai un acompte pour l'achat d'un complet gris perle. Si je n'arrivais pas à payer, je rapporterais cette maudite affaire après la remise des diplômes.

Le soir de l'examen, j'étais angoissé et j'avais le trac. Je me levai, affrontai l'auditoire et débitai mon discours. Lorsque je me tus, il y eut quelques applaudissements. Peu m'importait que cela leur plût ou non. Avant même d'être descendu de l'estrade, je m'efforçais de rejeter cet incident de ma mémoire. Quelques-uns de mes camarades parvinrent à me serrer la main, tandis que je me frayais un passage vers la porte afin de gagner la rue. Quelqu'un m'invita à une « party » mais je refusai. Je rentrai chez moi en me disant : « Au diable tout ça. » C'est ainsi qu'ayant derrière moi près de dix-sept années d'une vie désorientée, j'affrontai le monde en 1925.

CHAPITRE IX

Désormais mon existence dépendait du travail que je trouverais ; j'en avais un tel besoin que j'acceptai la première offre, un emploi de portier dans un magasin de vente à tempérament d'articles bon marché. Le magasin était réservé à la clientèle noire et était toujours bondé. Hommes et femmes tripotaient des complets et des robes de qualité inférieure et payaient le prix qu'en demandait le Blanc. Le patron, son fils et l'employé traitaient les Nègres avec un franc mépris ; ils les bousculaient, leur donnaient des coups de pied ou des claques. J'avais beau être constamment témoin de ce spectacle, je n'arrivais pas à m'y habituer. Comment peuvent-ils accepter cela ? me demandai-je. J'étais dans un état d'énervement perpétuel, essayant d'étouffer mes sentiments, mais n'y réussissant jamais complètement ; j'étais la proie d'un sentiment de culpabilité et de peur, car je sentais que le patron me soupçonnait d'éprouver de la rancune à cause de ce qui se passait sous mes yeux.

Un matin, tandis que j'étais occupé à polir les

cuivres de la devanture, le patron et son fils arrivèrent dans leur voiture. Une Négresse apeurée était assise entre eux. Ils descendirent et firent entrer de force la femme dans le magasin, en la traînant et la poussant à coups de pied. Les passants blancs regardaient d'un air impassible. Un police-man blanc, posté à l'angle de la rue, observait la scène en faisant tournoyer son bâton ; il ne bougea pas. Du coin de l'œil, je voyais tout ce qui se passait, mais je me gardai bien de ralentir la cadence des coups de ma peau de chamois sur le cuivre. Au bout d'un instant, j'entendis des cris aigus prove-nant de l'arrière-boutique ; quelques minutes après, la femme sortit en titubant ; elle était couverte de sang et sanglotait en se tenant le ventre ; ses vêtements étaient déchirés. Lorsqu'elle atteignit le trottoir, le policeman l'accosta, l'empoigna, l'accusa d'être ivre, siffla une voiture de police et l'em-barqua.

Lorsque je pénétrai dans l'arrière-boutique, le patron et son fils étaient en train de se laver les mains à l'évier. Ils me regardèrent avec un rire gêné. Le plancher était ensanglanté, parsemé de mèches de cheveux et de lambeaux de vêtements. Mon visage devait refléter ce que j'éprouvais, car le patron prit un air jovial et me donna une claque dans le dos.

« Tu vois, mon garçon, voilà ce que nous faisons aux Nègres qui ne paient pas leurs dettes », fit-il.

Son fils me regarda en ricanant.

« Tiens, prends une cigarette », dit-il.

Je la pris, ne sachant que faire. Il alluma sa cigarette et me présenta l'allumette. C'était là un geste aimable, une façon de m'indiquer que, bien qu'ils eussent battu la femme noire, ils ne me battraient pas si je savais me taire.

« Oui, monsieur », dis-je.

Après leur départ, je m'assis sur une caisse d'emballage et restai à contempler le plancher ensanglanté jusqu'à ce que ma cigarette s'éteignît.

Le magasin possédait une bicyclette dont je me servais pour les livraisons. Un jour, revenant de la banlieue, je crevai un pneu. Je rentrai à pied sur la route brûlante et poussiéreuse, couvert de sueur, conduisant la bicyclette par le guidon.

Une voiture passa à côté de moi et ralentit. Un Blanc m'interpella :

« Qu'est-ce qui t'est arrivé, mon gaillard ? »

Je lui dis que j'avais crevé et que je rentrais à pied à la ville.

« Ce n'est pas de chance, fit-il. Saute sur le marchepied. »

Il arrêta la voiture. Empoignant ferme ma bicyclette d'un main, de l'autre je m'accrochai au bord de la carrosserie.

« Tu y es ?

— Oui, m'sieur. »

La voiture démarra. Elle était remplie de jeunes Blancs. Ils buvaient. Je vis passer la flasque de bouche en bouche.

« Tu veux boire un coup ? » me demanda l'un d'eux.

Le souvenir de mes six ans et de mes cuites me revint à la mémoire et me rendit circonspect. Mais je me mis à rire, le visage fouetté par le vent.

« Oh ! non », répondis-je.

A peine avais-je lâché ces mots que quelque chose de dur et froid s'écrasa entre mes deux yeux. C'était une bouteille de whisky vide. J'en vis trente-six chandelles ; je tombai de la voiture lancée en pleine vitesse, sur la route poussiéreuse, mes pieds empêtrés dans les rayons de la bicyclette. La voiture stoppa, les Blancs en dégringolèrent et se penchèrent sur moi.

« Dis donc, eh ! moricaud ! fit celui qui m'avait frappé. T'as pas plus de jugeote que ça, à ton âge ? Tu ne sais pas qu'on répond " *Monsieur* " à un Blanc ? »

Tout étourdi, je me relevai ; j'avais les coudes et les jambes en sang. Les poings serrés, le Blanc s'avança, envoyant promener la bicyclette d'un coup de pied.

« Oh ! laisse-le, ce chameau de Noir, il a son compte », fit un de ses compagnons.

Ils continuaient à m'observer. Je frottais mes tibias pour essayer d'arrêter le sang qui ruisselait. Sans doute devaient-ils ressentir à mon égard une sorte de pitié méprisante, car l'un d'eux me demanda :

« Tu veux qu'on te ramène en ville ? Tu sauras comment te tenir, maintenant ?

— Je veux rentrer à pied », répondis-je simplement.

Cela dut leur paraître drôle. Ils se mirent à rire.

« Eh ben, rentre à pied, espèce d'enfant de putain de Nègre ! »

Avant de remonter en voiture, ils me consolèrent en disant :

« Encore de la chance que tu sois tombé sur nous. T'es un sacré veinard, parce que si t'avais répondu de cette façon à un autre Blanc, tu serais un Nègre mort, à l'heure qu'il est. »

J'apprenais rapidement à épier les Blancs, à observer leurs moindres gestes, à noter leur expression fugitive, à interpréter ce qu'ils disaient et ce qu'ils laissaient inexprimé.

Un samedi soir, je dus faire quelques livraisons tardives dans un quartier blanc. Sur le chemin du retour, je pédalais à fond de train, quand une voiture de police fit une embardée vers moi et me coinça contre le bord du trottoir.

« Eh ! moricaud ! descends et tiens tes mains en l'air ! » m'ordonnèrent-ils.

Je m'exécutai. Ils descendirent de voiture et s'approchèrent lentement, revolver au poing, le visage rigide.

« Ne bouge pas ! » firent-ils.

Je levai plus haut mes mains. Ils fouillèrent mes poches et mes paquets. Ils eurent l'air mécontent de n'avoir rien trouvé de compromettant sur moi. Finalement l'un d'eux me dit :

« Dis à ton patron de ne pas t'envoyer à cette heure-ci dans les quartiers blancs.

— Bien, monsieur », dis-je.

Je remontai sur mon vélo et repartis, m'attendant à ce qu'ils me tirent dessus, m'attendant à voir la chaussée s'effondrer sous moi. Je vivais comme dans un rêve, un rêve dont le contenu pouvait changer d'un moment à l'autre.

Chaque jour, j'assistais avec une haine croissante aux scènes de brutalité qui se déroulaient au magasin ; cependant, je m'efforçais de ne laisser rien paraître de mes sentiments. Quand le patron m'observait, j'évitais son regard. Finalement, le fils du patron m'entreprit, un matin.

« Dis donc, toi, commença-t-il.

— Oui, monsieur.

— Qu'est-ce que tu as derrière la tête ?

— Rien, monsieur, répondis-je, m'efforçant de prendre un air ahuri, pour lui donner le change.

— Comment se fait-il que tu ne parles pas et que tu ne ries pas comme les autres Nègres ? demanda-t-il.

— Eh bien, monsieur, il n'y a pas grand-chose à dire et il n'y a pas de quoi rire non plus », répondis-je en souriant.

Son visage était dur, contrarié et soupçonneux ; je savais que je ne l'avais pas convaincu. Il fit brusquement demi-tour et s'en alla sur le devant du magasin ; il revint un moment après, le visage rouge. Il me jeta quelques billets verts.

« T'as une tête qui ne me revient pas, fit-il. Allez, ouste ! »

Je ramassai l'argent sans le compter et, prenant mon chapeau, je partis.

Je tins une série de menus emplois pendant de brèves périodes, quittant une place pour aller travailler ailleurs, chassé d'une autre à cause de mon attitude, de ma façon de parler, de l'expression de mes yeux. J'étais plus loin que jamais de mon but, qui était d'amasser suffisamment d'argent pour m'en aller. Par moments, je me demandais si j'y arriverais jamais.

Un matin que j'étais sans travail, je m'en fus trouver Griggs, mon vieux camarade de classe, qui travaillait chez un bijoutier de Capitol Street. Il était en train de laver la devanture du magasin lorsque j'arrivai.

« Tu ne sais pas où je pourrais trouver du travail ? » demandai-je.

Il me regarda d'un air sarcastique.

« Si, je sais où tu peux trouver une place, répondit-il en riant.

— Où ?

— Mais je me demande si tu es capable de la garder, fit-il.

— Pourquoi ? demandai-je. Qu'est-ce que c'est que cette place ?

— Ne t'emballe pas, fit-il. Je vais te dire une chose, Dick : je te connais, tu sais. Durant tout l'été, tu as essayé de garder une place et tu ne peux pas. Pourquoi ? Parce que tu es trop rétif. Voilà ton grand défaut. »

Je ne répondis pas, car il me répétait ce qu'il m'avait déjà dit. Il alluma une cigarette et en exhala lentement la fumée.

« Alors ? dis-je, pour l'engager à continuer.

— Bon Dieu, je voudrais pouvoir te parler, fit-il.

— Je crois savoir ce que tu as à me dire. »

Il me donna une tape sur l'épaule ; son visage exprimait la crainte, la haine, et le souci qu'il se faisait pour moi.

« Tu veux donc te faire tuer ? me demanda-t-il.

— Non, par exemple ! T'en as de bonnes, toi !

— Alors, pour l'amour du Ciel, plie-toi aux façons de vivre du Sud.

— Comment ça ? dis-je d'un ton irrité. Que les Blancs me fassent ce genre de réflexions, je comprends, mais toi ?

— Tu vois ? fit-il avec un accent de triomphe en me montrant du doigt, voilà *exactement* ce que je voulais dire. C'est écrit en toutes lettres sur ta figure. Tu n'admets pas qu'on te fasse la moindre réflexion. Tout de suite tu montes sur tes grands chevaux. J'essaie de t'aider et tu ne me laisses pas. »

Il s'interrompit et lança un regard circulaire. Les rues étaient remplies de Blancs. Puis, à voix basse, en martelant ses mots :

« Dick, me dit-il, tu es noir, noir, *noir,* comprends-tu ? Tu ne peux donc pas te mettre ça dans la tête ?

— Mais si, je le comprends très bien, dis-je.

— Eh bien, bon Dieu, on ne le dirait pas ! » lâcha-t-il.

Là-dessus, il se lança dans un compte rendu de mon activité dans toutes les places que j'avais faites cet été-là.

« Comment sais-tu tout cela ?

— Les Blancs s'arrangent pour surveiller les Nègres, m'expliqua-t-il. Et ils se passent le mot. Moi, mon patron est Yankee, alors il me met au courant. Tu es déjà mis à l'index, mon vieux. »

Pouvais-je le croire ? Était-ce vrai ? Comment pourrais-je jamais apprendre à connaître ce monde étrange des Blancs ?

« Alors, dis-moi comment je dois me conduire, lui demandai-je humblement. Tout ce que je cherche, c'est à me faire suffisamment d'argent pour partir. »

A ce moment, une femme et deux hommes sortirent du magasin ; je m'effaçai pour les laisser passer, l'esprit préoccupé par les paroles de Griggs. Soudain Griggs m'empoigna le bras, me donna une violente secousse et m'envoya trébucher sur la chaussée, à trois pas de là. Je fis volte-face.

« Qu'est-ce qui te prend ? » lui dis-je.

Griggs me regardait avec des yeux féroces, puis il se mit à rire.

« Je t'apprends simplement à t'écarter du chemin des Blancs », dit-il.

Je tournai la tête vers les gens qui sortaient du magasin ; c'était vrai, ils étaient *blancs,* mais je ne l'avais pas remarqué.

« Tu comprends ce que je veux dire ? fit-il. Les Blancs ne veulent pas te voir sur leur chemin » ; il articulait lentement pour que je me pénètre bien de la signification de ses paroles.

« Oui, je te comprends, dis-je dans un souffle.

315

— Dick, je te traite comme un frère, reprit-il. Tu te conduis avec les Blancs comme si tu ne savais pas qu'ils sont blancs. Et eux *s'en rendent compte*.

— Oh ! bon Dieu ! je ne peux pas me conduire comme un esclave, dis-je avec désespoir.

— Mais il faut bien que tu manges, répliqua-t-il.

— Oui, il faut que je mange.

— Alors, fait ce qu'il faut pour ça, dit-il en scandant les mots d'un coup de poing dans la paume de sa main gauche. Quand tu te trouves devant des Blancs, *réfléchis* avant d'agir, *réfléchis* avant de parler. Ta façon de te conduire est très bien pour *nous*, mais pas pour les *Blancs*. Ils ne la supportent pas. »

Je contemplai d'un air morne le soleil matinal. J'approchais de mes dix-sept ans et je me demandais si je pourrais jamais me libérer de ce fléau. Ce que disait Griggs était exact, mais je me sentais totalement incapable de passer mon temps à calculer, à prévoir, à me contenir, à tramer. Je me rappelais pendant de courts moments qu'il fallait feindre, mais ensuite je n'y pensais plus et j'agissais de nouveau avec franchise et naturel, non pas avec le désir de faire du mal à quiconque, mais oubliant tout simplement les discriminations artificielles de race et de classe ; j'agissais de même avec les Blancs et avec les Noirs, c'était ma façon normale de me comporter avec tout le monde. Je poussai un soupir, regardant machinalement la vitrine où scintillaient les diamants, les bagues et les montres en or alignées en rangées impeccables.

« Oh ! j' sais bien que tu as raison, dis-je finalement. Il faut que je me surveille, que j'arrive à me mater...

— Non », dit-il vivement, regrettant d'être allé trop loin.

Quelqu'un — un Blanc — pénétrait dans la boutique et nous interrompîmes un instant notre conversation.

« Comprends-moi bien, Dick, tu te figures peut-être que je suis un oncle Tom[1], mais tu te trompes. Je hais les Blancs, je les hais de toutes mes forces. Mais je ne peux pas le montrer, sans ça ils me tueraient. »

Il s'interrompit et s'assura qu'aucun Blanc ne se trouvait assez près pour l'entendre.

« Une fois, reprit-il, j'ai entendu un vieil ivrogne chanter :

Tous ces Blancs qui s'habillent si bien
Leur cul n' sent pas meilleur que l' mien. »

Je ris d'un air embarrassé, en regardant la tête des Blancs qui passaient. Mais quand Griggs riait, il mettait sa main devant sa bouche et pliait les genoux, geste automatique, destiné à cacher sa joie excessive en présence des Blancs.

« Voilà ce que je pense d'eux », dit-il avec orgueil, quand son accès de gaieté fut terminé. Il

---

1. Oncle Tom : terme méprisant par lequel les Noirs désignent ceux d'entre eux qui font des courbettes aux Blancs.

reprit son sérieux. « Il y a un opticien, là-haut. Le patron est un Yankee de l'Illinois. Alors, voilà : Il cherche un jeune homme pour travailler toute la journée en été, et le matin et le soir en hiver. Il veut former un commis noir dans le métier d'opticien. Tu connais l'algèbre et ça t'irait comme un gant. Je vais parler de toi à M. Crane et je te reverrai.

— Il n'y aurait pas moyen que je le voie maintenant ? demandai-je.

— Mais bon sang, prends ton temps ! fulmina-t-il.

— C'est peut-être ça qui cloche avec les Nègres, justement, dis-je. Ils prennent *trop* de temps. »

Je ris, mais le laissai troublé. Je le remerçiai et m'en allai. Au bout de huit jours, n'ayant aucune nouvelle de lui, je commençais à abandonner tout espoir. Puis, un après-midi, Griggs vint à la maison.

« J'ai l'impression que tu as une place, fit-il. Tu vas avoir l'occasion d'apprendre un métier. Mais n'oublie pas de garder toute ta tête. Souviens-toi que tu es noir. Tu commences demain.

— Combien vais-je gagner ?

— Cinq dollars par semaine pour commencer, ils t'augmenteront si tu leur plais », m'expliqua-t-il.

Mon moral remonta en flèche. Tout n'allait pas si mal, après tout. J'allais avoir l'occasion d'apprendre un métier. Et je n'avais plus besoin de renoncer à l'école. Je lui dis que j'acceptais la place, et que je me ferais humble.

« Tu travailles pour un Yankee, ça devrait marcher », fit-il.

Le lendemain matin, je me trouvais devant les bureaux de l'opticien bien avant l'ouverture. Je me faisais la leçon, me disant qu'il fallait être poli, qu'il fallait réfléchir avant de parler, qu'il fallait dire « oui, monsieur, non, monsieur », et me comporter de façon que les Blancs ne pensent pas que je m'imaginais être leur égal. Soudain un Blanc vint vers moi.

« Qu'est-ce que vous voulez ? me demanda-t-il.

— On m'a dit de me présenter pour une place, monsieur, répondis-je.

— C'est bon. Venez par ici. »

Je le suivis au premier et il ouvrit la porte du bureau. J'étais un peu contracté, mais les manières du jeune homme blanc me mirent à l'aise et je m'assis, mon chapeau à la main. Une jeune fille blanche entra et se mit à taper sur une machine à écrire. Peu après, un autre Blanc, mince, aux cheveux grisonnants, arriva et pénétra dans la pièce du fond. Finalement, un Blanc de haute taille, au visage sanguin, entra et s'assit à son bureau après m'avoir lancé un bref coup d'œil. Ses manières brusques dénotaient le Yankee.

« C'est vous le nouveau commis, hein ?

— Oui, m'sieur.

— Attendez que je finisse de liquider mon courrier et je suis à vous, fit-il aimablement.

— Oui, m'sieur. »

Je donnai même à ma voix un ton uniforme, m'efforçant de lui enlever toute nuance agressive ou même trop assurée.

Une demi-heure après, M. Crane m'appela dans son bureau et m'interrogea avec soin sur mes études, sur ce que j'avais fait comme mathématiques. Il parut satisfait quand je lui déclarai que j'avais fait deux ans d'algèbre.

« Ça vous plairait d'apprendre le métier ? fit-il.

— Ça me plairait bien, m'sieur. Rien ne pourrait me faire plus plaisir », répondis-je.

Il me dit qu'il voulait former un jeune Nègre pour l'optique ; il désirait l'aider, le guider. Je m'efforçai de lui répondre de manière à lui faire comprendre que j'essaierais de mériter sa bienveillance. Il m'emmena chez la sténographe et dit :

« Voici Richard. Il fait partie de la maison. »

Il me conduisit ensuite dans la pièce derrière le bureau, qui était en réalité une minuscule usine remplie de machines étranges, recouvertes de poussière orangée.

« Reynolds, dit-il en s'adressant à un jeune Blanc, je vous présente Richard.

— Eh ben, eh ben, mon gars ! » fit Reynolds d'une voix tonitruante, avec un large sourire.

M. Crane me conduisit auprès de l'homme plus âgé.

« Pease, faites la connaissance de Richard. Il va travailler avec nous. »

Pease me regarda et me fit un petit signe de tête. M. Crane mit ensuite les deux hommes au courant des tâches qu'il m'assignait ; il leur dit de m'initier graduellement au travail de l'usine, de m'apprendre à meuler et à polir les lentilles à la machine. Ils inclinèrent la tête en signe d'assentiment.

« Et maintenant, mon garçon, montre-nous si tu es capable de nettoyer cette pièce, fit M. Crane.

— Oui, m'sieur. »

Je balayai, frottai, astiquai et j'eus vite fait de nettoyer le bureau et l'atelier. L'après-midi, quand j'avais fini mon travail, je faisais les courses. Lorsqu'il m'arrivait d'avoir un moment à moi, j'observais les deux Blancs en train de meuler et de polir les lentilles à la machine. Ils ne me disaient rien et je ne leur disais rien. Le premier jour passa, le second, le troisième ; une semaine passa et je reçus mes cinq dollars. Un mois passa. Mais je n'apprenais rien et personne ne s'était offert pour m'aider. Un après-midi, j'allai trouver Reynolds et lui demandai de m'expliquer le travail.

« Qu'est-ce que tu cherches ? Tu veux faire le malin, dis donc, moricaud ?

— Non, monsieur », dis-je.

J'étais dérouté. Peut-être simplement ne voulait-il pas m'aider ? J'allai trouver Pease, lui rappelant que le patron avait dit qu'on devait me donner l'occasion d'apprendre le métier.

« Dis donc, le Nègre, tu te prends pour un Blanc, hein ?

— Non, monsieur.

— Tu m'en as bougrement l'air, pourtant, fit-il.

— Je faisais simplement ce que le patron m'a dit de faire », dis-je.

Pease me montra le poing.

« C'est du travail de *Blanc,* qu'on fait ici », fit-il.

A partir de ce moment leur attitude envers moi changea ; ils ne me disaient plus bonjour. Quand j'étais un peu lent à faire un travail, ils me traitaient de fainéant, d'enfant de putain de Nègre. Je me taisais, m'efforçant de ne pas leur fournir de prétextes à envenimer nos rapports. Mais un jour, Reynolds m'appela auprès de sa machine.

« Dis donc, moricaud, tu t'imagines que tu arriveras à quelque chose ? demanda-t-il à voix basse, d'un ton sardonique.

— Je ne sais pas, monsieur, répondis-je en me détournant.

— A quoi pensent les Nègres ? demanda-t-il.

— Je ne sais pas, monsieur, répondis-je, la tête toujours détournée.

— Si j'étais nègre, je me suiciderais », dit-il.

Je restai muet ; j'étais furieux.

« Mais je suppose que ça leur est égal, aux Nègres, d'être nègres », fit-il soudain avec un gros rire.

Je ne répondis pas. M. Pease m'observait attentivement, puis je les vis échanger un regard. Mon emploi ne me menait pas à ce que M. Crane m'avait fait espérer. J'avais été humble, et je récoltais maintenant les fruits de mon humilité.

« Viens ici, mon gaillard », dit Pease.

Je m'avançai jusqu'à son établi.

« Tu n'as pas digéré ce que Reynolds vient de te dire, hein ? fit-il.

— Oh ! ce n'est rien, dis-je en souriant.

322

— Ça ne t'a pas plu. Je l'ai vu sur ta figure. »
Je le regardai dans les yeux et reculai d'un pas.
« T'es-tu déjà attiré des ennuis ? interrogea-t-il.

— Non, monsieur, répondis-je.

— Que ferais-tu, s'il t'arrivait une sale histoire ?

— Je ne sais pas, monsieur.

— Eh bien, fais attention de ne pas t'attirer de
sale histoire », fit-il avec une menace dans la voix.

Je voulais rapporter ces dissensions à M. Crane,
mais la pensée de ce que me feraient Pease et
Reynolds s'ils apprenaient que j'avais cafardé, m'arrêta. Je passais les jours à travailler et j'essayais de
cacher mon ressentiment derrière un sourire hermé-
tique et contraint.

La crise éclata un jour d'été, vers midi. Pease
m'appela à son établi ; pour arriver jusqu'à lui, il me
fallait passer entre deux bancs étroits et rester
debout, le dos appuyé au mur.

« Richard, j'ai quelque chose à te demander,
commença Pease d'un air engageant, sans lever les
yeux de son travail.

— Oui, monsieur. »

Reynolds arriva et barra le passage étroit entre les
deux bancs ; il se croisa les bras et me contempla
avec solennité. Je les observais l'un après l'autre,
flairant le danger. Pease leva les yeux et me dit en
articulant lentement, pour que je ne perde rien de
ce qu'il allait me dire.

« Richard, Reynolds m'apprend que tu m'as
appelé Pease », fit-il.

Je me roidis. Le vide se fit en moi. Je savais qu'on en venait au fait.

Il voulait dire que j'avais omis de l'appeler *monsieur* Pease ; je lançai un coup d'œil vers Reynolds ; il tenait une barre de fer dans la main. J'allais ouvrir la bouche pour parler, pour protester, pour assurer Pease que je ne l'avais jamais appelé *Pease* tout court, et que je n'avais jamais eu l'intention de le faire, quand Reynolds me saisit par le cou et me cogna la tête contre le mur.

« Fais attention à toi, sale Nègre, ragea-t-il en montrant les dents. Je t'ai entendu l'appeler *Pease*. Et si tu prétends que ce n'est pas vrai, ça revient à me traiter de menteur, t'as compris ? » Il agita la barre de fer d'un air menaçant.

Si j'avais dit : « Non, monsieur Pease, je ne vous ai jamais appelé *Pease* », j'aurais du même coup impliqué que Reynolds était un menteur ; et si j'avais dit : « Oui, monsieur Pease, je vous ai appelé *Pease* », j'aurais plaidé coupable. Et cette familiarité de la part d'un Nègre est considérée par les Blancs du Sud comme la pire des insultes. Je m'efforçais de trouver un compromis susceptible de résoudre ce cauchemar qui venait brusquement de surgir, mais ma langue était comme paralysée.

« Richard, je t'ai posé une question ! » rugit Pease. La colère s'insinuait dans sa voix.

« Je ne me souviens pas de vous avoir appelé *Pease,* monsieur Pease, dis-je prudemment. Et si je l'ai fait, je vous assure que c'est tout à fait par inad...

— Espèce d'enfant de salaud de Nègre ! Tu avoues m'avoir appelé *Pease !* » Il cracha par terre, se dressa et me gifla à plusieurs reprises, manquant me faire tomber sur le banc.

Reynolds se précipita sur moi et vociféra :

« Tu ne l'as pas appelé *Pease !* Si tu oses dire que non, je t'étripe avec cette barre de fer, espèce de saloperie de putain de Nègre ! »

Alors je flanchai. Je les suppliai de ne pas me frapper. Je savais ce qu'ils voulaient. Ils voulaient que je quitte ma place.

« Je m'en vais, assurai-je. Je m'en vais tout de suite. »

Ils me donnèrent une minute pour sortir de l'atelier et me conseillèrent de ne plus me montrer et de ne rien dire au patron. Reynolds lâcha mon col et je m'esquivai. Je ne vis ni M. Crane ni la sténodactylo dans le bureau. Pease et Reynolds avaient profité de l'absence de M. Crane et de la sténographe pour lâcher la terreur. Je sortis dans la rue et j'attendis le retour du patron. Je vis Griggs en train d'essuyer les vitrines de la bijouterie et je lui fis signe. Il sortit et je lui racontai ce qui était arrivé.

« Tu n'es pas un peu fou de rester là ? fit-il. Tu n'apprendras donc jamais ? Rentre chez toi ! Ils sont capables de te descendre. »

Je suivis Capitol Street ; j'avais l'impression que le trottoir était irréel, que j'étais irréel, que les gens étaient irréels et cependant je m'attendais à ce qu'on me demande de quel droit je me trouvais dans la rue. Ma blessure était profonde, il me semblait que ces gifles m'avaient mis au ban de la race humaine. En rentrant je ne dis rien à ma famille de ce qui était arrivé ; je leur déclarai simplement que j'avais plaqué mon emploi, que je n'étais pas assez payé, que je cherchais une autre place. Ce soir-là, Griggs vint à la maison. Nous allâmes nous promener.

« C'est vache, ce qui t'arrive, fit-il.

— Tu ne vas tout de même pas dire que c'est ma faute ? »

Il secoua négativement la tête.

« Alors, et tes foutues théories d'humilité et d'obséquiosité, où est-ce qu'elles mènent ? lui demandai-je sur un ton d'ironie amère.

— C'est des choses qui arrivent, que veux-tu ? fit-il avec un haussement d'épaules.

— Ils me doivent de l'argent, dis-je.

— C'est de ça que je viens te parler. M. Crane te demande d'aller à dix heures au bureau. A dix heures juste, n'oublie pas, parce qu'il sera là et les autres ne pourront plus te chercher d'histoires. »

Le lendemain matin à dix heures, je montai l'escalier à pas de loup, et jetai un coup d'œil dans le bureau de l'atelier d'optique pour m'assurer que M. Crane était arrivé. Il était à son bureau. Pease et Reynolds étaient à leurs machines dans le fond.

« Entrez, Richard », dit M. Crane.

J'ôtai mon chapeau et pénétrai dans le bureau. Je me tins debout devant lui.

« Asseyez-vous », fit-il.

Je m'assis. Il me regarda dans les yeux et branla la tête.

« Dites-moi, que s'est-il passé ? »

Une brusque envie de parler me prit, et m'abandonna lorsque je me rendis compte que j'étais en face d'un mur que je ne pourrais jamais battre en brèche. J'essayai à plusieurs reprises de parler, mais je fus incapable d'émettre un son, l'énervement me paralysait ; des larmes brûlantes coulèrent sur mes joues.

« Allons, essayez de vous calmer », dit M. Crane.

Je serrai les poings et je réussis à parler.

« J'ai tâché de faire de mon mieux ici, dis-je.

— J'en suis persuadé, fit-il. Mais je veux savoir ce qui est arrivé. Quel est celui qui vous a embêté ?

— Tous les deux », répondis-je.

Reynolds s'amena en courant à la porte et je me levai. M. Crane bondit.

« Retournez à votre établi ! dit-il à Reynolds.

— Ce sale Nègre est un menteur ! fit Reynolds. S'il raconte des histoires sur moi, je lui ferai son affaire !

— Retournez à votre établi ou quittez la maison ! » dit M. Crane.

Reynolds recula, sans me quitter des yeux.

« Allez-y, dit M. Crane. Racontez-moi ce qui s'est passé. »

Cette fois encore, il me fut impossible de parler. Qu'est-ce que cela pourrait bien changer que je lui raconte tout ? J'étais noir, je vivais dans le Sud. Je n'apprendrais jamais à manœuvrer ces machines tant que ces deux Blancs resteraient auprès d'elles. La colère et la peur m'envahirent à la pensée de tout

327

ce que je perdais. Je me penchai en avant et plaquai mes mains contre ma figure.

« Allons, allons, voyons, fit M. Crane. Du calme. Quoi qu'il arrive, tâchez de rester calme...

— Je sais, dis-je d'une voix que je ne reconnus pas. Tout ce que je pourrais dire ne servirait à rien.

— Vous voulez travailler ici ? » me demanda-t-il.

Je regardai les visages blancs de Pease et de Reynolds ; je les imaginai en train de me tendre une embuscade, de me tuer. Je me souvins de ce qui était arrivé au frère de Ned.

« Non, monsieur, répondis-je dans un souffle.

— Pourquoi ?

— J'ai peur, répondis-je. Ils me tueraient. »

M. Crane tourna la tête et appela Pease et Reynolds dans le bureau.

« Et maintenant, montrez-moi celui qui vous a ennuyé. N'ayez pas peur. Personne ne vous fera de mal », dit-il.

Je restai silencieux, le regard fixe. D'un geste, il congédia les deux hommes. La sténodactylo blanche me regardait avec de grands yeux et je me sentis inondé de honte, nu jusqu'à l'âme. Je me sentais violé jusqu'au plus profond de mon être, et je savais que ma propre peur avait favorisé ce viol. Je respirais avec peine, luttant pour essayer de me dominer.

« Est-ce que je peux toucher mon argent, monsieur ? demandai-je finalement.

— Restez assis une minute, le temps de vous remettre », dit-il. J'obéis et mes sens surexcités peu à peu s'apaisèrent.

« Je suis désolé de cette histoire, fit-il.

— J'avais espéré beaucoup de cette place, dis-je. Je voulais aller à l'école, à l'Université...

— Je sais, dit-il. Mais qu'allez-vous faire maintenant ? »

Mes yeux parcoururent la pièce, mais sans rien voir.

« Je vais partir, dis-je.

— Comment cela ?

— Je vais quitter le Sud, murmurai-je.

— Ça vaut peut-être mieux, dit-il. Personnellement, je suis de l'Illinois. Et même pour moi, c'est difficile, ici. Je suis obligé de faire attention. »

Il me donna l'argent, plus que je n'en avais gagné pendant la semaine. Je le remerciai et me levai pour prendre congé. Il se leva. Je pris le couloir et il me suivit. Il me tendit la main.

« La vie n'est pas drôle pour vous, dans ce pays », dit-il.

Je lui touchai à peine la main. Je franchis rapidement le couloir, luttant contre les larmes qui revenaient. Je descendis l'escalier en courant, puis je m'arrêtai et levai les yeux.

Il était planté sur le palier, et secouait la tête. Je sortis au soleil et je rentrai à la maison comme un aveugle.

CHAPITRE X

Durant des semaines après cet incident, je ne pus me fier à mes sentiments. Ma personnalité était engourdie, réduite à un état de mollesse, d'avachissement, de liquéfaction. Je n'étais plus qu'un non-homme, quelque chose qui se savait vaguement humain, mais ne se sentait pas tel. Avec le temps, je finis par ne plus ressentir de haine pour les hommes qui m'avaient chassé de ma place. Ils ne m'apparaissaient pas comme des individus distincts, mais comme les pièces d'un immense système, implacable et rudimentaire, contre lequel toute haine était vaine. Ce que j'éprouvais, par contre, c'était l'envie d'attaquer. Mais comment ? Et comme je ne connaissais aucun moyen de me colleter avec cette chose, je me sentais doublement banni.

Je me couchais fatigué et me levais fatigué, bien que je ne fisse aucun effort physique. Pendant la journée, j'étais hypersensible ; le moindre événement provoquait chez moi de violentes réactions, mes émotions refoulées trouvant là leur exutoire. Je refusais de parler de mes affaires à quiconque, sachant parfaitement que ce que j'entendrais serait une justification de la façon d'agir des Blancs et je ne voulais pas l'entendre. Je vivais avec une immense blessure, une plaie sensible, infectée, et je reculais chaque fois que j'approchais de quelque chose qui était susceptible de l'effleurer.

Mais comme j'avais besoin de manger, je devais travailler. Mon deuxième emploi fut celui de commis dans un « drugstore [1] » ; la veille du jour où je devais me présenter, je luttai avec moi-même, me disant que je devais me dominer, que ma vie en dépendait. Les autres Noirs travaillaient, se débrouillaient pour vivre d'une façon ou d'une autre, aussi fallait-il absolument, *absolument*, ABSO-LUMENT que je m'arrange de cette existence jusqu'à ce que je mette la main sur une somme d'argent suffisante pour me permettre de partir. Je me forcerais à filer doux. D'autres l'avaient fait. Je le ferais. Il fallait que je le fasse.

Plein d'appréhension, je me rendis à mon travail, décidé à surveiller mes moindres gestes. Je balayais le trottoir, interrompant ma besogne dès que j'apercevais un Blanc à moins de vingt pas. Je nettoyais le magasin, en prenant la précaution d'attendre que les Blancs qui se trouvaient sur mon chemin voulussent bien s'éloigner. Je faisais briller des kilomètres carrés de vitrines, changeant ma cadence de travail pour aller plus vite, m'attachant à tenir la moindre nuance de réalité dans le champ de ma

1. *Drugstore :* Bazar-restaurant-pharmacie.

conscience. Midi arriva, le magasin était bondé ; les gens se pressaient au bar pour manger. De derrière le comptoir, un Blanc accourut vers moi en criant :

« Une bonbonne de coca-cola, en vitesse ! »

Tout mon corps se contracta, je restai à le dévisager, le regard fixe. Lui aussi me fixa, l'air ahuri.

« Eh bien, qu'est-ce qui te prend ?

— Rien, répondis-je.

— Eh bien, remue-toi ! Ne reste pas là comme une moule ! »

Je n'aurais pas pu dire ce qui me prenait, même si j'avais essayé. Je m'étais attendu à de la violence, et maintenant que mon corps se détendait, je me sentais épuisé. Le constant souci de refréner mes impulsions, mes paroles, mes gestes, ma manière d'agir, mes expressions, avait accru mon angoisse. Je devins distrait, à force de trop me concentrer sur de menues besognes. Les employés commencèrent à m'invectiver, ce qui aggrava les choses. Un jour, je laissai tomber un cruche de sirop d'orange au milieu du magasin. Le patron entra en fureur. Il m'empoigna par le bras et me poussa dans l'arrière-boutique. Il était livide. Je m'attendais à ce qu'il me batte et je m'apprêtai à me défendre.

« Je vais déduire ça de ta paie, espèce d'enfant de cochon de Noir ! » brailla-t-il.

Rien que des mots, pas de coups. Je respirai.

« Oui, m'sieur, dis-je humblement. C'était de ma faute. »

Cela eut le don de décupler sa rage.

333

« Et comment que c'était de ta faute, nom de Dieu ! hurla-t-il plus fort.

— Je ne connais pas encore bien le métier », marmonnai-je, me rendant compte que j'avais dit ce qu'il ne fallait pas dire, alors que je m'étais efforcé de tomber juste.

« Nous ne t'avons pris qu'à l'essai, fit-il avec une menace dans la voix.

— Oui, monsieur. Je comprends », dis-je.

Il me regarda, muet de rage. Pourquoi ne pouvais-je donc pas apprendre à me taire au bon moment ? J'avais tout juste dit une petite phrase de trop. Mes paroles étaient assez innocentes, mais elles dénotaient chez moi, semblait-il, une lucidité qui mettait les Blancs hors d'eux.

Lorsque arriva le samedi soir, le patron me régla et me jeta un : « Pas la peine de revenir. Tu ne feras pas l'affaire. »

Je savais ce qui n'allait pas chez moi, mais je ne pouvais y remédier. Les paroles et les actes des Blancs me déroutaient. Je vivais dans une culture et non dans une civilisation et je ne pouvais voir comment fonctionnait cette culture qu'en vivant dedans. Une mauvaise interprétation des réactions des Blancs qui m'environnaient me faisait dire et faire ce qu'il ne fallait pas. Dans mes rapports avec les Blancs, j'avais toujours présent à l'esprit l'ensemble de mes relations avec eux, tandis que de leur côté, ils n'avaient conscience que des circonstances ayant trait à un moment donné. Je devais constamment me remettre en mémoire ce qui, aux yeux des autres, était un fait acquis ; je devais percevoir par la pensée ce que les autres ressentaient.

J'avais commencé trop tard à affronter le monde blanc. Il m'était impossible de faire de la servilité une partie machinale de mon comportement. J'étais forcé de considérer et de comprendre le plus insignifiant des incidents d'origine raciale à la lumière du problème général de la race, et à chacun de ces incidents insignifiants, je me consacrais tout entier. Quand je me trouvais devant un Blanc, il me fallait réfléchir à chaque geste que j'allais faire, à chaque mot que j'allais dire. C'était plus fort que moi. Je ne pouvais pas sourire. Par le passé, j'en avais toujours trop dit ; à présent je trouvais de la difficulté à dire la moindre parole. Je n'avais pas les réactions qu'attendait de moi le monde dans lequel je vivais ; ce monde était trop déconcertant, trop incertain.

Je passai des semaines entières dans l'oisiveté. L'été tirait à sa fin. J'avais définitivement perdu tout espoir de poursuivre mes études. Vint l'automne. La plupart des élèves qui avaient tenu un emploi pendant les vacances retournèrent à l'école. Les places abondaient, maintenant. J'appris qu'on demandait des garçons de service dans un des hôtels de la ville, celui, précisément, où le frère de Ned avait trouvé la mort. Devais-je me présenter ? Commettrais-je, moi aussi, quelque fatale bévue ? Mais il fallait que je gagne de l'argent. Je me présentai et on m'engagea pour nettoyer les longs couloirs dallés qui s'étendaient sur tout le pourtour du bâtiment, aux étages occupés par les bureaux. Je m'y rendais le soir à dix heures, et là, muni d'un énorme seau d'eau et d'un paquet de paillettes de savon, je travaillais avec une équipe de nettoyeurs ; c'étaient tous des Noirs et je me sentais heureux ; je pouvais au moins bavarder, plaisanter, rire, chanter, dire ce qui me plaisait.

Je commençais à m'émerveiller de la facilité avec laquelle les jeunes Noirs jouaient le rôle que leur avait assigné la race blanche. La plupart d'entre eux n'avaient pas l'air de se douter qu'ils menaient une vie spéciale, à part, sans essor. Et cependant je savais qu'à une certaine période de leur croissance — période qu'ils avaient sans doute oubliée — s'était développé chez eux un mécanisme de contrôle délicat et sensible qui écartait automatiquement de leur esprit et de leurs sentiments tout ce que les Blancs avaient déclaré tabou. Bien qu'ils vécussent dans une Amérique où, théoriquement, les chances d'arriver étaient égales pour tous, ils savaient sans jamais se tromper à quoi ils pouvaient aspirer et à quoi ils ne pouvaient pas aspirer. Si un jeune Noir avait annoncé qu'il désirait devenir écrivain, ses copains l'auraient traité de toqué. Ou si un jeune Nègre avait manifesté l'envie de devenir agent de change à la Bourse de New York, ses amis — dans son propre intérêt — auraient rapporté cette curieuse ambition à son patron blanc.

Il y avait un jeune garçon café au lait qui avait une blennorragie et qui en était fier.

« Dis donc, me demanda-t-il un soir, t'as déjà eu la chaude-pisse ?

— Dieu m'en préserve, répondis-je. Pourquoi me poses-tu cette question ?

— Moi, je l'ai, dit-il d'un air détaché. Je pensais que t'aurais pu me conseiller quelque chose à prendre.

— Tu n'as pas été voir un médecin ?

— Oh ! quelle blague ! les médecins n'y connaissent rien.

— Ne dis pas d'idioties, lui dis-je.

— Qu'est-ce qui te prend ? fit-il d'un air supérieur. On dirait que t'aurais honte d'avoir la chaude-pisse ?

— Sûrement, dis-je.

— Eh, bon Dieu, quoi ! T'es pas un homme tant que tu ne l'as pas eue trois fois, dit-il.

— Il n'y a pas de quoi se vanter, lui dis-je.

— C'est pas pire que d'attraper un mauvais rhume. »

Mais je remarquais que chaque fois qu'il urinait il se cramponnait à un tuyau de chauffage, un montant de porte ou un appui de fenêtre, et qu'il faisait des efforts désespérés, les yeux remplis de larmes et le visage torturé, comme s'il eût essayé d'arracher l'hôtel de ses fondations. Je riais pour cacher mon dégoût.

Quand j'avais fini de nettoyer, je suivais d'interminables parties de dés qui s'organisaient dans les vestiaires, mais jamais je ne réussis à m'y intéresser suffisamment pour être tenté d'y participer. Le jeu

337

n'avait pas d'attraits pour moi. Je ne pouvais pas concevoir de jeu qui offrît plus de risques que l'existence que je menais. Les jurons fusaient parmi des histoires de femmes, et la fumée bleue rendait l'air irrespirable. Je restais des heures durant assis à les écouter, me demandant comment diable ils pouvaient rire sans arrière-pensée, essayant de saisir le miracle qui donnait à leur vie abâtardie un semblant d'existence humaine.

Plusieurs jeunes Négresses étaient employées comme femmes de chambre à l'hôtel ; j'en connaissais quelques-unes. Un soir, au moment de rentrer, je vis une jeune fille qui habitait de mon côté et je la rejoignis pour faire une partie du chemin avec elle. Comme nous passions devant le veilleur de nuit blanc, celui-ci, d'un geste machinal, lui donna une tape sur les fesses. Je me retournai, stupéfait. La jeune fille s'esquiva d'une secousse, redressa la tête d'un air crâne et s'éloigna le long du corridor. J'étais resté figé sur place.

« Eh bien, le moricaud, ça n'a pas l'air de te plaire, ce que je viens de faire », dit-il.

Je ne pouvais ni bouger ni parler. Mon immobilité dut lui apparaître comme un défi, car il sortit son revolver.

« Ça ne te plaît pas ?

— Si, monsieur, murmurai-je, la gorge sèche.

— Eh ben alors, fais-le voir, sacré nom de Dieu !

— Oh ! oui, m'sieur ! » dis-je en mettant dans ces mots tout l'enthousiasme dont j'étais capable.

Je longeai le couloir, sachant que le revolver était

dirigé sur moi, mais trop effrayé pour me retourner. Une fois passé la porte, j'eus l'impression que ma gorge était en feu et allait éclater. La jeune fille m'attendait. Je la dépassai. Elle me rattrapa.

« Bon sang, comment avez-vous pu lui laisser faire ça ? éclatai-je.

— Ça n'a pas d'importance, ils font ça tout le temps, dit-elle.

— J'étais prêt à faire je ne sais quoi, dis-je.

— Vous auriez été idiot de chercher des histoires, fit-elle.

— Mais ça doit être terrible pour vous ?

— Ils ne vont jamais plus loin que ça, si nous n'y tenons pas, fit-elle placidement.

— Oui, j'aurais été idiot », dis-je, mais elle ne comprit pas l'allusion.

J'avais peur d'aller travailler, le lendemain soir. Que penserait le veilleur ? Déciderait-il de me donner une leçon ?

Je franchis lentement la porte en me demandant s'il recommencerait à me menacer. Son regard se posa sur moi et me traversa.

Il était évident qu'il considérait l'affaire comme close, ou alors il avait eu tant d'histoires de ce genre qu'il avait déjà oublié celle-là.

Je m'étais mis à économiser quelques dollars sur mon salaire, car j'étais plus que jamais déterminé à partir. Mais je trouvais ce mode d'épargne d'une lenteur exaspérante. J'étais sans cesse en train de ruminer des moyens de gagner de l'argent, et les seuls qui me venaient à l'esprit impliquaient des

339

infractions à la loi. Non, je ne dois pas faire cela, me disais-je. Aller en prison dans le Sud, c'était la fin. Et il était possible, si jamais j'étais pris, que je n'atteigne même pas la prison.

C'était la première fois de ma vie que je nourrissais consciemment l'idée de violer les lois du pays. J'avais toujours eu le sentiment que mon intelligence et mon habileté pouvaient faire face à toutes les situations, et jusque-là je n'avais jamais volé un penny à qui que ce fût. Même la faim ne m'avait jamais poussé à m'approprier le bien d'autrui. L'idée seule de voler me répugnait. Je n'étais pas honnête de propos délibéré, mais il ne m'était tout simplement jamais venu à l'esprit d'être malhonnête.

Cependant, autour de moi, tous les Nègres volaient. J'avais souvent été traité de « stupide moricaud » par de jeunes Noirs, lorsqu'ils découvraient que je n'avais pas profité d'une occasion de m'emparer de quelque objet insignifiant qu'un Blanc avait laissé par négligence à portée de ma main.

« Mais bon Dieu, comment vas-tu te débrouiller dans la vie ? » m'avait-on demandé lorsque j'avais dit qu'on ne devait pas voler.

Je savais que les garçons de l'hôtel chapardaient chaque fois qu'ils en avaient l'occasion. Je savais que Griggs, mon ami qui travaillait à la bijouterie de Capitol Street, volait régulièrement et avec succès. Je savais qu'un de mes voisins noirs volait des sacs de grains chez une grossiste où il travaillait, bien qu'il fût diacre incorruptible de l'église où il allait prier et chanter tous les dimanches. Je savais que les jeunes Négresses employées dans des familles blanches volaient journellement de la nourriture pour augmenter leurs maigres gages. Et je savais que la nature même des relations entre Noirs et Blancs engendrait ce vol continu.

Les Nègres de mon entourage n'avaient jamais eu l'idée de s'organiser, de quelque façon que ce fût, pour demander des gages plus élevés à leurs employeurs blancs. Cette seule idée les eût terrifiés et ils savaient que les Blancs auraient réagi avec promptitude et brutalité. Aussi faisaient-ils semblant de se conformer aux lois des Blancs avec des sourires et des courbettes, tout en laissant leurs doigts s'égarer sur ce qui se trouvait à leur portée. Et les Blancs paraissaient apprécier cette façon de faire.

Mais moi qui ne volais pas, moi qui voulais les regarder droit dans les yeux, qui voulais agir et parler en homme, je leur inspirais de la crainte. Les Blancs du Sud préféraient faire travailler les Nègres qui les volaient que des Nègres qui avaient ne fût-ce qu'une très vague idée de leur propre valeur humaine. C'est pourquoi les Blancs donnaient une prime à la malhonnêteté des Noirs ; ils encourageaient l'irresponsabilité et ils nous récompensaient, nous autres Noirs, dans la mesure où nous leur donnions un sentiment de sécurité et de supériorité.

Mes objections contre le vol n'étaient pas d'ordre

moral. Je ne l'approuvais pas parce que je savais qu'à la longue le procédé était futile, qu'il ne permettait pas de changer effectivement les rapports des Noirs avec le monde qui les entourait. Alors comment arriverais-je à changer mes rapports avec le monde qui m'entourait ? Mon salaire passait presque tout entier à nourrir les estomacs éternellement affamés de la maisonnée. En économisant un dollar par semaine, il me faudrait deux ans pour amasser cent dollars, somme que j'estimais, à la suite de je ne sais quel raisonnement, nécessaire pour débuter dans une ville étrangère. Et Dieu sait s'il pouvait m'en arriver des choses, en deux ans...

Mon désir de m'en aller rapidement fut pour moi une nouvelle source d'inquiétudes. Maintenant, je les avais vus de près, ces Blancs hautains qui faisaient les lois ; j'avais vu comment ils agissaient, comment ils considéraient les Noirs, comment ils me considéraient, et je ne me sentais plus lié par les lois auxquelles Blancs et Noirs étaient censés obéir d'un commun accord. J'étais en dehors de ces lois ; les Blancs me l'avaient dit. Maintenant, quand il m'arrivait de songer aux moyens d'échapper à mon milieu, je ne ressentais plus cette contrainte intérieure qui m'eût empêché de voler, et cette liberté nouvelle me rendait solitaire et m'effrayait.

Mes sentiments étaient divisés ; malgré moi, je rêvais à une armoire fermée à clef dans une maison voisine, où l'on gardait un revolver. Si je le volais, combien me rapporterait-il ? Quand mon désir de fuite devenait trop intense, je ne pouvais m'ôter de l'esprit l'image d'une école nègre toute proche où l'on avait stocké d'énormes caisses de fruits en conserve. Cependant la peur m'empêchait d'agir ; l'idée de voler flottait, tentatrice, dans mon cerveau. L'impossibilité de m'adapter au monde blanc avait déjà ébranlé les assises de ma personnalité et brisé les barrières intérieures qui donnaient accès au crime ; il ne manquait plus maintenant que l'occasion, l'impulsion finale fournie par une circonstance favorable. Elle se présenta.

Je fus promu chasseur, ce qui m'apporta une légère augmentation de salaire. Mais j'appris vite que cela comptait peu en regard des sommes que procurait la vente en fraude d'alcool aux prostituées blanches qui habitaient l'hôtel. Les autres chasseurs en acceptaient le risque ; j'en fis autant. J'appris à passer devant un agent de police blanc de la marchandise de contrebande dans ma poche revolver, en déambulant nonchalamment et en sifflotant comme doit siffloter un Nègre lorsqu'il est innocent. Les dollars supplémentaires arrivaient, mais lentement. Comment, mais comment pourrais-je mettre la main sur une vraie somme d'argent avant d'être pris et envoyé en prison pour quelque délit insignifiant ? Si je devais violer la loi, il fallait que cela me rapporte. Mes ambitions de ce côté étaient modestes. Cent dollars me donneraient provisoirement plus de liberté de mouvement que je n'en avais jamais eu. J'observais et j'attendais, couvant cette pensée.

Tandis que j'attendais l'occasion de commettre

343

un larcin et de m'enfuir, je m'accoutumais à voir les prostituées blanches couchées toutes nues sur leur lit, ou se promenant nues dans leurs chambres ; j'appris de nouvelles règles de conduite, de nouvelles manières de vivre cette vie de ségrégation qui nous était imposée. Nous autres, jeunes Nègres, étions censés considérer leur nudité comme une chose naturelle, pas plus susceptible de nous troubler qu'un vase bleu ou un tapis rouge. Notre présence n'éveillait pas le moindre sentiment de honte chez elles, car nous autres Noirs n'étions pas considérés comme des êtres humains. Quand elles étaient seules, je les regardais à la dérobée. Mais quand elles recevaient des hommes, je ne sourcillais pas.

Une énorme blonde à la peau laiteuse prit une chambre à mon étage. Un soir elle sonna pour le service d'étage et je répondis. Elle était couchée avec un homme trapu ; ils étaient nus tous les deux, leurs corps complètement découverts. Elle me déclara qu'elle voulait de l'alcool, se glissa à bas du lit et traversa la pièce en se dandinant pour aller chercher de l'argent dans le tiroir de sa commode. Sans m'en rendre compte, je l'observais.

« Dis donc, eh moricaud ! Qu'est-ce que tu lorgnes comme ça, nom de Dieu ? demanda le Blanc, en se soulevant sur un coude.

— Rien, monsieur, répondis-je, plongeant brusquement mon regard dans les insondables abîmes de la surface plate du mur de la chambre.

— Si tu tiens à ta santé, fais attention à ce que tu regardes.

— Oui, monsieur. »

Je serais resté à l'hôtel jusqu'à mon départ si un moyen plus rapide ne s'était présenté. Un des garçons de l'hôtel me chuchota un soir que l'unique cinéma nègre de la ville demandait un jeune homme pour contrôler les billets à l'entrée.

« T'as jamais fait de la taule, des fois ? demanda-t-il.

— Pas encore, répondis-je.

— Alors tu peux avoir la place. Moi, je la prendrais bien, mais j'ai fait six mois et ils le savent.

— C'est trop beau. Il doit y avoir un os quelque part. Je t'écoute...

— La petite qui vend les billets a une combine, expliqua-t-il. Si tu prends la place, tu peux te faire du pognon. »

Si je volais, j'aurais la possibilité d'aller dans le Nord plus rapidement ; si je restais à peu près honnête, avec mon petit trafic d'alcool de contrebande, je prolongeais simplement mon séjour, j'augmentais mes chances d'être pris, je m'exposais à dire une parole malencontreuse ou à faire une chose malencontreuse et à subir un châtiment auquel je n'osais penser. La tentation de m'aventurer dans le crime était trop forte, et je résolus de travailler vite, de prendre ce qui s'offrait, d'amasser un magot et de m'enfuir. Je savais que d'autres avaient essayé avant moi et avaient échoué, mais j'espérais avoir de la chance.

J'étais en bonne posture pour obtenir la place ; je n'avais pas de vol ni d'infraction à la loi à mon actif. Lorsque je me présentai chez le propriétaire juif du cinéma, il m'engagea immédiatement. Le lendemain, je me présentai à mon travail et commençai à ramasser les billets. Le gérant me prévint :

« Écoutez-moi bien, je vais être franc avec vous, tâchez de l'être avec moi. Je ne sais pas qui est honnête ou qui ne l'est pas dans la boîte. Mais si vous êtes honnête, alors les autres sont forcés de l'être aussi. Tous les billets passent entre vos mains. Si vous ne volez pas, personne ne peut voler. »

Je l'assurai de mon honnêteté, sans éprouver le moindre remords quant à mes intentions. Il était blanc, et jamais je ne pourrais lui faire payer ce que lui et sa race m'avaient fait endurer. Par conséquent, raisonnais-je, voler n'était pas enfreindre ma règle morale, mais la sienne ; je me disais que puisqu'il était si injustement privilégié, tout ce que je pourrais faire pour contrecarrer son système d'existence était justifié. Malgré tout, je ne réussis pas à me convaincre entièrement.

Au cours du premier après-midi, la jeune Négresse du guichet me surveilla de près. Je savais qu'elle essayait de me juger, cherchant à savoir à quel moment elle pourrait en toute sûreté m'initier à son stratagème. J'attendais, lui laissant le soin de faire le premier pas.

J'étais censé jeter chaque billet que me tendait le client dans un récipient de métal. De temps à autre, le patron allait au guichet, regardait le numéro de la série sur le rouleau de billets non encore vendus, puis le comparait avec le numéro du dernier billet que j'avais jeté dans la boîte. Le patron continua de me surveiller pendant plusieurs jours, puis il se mit à m'observer de la rue ; finalement, il s'absenta durant de longs intervalles.

Une tension, aussi forte que celle que j'avais connue au moment où les Blancs m'avaient chassé de ma place à l'atelier d'optique m'envahit de nouveau. Mais j'avais depuis appris à maîtriser n'importe quelle tension ; je m'étais entraîné, lentement et patiemment, à me contenir sans trahir mes sentiments d'aucune manière. S'il en eût été autrement, la simple idée de voler, les risques encourus, ma détresse intérieure m'auraient ému au point de rendre tout calcul de sang-froid impossible, m'auraient mis dans un tel état d'affolement qu'il m'eût été impossible de voler. Mais ma résistance intérieure avait été jetée à bas. Je sentais que, moralement, j'avais été rejeté du monde, contraint de vivre en marge du cours normal de la vie, en état de rébellion journalière, et que je m'étais habitué à demeurer du côté de ceux qui guettaient et qui attendaient.

Un soir, tandis que je soupais dans un café voisin, un Nègre que je ne connaissais pas entra et s'assit à côté de moi :

« Bonsoir, Richard, dit-il.

— Bonsoir, répondis-je. Je n'ai pas l'impression de vous connaître.

— Mais moi je te connais », dit-il en souriant.

Était-ce un des espions du patron ?

« Comment me connaissez-vous ? demandai-je.

— Je suis l'ami de Tel », dit-il, faisant allusion à la jeune caissière du cinéma.

Je le considérai attentivement. Me disait-il la vérité ? Ou bien essayait-il de me tendre un piège pour le compte du patron ? J'avais déjà les pensées et les réactions d'un criminel ; je me méfiais de tout le monde.

« Nous commençons ce soir, fit-il.

— Quoi ? dis-je, affectant toujours de ne pas savoir de quoi il s'agissait.

— N'aie pas peur, le patron a confiance en toi. Il est allé chez des amis. Quelqu'un le surveille, et s'il fait mine de vouloir se ramener ici, nous serons prévenus par téléphone. »

Je ne pouvais plus manger. Mon repas refroidissait sur mon assiette et je sentais la sueur couler de mes aisselles.

« Voilà comment on va goupiller la chose, m'expliqua-t-il à voix basse, d'un ton persuasif. Un type va venir te demander du feu. Tu lui donneras cinq billets que t'auras fait passer à l'as, t'as compris ? Nous te ferons signe quand il faudra que tu commences à conserver les billets. Le type repassera les billets à Ted ; elle les revendra tout de suite, aux heures où il y aura la queue. T'as pigé ? »

Je ne répondais pas. Je savais que si j'étais pris, j'étais bon pour le bagne. Mais ma vie n'était-elle pas déjà celle d'un bagnard ? Qu'avais-je à perdre, au fond ?

« Tu marches avec nous ? » demanda-t-il.

Je ne répondais toujours pas. Il se leva et me donna une claque sur l'épaule. En retournant au cinéma je tremblais. Il pouvait m'arriver n'importe quoi, mais j'avais l'habitude. N'avais-je pas éprouvé la même sensation quand j'étais étalé par terre et que les Blancs se penchaient sur moi en me disant que j'étais un sacré veinard de moricaud ? Ne l'avais-je pas éprouvée le matin où j'étais rentré chez moi en sortant de chez l'opticien, après avoir perdu ma place ? Ne l'avais-je pas éprouvée quand je suivais le couloir avec le revolver du veilleur de nuit braqué dans mon dos ? Ne l'avais-je pas éprouvée des milliers de fois auparavant ? Je pris les billets d'une main moite. J'attendis. Pile ou face : la liberté ou le bagne. Par moments, j'avais l'impression de ne plus pouvoir respirer. Je parcourus la rue du regard, le patron n'était pas en vue. Était-ce un piège ? Si c'était un piège, ma famille serait désho-norée. Ne diraient-ils pas tous qu'ils l'avaient toujours prédit, que j'étais parti pour mal finir ? Ne remueraient-ils pas le passé pour faire l'inventaire des turpitudes qui m'avaient mené à cette fin ?

« Il y a foule au guichet, chuchota-t-il. Gardes-en dix, pas cinq. Commence avec celui-ci. »

Ça y est, le sort en est jeté ! me dis-je. Il me tendit le billet et s'assit pour regarder les ombres mouvan-tes sur l'écran. Inconsciemment je tiens le billet violemment serré dans mes doigts et mon corps se roidit, s'embrasa, mais j'avais l'habitude. Le temps se traînait lentement à travers les cellules de mon cerveau. Les muscles me faisaient mal. Je découvris que le crime comporte de la souffrance. La foule entra et me remit d'autres billets. J'en dissimulai dix dans le creux de ma main moite. L'affluence avait à peine commencé à diminuer qu'un jeune Noir, cigarette aux lèvres, s'approcha de moi :

« N'auriez pas un peu de feu ? »

D'un geste lent, je lui passai les billets. Il sortit. Entrebâillant légèrement la porte, je le suivis des yeux. Il se présenta au guichet, déposa une pièce de monnaie, et je le vis glisser les billets à la caissière. Oui, le garçon était honnête. La caissière eut un bref sourire à mon adresse et je refermai la porte. Quelques instants après, les mêmes billets m'étaient présentés par d'autres clients.

Nous continuâmes de la sorte pendant toute une semaine et l'argent fut partagé en quatre. On me donna cinquante dollars. La liberté était presque à ma portée. Fallait-il risquer davantage ? Je laissai entendre à l'ami de Tel que je serais peut-être forcé de partir. En réalité, c'était un simple coup de sonde en passant, histoire de voir comment il réagirait. Il entra dans une violente colère et je consentis aussitôt à rester, de peur que quelqu'un ne me dénonce par vengeance ou ne me fasse disparaître pour mettre un autre garçon plus malléable à ma place. J'avais affaire à des roublards et il fallait que je me montre plus roublard qu'eux.

Je tins encore une semaine. Un soir, je résolus que ce serait la dernière. L'image du revolver dans la maison du voisin me vint à l'esprit, ainsi que les caisses de conserves de fruits entreposées dans l'école. Si je les volais et qu'ensuite je les revende, j'aurais assez d'argent pour vivre à Memphis en attendant de trouver une place, de travailler, de faire assez d'économies pour aller dans le Nord. Je me glissai à bas de mon lit et trouvai la maison du voisin vide. J'inspectai les environs, tout était tranquille. Mon cœur battait à me faire mal. Je forçai la fenêtre avec un tournevis, pénétrai à l'intérieur et m'emparai du revolver. Je le glissai dans ma chemise et retournai à la maison. Lorsque je le sortis pour le regarder, je constatai qu'il était humide de sueur. Je le mis au clou sous un nom d'emprunt.

Le lendemain soir, je racolai deux garçons que je savais prêts à tout. Nous pénétrâmes par effraction dans l'économat de l'école et nous en sortîmes des boîtes de conserves de fruits que nous revendîmes à des restaurants.

Entre-temps, je m'étais acheté des vêtements, des chaussures, une valise de carton, et je cachai le tout à la maison. Lorsque arriva le samedi soir, je fis dire au patron que j'étais malade. Oncle Tom était en haut. Grand-mère et tante Addie étaient à l'église. Mon frère dormait. Ma mère était assise dans son fauteuil à bascule et chantonnait à mi-voix. Je fis ma valise et je descendis la trouver.

« Maman, je pars, lui chuchotai-je.

— Oh! non, protesta-t-elle.

— Il le faut, maman, je ne peux plus supporter cette vie.

351

— Ce n'est pas parce que tu as fait quelque chose de mal, que tu te sauves ?

— Je t'enverrai chercher, maman. N'aie crainte, je me débrouillerai.

— Sois prudent. Et fais-moi vite venir. Je ne suis pas heureuse ici, fit-elle.

— Il ne faut pas m'en vouloir pour toutes ces longues années, maman. Mais de toute façon, je n'aurais pu rien faire. »

Je l'embrassai et elle se mit à pleurer.

« Ne pleure pas, maman. Ça ira très bien. »

Je sortis par-derrière et fis un quart de mille à pied jusqu'à la voie de chemin de fer. Il se mit à pleuvoir tandis que je franchissais les traverses en direction de la ville. Quand j'atteignis la gare, j'étais trempé jusqu'aux os. Je pris mon billet, puis je courus me poster au coin du bloc d'immeubles dans lequel était situé le cinéma. Oui, le patron était là ; il contrôlait lui-même les billets. Je retournai à la gare et j'attendis le train, tout en épiant la foule.

Une heure plus tard, assis dans un compartiment pour Noirs, je filais vers le Nord ; c'était la première étape de mon voyage vers un pays où il me serait possible de vivre avec un peu moins de crainte. Insensiblement, le fardeau qui m'avait oppressé durant tant de mois se faisait un peu moins lourd. Mes joues me démangeaient et en les frottant j'y trouvai des larmes. A ce moment, j'eus conscience de la souffrance qui accompagne le crime, et je fis le vœu de ne plus jamais avoir à l'éprouver. En fait, je ne l'éprouvai plus jamais, car il ne m'arriva plus jamais de voler. Et si je ne le fis plus, c'est parce que je savais que pour moi, le crime comportait son propre châtiment.

Enfin... c'est là ma vie, me dis-je. Voyons maintenant ce que je vais en faire...

CHAPITRE XI

J'arrivai à Memphis un dimanche, par une froide matinée de novembre de l'année 1925, et traînai ma valise le long des trottoirs tranquilles et déserts, sous le soleil hivernal. Je trouvai Beale Street, la rue dont on m'avait parlé comme étant pleine de dangers : voleurs, prostituées, coupe-gorge, escrocs noirs. Après avoir longé plusieurs pâtés de maisons, je vis une grande maison de bois avec une pancarte à une des fenêtres : CHAMBRES. Je ralentis, me demandant si c'était une maison meublée ou une maison close. J'avais entendu parler des lourdes bévues que commettaient les jeunes provinciaux en visite dans les grandes villes, et je tenais à me montrer extrêmement prudent. Je passai devant la maison sans m'arrêter ; puis, arrivé au bout du bloc d'immeubles, je revins sur mes pas et repassai lentement devant la maison. Bah ! de toute façon, je n'y demeurerais qu'un jour ou deux, jusqu'à ce que je trouve un endroit sûr. Je n'avais pas d'objets de valeur dans ma valise. Je portais mon argent dans une ceinture à même ma peau ; si on voulait me le prendre, il faudrait d'abord me tuer.

Je gravis les marches du perron et je m'apprêtai à sonner quand j'aperçus une grosse mulâtresse qui me regardait à travers la fenêtre. Oh ! zut, pensai-je, c'est un bordel... Je m'arrêtai. La femme sourit. Je fis demi-tour et redescendis les marches. En approchant de la rue, je me retournai à temps pour voir la femme quitter la fenêtre. Un moment après elle se montra sur le seuil.

« Viens ici, mon garçon ! » m'ordonna-t-elle d'une voix tonnante.

J'hésitai. Nom de Dieu, je suis tombé du premier coup sur une putain...

« Viens ici, mon garçon ! m'ordonna-t-elle d'une voix de stentor. Je ne te ferai pas de mal. »

Je fis demi-tour et m'avançai lentement vers elle.

« Entre », fit-elle.

Je la regardai un moment, puis je pénétrai dans un vestibule confortable et chaud. La femme sourit, fit de la lumière et m'inspecta des pieds à la tête.

« Comment ça se fait que t'es passé et repassé tant de fois devant la maison ? demanda-t-elle.

— Je cherchais une chambre, répondis-je.

— Tu n'as pas vu la pancarte ?

— Si, m'dame.

— Alors comment ça se fait qu't'es pas rentré ?

— Ben, j'sais pas... Vous comprenez, je ne suis pas d'ici...

— Seigneur ! comme si ça ne se voyait pas ! » Elle s'affala lourdement dans un fauteuil et fut prise d'un rire homérique qui secouait sa poitrine mafflue au point qu'on se serait attendu à la voir s'envoler. « Ça crève les yeux », ajouta-t-elle. Elle pouffa de nouveau, se trémoussa et peu à peu reprit son calme.

« Je m'appelle Mme Moss », déclara-t-elle.

Je lui dis mon nom.

« Eh ben, ça au moins c'est un beau nom », fit-elle après un moment de réflexion.

Mes paupières battirent. Bon Dieu, mais qu'est-ce que c'était que cet endroit ? Et qui était cette femme ? Je me tenais planté là, ma valise à la main, prêt à partir.

« Oh ! Seigneur ! Mais, mon garçon, ce n'est pas un bordel, ici, dit-elle enfin. Les gens se font vraiment les idées les plus baroques sur Beale Street. Cette maison m'appartient. Je suis ici chez moi. Je suis membre de la Communauté religieuse. J'ai une fille de dix-sept ans, et je jure par le Seigneur que je veille à ce qu'elle marche droit. Assieds-toi, mon petit. Tu es dans de bonnes mains chez moi. »

Je ris et je m'assis.

« D'où que tu viens, comme ça ? demanda-t-elle.

— De Jackson, dans le Mississippi, répondis-je.

— Tu m'as l'air bien dégourdi, pour venir de là, estima-t-elle.

— Il y a des gens dégourdis, à Jackson, fis-je.

— Ah oui ? Eh ben, je demande à les voir. La plupart ne sont même pas capables de parler. Ils

357

restent là, tête baissée, un pied sur l'autre, et il faut deviner ce qu'ils essaient de dire. »

J'étais à l'aise maintenant. Elle me plaisait.

« Mon mari travaille dans une boulangerie, dit-elle d'un ton de bavardage amical, sans détours, comme si elle me connaissait depuis des années. Nous prenons des locataires, ça aide toujours un peu. On n'est pas des gens compliqués. Tu peux te considérer comme chez toi, si ça te chante. Le loyer est de trois dollars.

— C'est un peu cher, dis-je.

— Alors donne-moi deux dollars et demi jusqu'à ce que tu aies trouvé du travail », dit-elle.

J'acceptai, et elle me montra une chambre. Je posai ma valise.

« Tu t'es sauvé, pas vrai ? » fit-elle.

J'eus un sursaut d'étonnement.

« Comment l'avez-vous deviné ?

— Mon garçon, ton cœur est comme un livre ouvert, fit-elle. Je sais un tas de choses. Il y a beaucoup de gars des petites villes qui se sauvent à Memphis. Ils se figurent qu'ils vont se la couler douce, mais ils se trompent. » Elle me lança un regard inquisiteur :

« Tu bois ?

— Oh ! non, m'dame.

— Je ne voulais pas t'offenser, dit-elle. C'était juste pour savoir. Tu peux boire, ici, si tu en as envie. Je te demande simplement de ne pas faire de bêtises. Tu peux aussi amener ta bonne amie. Fais tout ce que tu veux, mais sois décent. »

358

J'étais assis sur le bord du lit et je la considérai avec stupéfaction. C'était dans la rue la plus mal famée de Beale Street, à Memphis, que j'avais rencontré la personne la plus cordiale, la plus amicale que j'eusse jamais connue. Je découvrais soudain que les êtres humains n'étaient pas tous mesquins, exaspérants ou bigots comme les membres de ma famille.

« Tu pourras déjeuner avec nous à notre retour de l'église, dit-elle.

— Merci, cela me ferait plaisir.

— Tu veux peut-être venir à l'église avec nous ?

— Ben... euh..., dis-je, sans me compromettre.

— Naan... tu es fatigué », dit-elle en fermant la porte.

Je m'étendis sur mon lit et m'abandonnai à la sensation délicieuse de vivre un rêve caressé depuis longtemps. J'avais toujours reculé intérieurement avec un sentiment d'épouvante à l'idée de la solitude que je ne manquerais pas d'éprouver dans une ville étrangère, et voilà que j'avais trouvé un foyer chez des gens aimables. Je me relaxai complètement et sombrai immédiatement dans le sommeil, car je n'avais guère dormi depuis pas mal de nuits. Un peu plus tard, je me réveillai en sursaut, me souvenant de la frayeur et de l'angoisse qui avaient accompagné mon incursion dans le crime. Mais tout cela c'était le passé. Je pouvais recommencer ma vie. Je n'aimais ni la peur, ni l'angoisse. Je désirais quelque chose de différent : être humain, être absorbé par une chose intéressante. Mais il fallait d'abord que je trouve du travail.

Vers la fin de l'après-midi, Mme Moss m'appela pour dîner et me présenta à sa fille Bess, avec laquelle je me sentis tout de suite en confiance. Elle était jeune, simple, adorable et brune. Mme Moss excusa son mari, qui était encore à son travail. Pourquoi me traitait-elle si gentiment ? Cela m'embarrassait.

Au dessert, Bess éleva la voix :

« Maman m'a tout raconté sur vous, dit-elle.

— Je crains qu'il n'y ait pas grand-chose à raconter, répliquai-je.

— Elle m'a dit que vous faisiez les cent pas devant la maison sans savoir si vous deviez entrer ou non, fit Bess en pouffant. Qu'est-ce que vous pensiez donc que c'était, cette maison ? »

Je baissai la tête et je souris. Mme Moss fut ébranlée par un rire convulsif et quitta la pièce.

« Maman m'a raconté qu'en vous voyant planté là dans la rue avec vot' valise, elle s'était dit tout de suite : " Voilà un jeune homme qui cherche un logement dans une maison convenable. " Maman est très forte pour ce qui est de deviner ce que les gens pensent, ajouta-t-elle.

— M'en a tout l'air, dis-je en aidant Bess à laver la vaisselle.

— Vous pourrez manger avec nous tant que vous voudrez, vous savez.

— Merci, dis-je. Mais je ne peux pas faire ça.

— Pourquoi donc ? s'étonna Bess. Il y a ce qu'il faut dans la maison.

— Je sais bien. Mais j'estime qu'un homme doit avoir de quoi payer son entretien.

— Maman m'avait prévenue que vous répondriez de cette façon », fit Bess avec satisfaction.

Mme Moss revint à la cuisine.

« Bess va bientôt se marier, annonça-t-elle.

— Félicitations, dis-je. Et qui est l'heureux veinard ?

— Oh ! j'ai encore personne », dit Bess.

J'étais intrigué. Mme Moss se mit à rire et me poussa du coude avec un petit air complice.

« Moi, je dis que les filles doivent se marier jeunes, fit-elle. Par exemple, si Bess trouvait un gentil garçon comme *toi*, Richard…

— Maman ! gémit Bess en se cachant la tête sous le torchon de cuisine.

— Je dis ce que j'pense, fit Mme Moss. Richard vaut mille fois mieux que tous ces petits Nègres ignorants, ces rien du tout après qui tu cours, à l'école. »

Je les regardai l'une après l'autre d'un air ahuri. Qu'est-ce que cela voulait dire ? Elles me connaissaient à peine, je n'étais dans la maison que depuis quelques heures.

« Je n'avais pas plus tôt posé les yeux sur ce garçon dans la rue, ce matin, reprit Mme Moss, que je me suis dit : " Voilà le garçon qu'il faut à Bess. " »

Bess vint vers moi et mit sa tête sur mon épaule.

J'étais abasourdi. Comment diable pouvait-elle agir ainsi ?

« Je t'en prie, maman, fit Bess d'un ton câlin.

— Je parle sérieusement, dit Mme Moss. Richard, je me fais du souci pour cette maison. Je me demande dans quelles mains elle va tomber un jour. Je n'en ai plus pour tellement longtemps dans ce monde-ci.

— Bess trouvera quelqu'un qui l'aimera, dis-je, embarrassé.

— Je n'en suis pas tellement sûre, répliqua Mme Moss en secouant la tête d'un air de doute.

— Je vais dans le salon », fit Bess avec un petit rire ; elle cacha sa tête dans ses mains et sortit en courant.

Mme Moss vint près de moi et, d'un ton confidentiel :

« C'est drôle, les filles, dit-elle en riant. Faut les dresser. Tout à fait comme des bêtes sauvages.

— Elle est très gentille », dis-je. Tout en essuyant la table, je me creusais la cervelle pour trouver un moyen de m'en tirer, ne tenant pas à me laisser entraîner dans des complications.

« Bess te plaît, Richard ? » me demanda soudain Mme Moss.

Je la regardai d'un air ébahi, n'en croyant pas mes oreilles.

« Je ne suis là que depuis quelques heures, dis-je d'un air hésitant. C'est une fille épatante.

— Ce que je veux savoir, c'est si elle te plaît

vraiment ? Pourrais-tu l'aimer ? » dit-elle avec insistance.

Je fixai Mme Moss d'un œil étonné, me demandant s'il y avait chez Bess quelque chose qui clochait. Quel genre de gens était-ce là ?

« Mais vous ne me connaissez pas, ni l'une ni l'autre. Il y a quatre ou cinq heures, je n'existais pas pour vous », dis-je en toute sincérité. Puis, voulant la mettre à l'épreuve, je lui lançai :

« Je pourrais être un voleur, un cambrioleur. Vous ne savez rien de moi.

— Mon fils, je te connais », dit-elle d'un ton péremptoire.

« Oh ! nom de Dieu ! pensais-je, il va falloir que je quitte cette maison. »

« Va tenir compagnie à Bess au salon, dit Mme Moss.

— Écoutez, madame Moss... je ne suis qu'un pauvre type quelconque, dis-je.

— Tu as en toi quelque chose qui me plaît, fit-elle. L'argent n'est pas tout. Tu as un bon cœur de chrétien, et ce n'est pas donné à tout le monde. »

Je tressaillis et je détournai la tête. Sa naïve simplicité me dépassait. Brusquement, j'eus l'impression d'être sous le coup d'une accusation.

« J'ai travaillé pendant vingt ans et je me suis acheté cette maison toute seule, poursuivit-elle. Je mourrais heureuse si je pouvais me dire que Bess a un mari qui te ressemble. »

Un cri aigu entrecoupé de rires jaillit du salon :

« Oh ! maman ! »

C'était Bess qui protestait.

Je pénétrai dans l'atmosphère tiède et accueillante du salon et je pris place sur le canapé. Bess était assise sur un petit banc et regardait par la fenêtre. Quelle attitude devais-je prendre à l'égard de cette jeune fille ? Je ne voulais pas être attiré dans une aventure que je n'avais pas souhaitée, et je ne voulais pas davantage heurter leurs sentiments.

« Vous ne voulez pas venir vous asseoir à côté de moi ? » fit Bess.

Je me levai et je m'assis à côté d'elle. Nous restâmes un long moment silencieux.

« J'ai le même âge que vous, dit Bess. J'ai dix-sept ans.

— Vous allez à l'école ? demandai-je, pour dire quelque chose.

— Oui, répondit-elle. Vous voulez voir mes livres ?

— Je veux bien. »

Elle se leva, et alla chercher ses livres de classe. Je vis qu'elle était en cinquième.

« Je ne suis pas très forte, à l'école, fit-elle en rejetant sa tête en arrière. Mais ça m'est égal.

— Pourtant, c'est important, l'école, dis-je, vaguement.

— C'est l'amour qui est important », riposta-t-elle avec feu.

Maintenant je me demandais si elle n'était pas folle. La conduite de la mère et de la fille était exactement contraire à tout ce que j'avais vu ou connu. Mᵐᵉ Moss entra dans la pièce.

« Je crois que je vais aller chercher du travail, dis-
je, voulant leur échapper.

— Un dimanche ! s'exclama Mme Moss. Attends
demain matin.

— Mais je pourrai déjà apprendre à m'orienter
dans la ville, dis-je.

— Voilà une excellente idée, dit Mme Moss, au
bout d'un instant de réflexion. Tu vois, Bess, ce
garçon a de la jugeote. »

Je me sentis gauche, embarrassé, tenu à dire
quelque chose.

« Si vous voulez, je vous aiderai volontiers pour
vos leçons, Bess, dis-je.

— Vous croyez que vous pourrez ? demanda-
t-elle d'un air dubitatif.

— Eh bien, l'année dernière, je faisais la classe à
l'école, dis-je.

— Oh ! comme c'est bien ! » fit Mme Moss d'une
voix enthousiaste.

Je me rendis dans ma chambre, me couchai sur
mon lit et m'efforçai de classer le genre de famille
dans lequel j'étais tombé. C'étaient des gens
sérieux, aucun doute. M'en voudraient-ils lorsqu'ils
sauraient que ma vie se trouvait à des milliers de
lieues de la leur ? Comment éviter cela ? Était-il sage
de demeurer ici avec une jeune fille de dix-sept ans
impatiente de se marier et une mère qui souhaitait
tout autant me la faire épouser ? Que diable avaient-
elles pu trouver chez moi qui les fît se comporter
avec moi comme elles l'avaient fait ? Mes vêtements
n'étaient pas beaux. Il est vrai que j'avais de bonnes

manières, des manières qu'on m'avait inculquées à coups de pied, dans les places que j'avais faites ; mais n'importe qui pouvait avoir de bonnes manières. J'avais appris à mieux connaître ces gens en moins de cinq heures que ma propre famille en cinq ans.

Par la suite, lorsque je fus arrivé à comprendre la mentalité paysanne de Bess et de sa mère, j'appris pleinement combien l'existence que j'avais menée chez nous m'avait coupé non seulement du monde blanc, mais aussi des Noirs. Pour Bess et sa mère, l'argent avait son importance, mais elles ne le convoitaient pas trop avidement. Elles n'éprouvaient pas d'angoisses, ni d'aspirations irréalisables, ni de besoin de se racheter par quelque sacrifice. L'intérêt principal de leurs existences résidait dans la vie simple, droite et convenable qu'elles menaient, et quand elles croyaient avoir trouvé ces mêmes qualités chez un homme de leur race, elles l'adoptaient d'instinct, l'aimaient et ne lui posaient pas de questions. Mais cette confiance si simple, si franche, m'ahurissait. Une pareille chose était impossible.

Je descendis Beale Street et j'atteignis le centre de Memphis. J'étais maigre, mon pardessus était râpé, et chaque rafale de vent me glaçait le sang. Dans Beale Street, je vis une affiche à la devanture d'un cabaret :

ON DEMANDE UN PLONGEUR

J'entrai et je parlai au gérant qui m'engagea pour le lendemain soir. Le salaire était de dix dollars la première semaine, et de douze dollars ensuite.

« N'embauchez personne d'autre, dis-je. Je serai là. »

Je devais prendre deux de mes repas dans la maison. Mais pendant la journée, qu'est-ce que je mangerais ? J'entrai dans un magasin et fis l'acquisition d'une boîte de conserves de porc aux haricots et d'un ouvre-boîte. Et d'une. Ce problème-là était résolu. Je paierais ma chambre deux dollars et demi et j'économiserais le reste en vue de mon voyage à Chicago. Toutes mes pensées et tous mes gestes étaient dictés par mes espoirs lointains.

Mme Moss fut sidérée quand je lui appris que j'avais trouvé une place.

« Tu vois, Bess, fit-elle. Ce garçon a trouvé une place le jour de son arrivée ici. Voilà ce qui s'appelle être dégourdi. Il fera du chemin, ce petit. Il ne se contente pas de rester là à jacasser et à bayer aux corneilles, lui. Il se remue. »

Bess me sourit. On eût dit que mon moindre geste la passionnait. Mme Moss monta se coucher. J'étais mal à l'aise.

« Donnez-moi votre pardessus, que je l'accroche », dit Bess.

Elle s'en empara et sentit la boîte de conserves dans la poche.

« Qu'est-ce que c'est que vous avez là ?

— Oh ! rien », marmonnai-je en essayant de lui reprendre mon pardessus.

Elle tira de la poche les haricots et l'ouvre-boîte. De pitié, ses yeux s'agrandirent.

« Richard, vous avez faim, n'est-ce pas ? fit-elle.

— Non, murmurai-je.

— Alors mangeons du poulet, dit-elle.

— Oh ! bon, je veux bien », dis-je.

Bess courut à l'escalier.

« Maman, cria-t-elle.

— Ne la dérangez pas », suppliai-je. Je savais qu'elle allait mettre sa mère au courant de mon intention de manger des conserves et je sentais mon cœur se remplir de honte. Mes muscles se tendaient pour la frapper.

Mme Moss descendit en robe de chambre.

« Maman, regarde ce que Richard s'apprêtait à faire, dit Bess en exhibant la boîte. Il allait manger ça dans sa chambre.

— Seigneur ! fit Mme Moss. Faut pas faire des choses comme ça, mon garçon.

— J'ai l'habitude, protestai-je. Il faut que je fasse des économies.

— Je ne te permettrai pas de manger des conserves chez moi, fit-elle. Tu n'as pas à me payer pour manger. Va dans la cuisine et mange. Ce n'est pas plus compliqué que ça.

— Mais je ne salirais pas votre chambre en mangeant mes conserves, dis-je.

— Il ne s'agit pas de ça, fiston, dit Mme Moss. Pourquoi t'irais manger dans une boîte en fer-blanc alors que tu n'as qu'à t'asseoir avec nous à table ?

— Je ne veux être à la charge de personne », dis-je.

Mme Moss me regarda avec de grands yeux puis baissa la tête et se mit à pleurer. J'étais abasourdi. Il me paraissait incroyable que ma façon de faire ou de vivre pût arracher des larmes à quiconque. Puis ma honte m'irrita.

« Tu n'as jamais eu réellement de vie de famille, voilà ce que c'est, fit-elle. Je te plains », ajouta-t-elle.

Je me hérissai. Cette remarque ne me plaisait pas. Elle atteignait ma vie intérieure, l'endroit sensible où je n'admettais personne.

« Je ne suis pas à plaindre », dis-je.

Mme Moss branla la tête et monta dans sa chambre. Je poussai un soupir. Je craignais que la famille n'eût trop d'emprise sur moi. Nous mangeâmes le poulet, Bess et moi, mais je n'avais pas beaucoup d'appétit. Bess me regardait avec des yeux attendris. Nous retournâmes au salon.

« J'veux me marier, chuchota-t-elle à mon oreille.

— Vous avez bien le temps, dis-je, mal à l'aise.

— J' veux me marier tout de suite, j'ai envie d'amour », fit-elle.

Je n'avais jamais connu personne qui exprimât ses sentiments d'une façon aussi directe, aussi franche, aussi ouverte.

« Vous savez ce que ça signifie ? » me demanda-t-elle en se levant pour prendre un peigne qui traînait sur la table et en venant se planter devant moi.

Je regardai le peigne sans comprendre, puis je levai les yeux sur elle.

« Qu'est-ce que vous voulez dire ? »

Elle ne répondit pas. Elle sourit, s'approcha, tendit vers moi la main qui tenait le peigne et toucha ma tête. Je reculai.

« Qu'est-ce que vous faites ? »

En riant, elle me passa le peigne dans les cheveux. Je la regardai, complètement effaré.

« Mes cheveux n'ont pas besoin d'un coup de peigne, dis-je.

— Je sais bien, fit-elle sans interrompre son manège.

— Mais pourquoi faites-vous cela ?

— Parce que ça me plaît.

— Mais qu'est-ce que ça veut dire ? »

Elle se remit à rire. Je tentai de me lever, mais elle m'empoigna le bras et me retint de force sur ma chaise.

« Vous avez de beaux cheveux, dit-elle.

— C'est des cheveux de Nègre, très quelconques, répondis-je.

— C'est des beaux cheveux, reprit-elle.

— Mais pourquoi me les peignez-vous ? insistai-je.

— Vous le savez.

— Pas du tout.

— Parce que vous me plaisez, ronronna-t-elle.

— C'est votre manie à vous de me le dire ?

370

— C'est la coutume, fit-elle. Vous faites l'ignorant pour vous ficher de moi. Vous le savez bien. Tout le monde sait ça. Quand une jeune fille rencontre un homme qui lui plaît, elle lui peigne les cheveux.

— Vous êtes encore jeune. Il ne faut pas faire les choses à la légère. Vous avez tout le temps.

— Je ne vous plais pas ?

— Mais si. Nous sommes bons amis.

— Mais je veux être plus qu'une amie », dit-elle avec un soupir.

Sa simplicité m'effrayait. Jusqu'alors je n'avais connu que des filles dures et intéressées, aussi bien à l'hôtel qu'à l'école. Nous demeurâmes un moment silencieux.

« Dites, qu'est-ce que c'est que ces livres dans vot' chambre ? demanda-t-elle.

— Vous êtes allée dans ma chambre ? fis-je avec une nuance de réprobation dans la voix.

— Bien sûr, répondit-elle sans sourciller, j'ai regardé dans votre valise. »

Que pouvais-je faire d'une fille pareille ? Étais-je stupide ou était-elle stupide ? Je sentais qu'il me serait facile d'avoir avec elle des rapports sexuels et cela me tentait. Mais qu'arriverait-il ? Non, décidément l'amour ne me venait pas d'une manière aussi prompte ni aussi simple. Et elle qui me parlait mariage. Pourrais-je jamais lui expliquer ce que je ressentais, lui faire part de mes espoirs ? Pourrait-elle jamais comprendre ma vie ? La question sexuelle mise à part, qu'aurais-je de commun avec elle, ou elle avec moi ? Mais je savais qu'elle n'était pas tourmentée par de tels problèmes. Je ne l'aimais pas et je ne voulais pas l'épouser. La prime que représentait la maison ne me tentait pas. Et cependant, assis là auprès d'elle, je me sentais peu à peu envahi par le désir croissant que son corps faisait naître en moi. Et si je la mettais enceinte ? J'étais persuadé que la peur d'être enceinte ne la tourmentait pas. Cela lui aurait peut-être fait plaisir. Je venais d'une famille où l'on n'exprimait jamais ses sentiments autrement que dans un accès de colère ou de crainte religieuse, dont chaque membre vivait cloîtré dans les ténèbres de son propre univers, et la lumière qui émanait du cœur de cette enfant — car c'était une enfant — m'aveuglait.

Elle se pencha sur moi et m'embrassa. Oh ! tant pis, après tout, pensai-je. Explique-toi avec elle et s'il arrive quelque chose, pars... Je l'embrassai et je la caressai. Elle était chaude, passionnée, enfantine, souple. Ses bras et ses jambes m'enlacèrent et m'étreignirent avec violence. Je commençai à me demander quel âge elle avait.

« Que dirait votre mère ? murmurai-je.

— Elle dort.

— Mais si elle nous voyait ?

— Ça m'est égal. »

Elle était folle. Il est certain qu'elle m'aurait épousé sur-le-champ, même en ne sachant de moi que le peu qu'elle savait.

« Allons dans ma chambre, dis-je.

— Nan... Maman n'aimerait pas ça. »

Elle me permettait de tout oser avec elle au salon, mais dans ma chambre il n'en était plus question. C'était extravagant, c'était de la démence totale.

« Maman dort », observa-t-elle.

Je commençai à soupçonner que tous les garçons des maisons voisines avaient dû y passer.

« Tu m'aimes ? » me demanda-t-elle soudain à l'oreille.

Je la regardai avec de grands yeux, de plus en plus conscient de la terrible simplicité de sa vie. Simple, directe, voilà ce qu'était la vie pour elle. Elle n'accordait pas aux mots le même sens que moi, voilà tout. Elle me saisit les mains et les serra comme une forcenée. Je la regardais sans pouvoir me convaincre de la réalité de son existence.

« Je t'aime, fit-elle.

— Ne dis pas cela, fis-je, pour le regretter aussitôt.

— Mais c'est vrai que je t'aime », répéta-t-elle.

Elle avait prononcé ces mots avec tant de naturel qu'il me fut impossible de douter de sa sincérité. Bon sang de bon sang, me disais-je. Cette fille était d'une simplicité ahurissante et en même temps d'une vitalité dont je n'avais jamais vu d'exemple. Quel genre de vie avais-je donc mené pour que la nature de cette fille me parût si étrange ? Je me mis à penser à tante Addie, à son visage sévère, sa nature austère, sa méfiance, la contrainte qu'elle s'imposait, ses efforts ardus pour être bonne et sainte.

« Je ferai une bonne épouse », dit Bess.

Je dégageai ma main de la sienne. Je la considérai et je fus pris d'une envie de rire, de rire ou de la frapper. J'étais sur le point de lui faire mal et je ne le voulais pas. Je me levai. Oh ! bon Dieu... Elle est folle... Je l'entendis pleurer et je me penchai sur elle.

« Écoute, chuchotai-je. Tu ne me connais pas. Attends qu'on se connaisse mieux. »

Elle avait les yeux battus, le regard désemparé. L'amour était simple pour elle ; il s'allumait et s'éteignait à volonté.

« Tu me prends pour une rien du tout, voilà ce que c'est », gémit-elle.

J'étendis la main pour la toucher ; je voulais lui parler de ma vie, de mes sentiments, de mes doutes, mais elle se leva d'un bond.

« Je te déteste ! » siffla-t-elle à voix basse, avec une violence passionnée, et là-dessus elle se sauva.

J'allumai une cigarette et demeurai un long moment assis à réfléchir. Je n'avais jamais osé rêver que quelqu'un pourrait m'accepter comme cela d'emblée, aussi simplement, aussi complètement, sans qu'il fût le moins du monde question d'en tirer un avantage personnel. En réalité, j'avais fini par admettre — non sans résistance — la valeur que m'avait assignée mon ancien milieu, et je n'avais jamais cru à la possibilité d'existence d'un autre milieu. Ma vie avait changé trop brusquement. Si j'avais rencontré Bess dans une plantation du Mississippi, je me serais attendu à ce qu'elle agisse comme elle l'avait fait. Mais à Memphis, dans Beale

Street, comment un tel espoir, une telle foi, une telle confiance dans les autres pouvaient-ils exister ? J'aurais voulu aller chez Bess, lui parler, mais je ne savais pas les mots qu'il eût fallu lui dire.

En me réveillant le lendemain matin et en me rappelant les naïves espérances de Bess, je fus content d'avoir la boîte de porc aux haricots. Je ne tenais pas à me trouver en face d'elle pendant le petit déjeuner. Je m'habillai pour sortir, puis en chapeau et en pardessus, je m'assis sur le bord du lit et posai mes pieds sur une chaise. Tout en tirant sur ma cigarette, je sortis les haricots de la boîte avec mes doigts en guise de cuiller et je les mangeai. Ensuite je me glissai hors de la maison et gagnai le bord de l'eau. Sans me soucier de la bise glacée, je m'assis au soleil sur un petit tertre et je contemplai les bateaux qui remontaient le Mississippi. Ce soir, je commencerais à travailler. Je savais comment économiser, grâce à la faim perpétuelle que j'avais endurée dans le Mississippi. Mon cœur était en paix. J'étais plus libre que je ne l'avais jamais été.

Un jeune Noir vint vers moi.

« Ça va ? fit-il.

— Ça va, dis-je.

— Qu'est-ce que tu fabriques, comme ça ? s'enquit-il.

— Rien. J'attends le soir. J'ai du boulot dans un cabaret.

— Oh ! vacherie ! fit-il, je cherche un copain. »

Il voulait jouer les durs, mais j'eus l'impression qu'il avait le cafard.

« J'ai envie de sauter dans un train de marchandises et de m'en aller dans le Nord, fit-il.

— Pourquoi ne pas partir tout seul ? »

Il eut un rire gêné.

« Tu t'es sauvé de chez toi ? demandai-je.

— Oui. Il y a quatre ans.

— Qu'est-ce que tu fais, depuis ?

— Rien. »

Cela aurait dû me mettre en garde, mais je n'avais pas encore acquis une connaissance suffisante du monde, ni des grands chemins.

Nous bavardâmes un moment, puis nous longeâmes un sentier qui de la berge serpentait parmi les roseaux.

« Qu'est-ce que c'est que ça ?

— M'a l'air d'être un genre de bidon », dis-je.

C'était un énorme bidon, partiellement caché dans les hautes herbes. Nous nous avançâmes et nous aperçûmes qu'il était plein et qu'il pesait lourd. J'ôtai la bonde et reniflai.

« C'est de l'alcool », dis-je.

Mon compagnon le flaira lui aussi et ses yeux s'agrandirent.

« J'ai idée qu'on pourrait le vendre ? fit-il.

— Mais à qui est-ce ? demandai-je.

— Oh ! dis donc ! je voudrais bien pouvoir vendre ce truc-là, fit-il.

— Y a peut-êt' quelqu'un qui nous surveille », suggérai-je.

Nous inspectâmes les environs, mais ne vîmes personne.

« Ça doit appartenir à un bootlegger, dis-je.

— On va voir si on peut le vendre, fit-il.

— Je ne serais pas d'avis de sortir le bidon de là, dis-je. Les flics pourraient nous voir.

— J'ai besoin d'argent, dit-il. Il m'en faut pour me débiner, et ça tombe à pic. »

Nous nous mîmes d'accord pour chercher un acheteur blanc.

Nous parcourûmes les rues en dévisageant tous les Blancs qui passaient. Finalement, nous en découvrîmes un qui était assis dans sa voiture. Nous allâmes le trouver.

« Eh, m'sieur, dit le garçon ! nous avons trouvé un bidon d'alcool là-bas dans les roseaux ; vous voulez l'acheter ? »

L'homme nous examina d'un air soupçonneux.

« C'est de la bonne camelote ? interrogea-t-il.

— J' sais pas, répondis-je. Venez la voir.

— Vous ne me racontez pas d'histoires, au moins ? fit-il d'un air méfiant.

— Venez, je vais vous le montrer », dis-je.

Nous menâmes le Blanc auprès du bidon d'alcool ; il le déboucha et le flaira, puis passa la langue sur le bouchon.

« Cré nom d'un chien ! » fit-il. Puis il se tourna vers nous. « Vous avez vraiment trouvé ça ici ?

— Oh ! oui, m'sieur, répondîmes-nous en chœur.

— Gare à vous, les moricauds. Si vous mentez, je vous tue, fit-il à mi-voix.

— C'est la vérité, m'sieur », dis-je.

L'autre garçon restait planté là et nous regardait d'un air embarrassé. Je me demandais pourquoi il ne disait rien. Une vague idée essayait de se frayer un chemin dans mon cerveau épais et candide. Mais elle ne prit pas corps et je la chassai.

« Apportez ça jusqu'à ma voiture », fit le Blanc.

J'avais peur. Mais l'autre garçon était consentant et se montrait plein de zèle avec le Blanc pour m'encourager ; nous traînâmes le bidon jusqu'à son auto et le déposâmes à l'arrière.

« Voilà », dit le Blanc en tendant un billet de cinq dollars à mon compagnon.

La voiture démarra et je vis le Blanc inspecter les environs d'un air inquiet, comme s'il craignait un piège, ou du moins c'est ce qu'il me sembla.

« Oh ! dis donc ! On va changer le billet, fit le garçon.

— C'est ça, dis-je. On va partager. »

Il désigna le trottoir d'en face.

« Il y a là une boutique, fit-il. Je cours le changer.

— D'accord », fis-je avec une angélique naïveté.

Je m'assis sur le talus de la berge et j'attendis. Il courut en direction du magasin, mais j'avais tellement confiance que je ne le suivis même pas des yeux. Je m'amusais. J'allais toucher deux dollars et demi pour avoir trouvé une cachette d'alcool. J'étais déjà devenu un « hijacker [1] ». La veille au soir une jeune fille s'était jetée à mon cou. Et tout ceci

---

1. Bandit armé qui s'attaque aux contrebandiers de boissons alcooliques.

m'était arrivé moins de quarante-huit heures après mon départ de la maison. J'avais envie de rire tout haut. C'est fou ce qu'il vous arrivait comme aventures dès qu'on se sauvait de chez soi. Je levai la tête, attendant le retour de mon acolyte. Mais je ne le vis pas. Il prend son temps, me dis-je, en repoussant d'autres idées qui commençaient à se faire jour dans mon esprit. J'attendis encore un moment, puis je me levai, me dirigeai rapidement vers le magasin et regardai par la vitre. Le garçon n'était pas à l'intérieur. J'entrai et je demandai au patron s'il avait vu entrer un garçon de mon âge.

« Ouais, fit-il. Il est venu un jeune Nègre. Il s'est promené une seconde dans le magasin et puis il est parti par la porte du fond. Il a filé comme un zèbre. Il avait quelque chose à toi ?

— Oui, répondis-je.

— Eh bien, tu peux être sûr que tu ne le reverras plus », fit l'homme.

Je déambulai dans les rues sous le soleil hivernal, songeant : « C'est bien fait pour toi, espèce d'imbécile. Tu n'avais pas besoin d'aller trafiquer dans cette affaire d'alcool, d'abord. » Puis je m'arrêtai net. *Ils étaient de connivence !* L'homme blanc et le jeune Noir m'avaient vu flâner près de leur cachette d'alcool. Ils m'avaient pris pour un « hijacker » et m'avaient employé à transporter leur marchandise.

Hier soir, j'avais trouvé une jeune fille naïve. Ce matin, c'est moi qui avais été un garçon naïf.

CHAPITRE XII

Tandis que j'errais dans les rues de Memphis en regardant bouche bée les hautes maisons et la foule, tuant le temps, mangeant des grains de maïs grillés, une idée bizarre me vint soudain à l'esprit. J'avais essayé de travailler chez un opticien de Jackson et ç'avait été un échec, mais pourquoi n'essayerais-je pas de trouver du travail chez un opticien de Memphis ? Memphis n'était pas une petite cité comme Jackson ; c'était une grande ville et personne ne me ferait d'ennuis pour des peccadilles comme cela m'était arrivé à Jackson.

Je cherchai l'adresse d'un opticien dans un annuaire et me dirigeai hardiment vers l'immeuble ; je pris l'ascenseur en compagnie d'un gros Nègre de haute taille, rond et jeune. Au cinquième j'entrai dans un bureau. Un Blanc se leva et vint à ma rencontre.

« Otez votre chapeau, dit-il.

— Oh ! oui, m'sieur ! dis-je, m'empressant d'obéir.

— Qu'est-ce que vous voulez ?

— Je pensais que vous pourriez peut-être avoir besoin de quelqu'un, dis-je. J'ai travaillé un petit bout de temps chez un opticien de Jackson.

— Pourquoi avez-vous quitté la place ?

— J'ai eu des petits ennuis, répondis-je en toute franchise.

— Vous avez volé quelque chose ?

— Non, m'sieur, répondis-je. C'est à cause d'un employé blanc qui voulait m'empêcher d'apprendre le métier et qui m'a fait renvoyer.

— Asseyez-vous », fit-il.

Je m'assis et je lui racontai l'histoire du commencement à la fin.

« Je vais écrire à M. Crane, dit-il. Mais vous n'aurez pas l'occasion d'apprendre l'optique chez nous. C'est contraire à notre ligne de conduite. »

Je l'assurai que je comprenais et que j'acceptais sa ligne de conduite. Il m'engagea au tarif de huit dollars par semaine et me promit une augmentation d'un dollar par semaine jusqu'à ce que j'arrive à me faire dix dollars. C'était moins que ce qu'on m'avait offert au cabaret, mais j'acceptai. Ses manières franches, honnêtes, m'avaient plu ; de plus, l'établissement me semblait propre, actif et prospère.

J'avais pour mission de faire des courses et de laver des verres de lunettes au moment où ils sortaient des machines, barbouillés de rouge. Chaque soir, je portais des pleins sacs de colis postaux au bureau de poste. C'était un travail facile et j'avais les jambes lestes. A midi, je renonçais à mon heure de déjeuner et je faisais des courses pour les employés blancs de l'atelier. J'achetais leurs provisions, je portais leurs vêtements au pressing, je payais leurs notes de gaz, d'électricité et de téléphone, et je portais des billets doux à leurs petites amies qui étaient dactylos dans des bureaux voisins. Le premier jour, je me fis un dollar et demi de pourboires. Je mis en dépôt l'argent qui me restait de mon voyage et je résolus de vivre sur mes pourboires.

J'apprenais rapidement à contenir la tension que je ressentais dans mes rapports avec les Blancs, d'autant plus qu'à Memphis, les gens avaient l'air relativement affables, ce qui modérait un peu la sécheresse de l'attitude des Blancs envers les Nègres. Il y avait environ une douzaine de Blancs à l'atelier du sixième où je passais mes journées ; on comptait parmi eux des membres du Ku Klux Klan aussi bien que des Juifs, des théosophes et des pauvres Blancs tout court. Bien que je sentisse de la haine et du dédain dans leur attitude, ils ne braillaient pas après moi et ne m'invectivaient jamais. De ma position à l'atelier, je pouvais à loisir considérer la question raciale sans avoir été porté par mes émotions jusqu'aux sommets de l'épouvante, de cette terreur qui bouleversait tout mon être. Je pouvais désormais observer les Blancs et les Blanches avec une certaine objectivité. Ou bien j'étais capable d'un plus grand effort mental qu'autrefois ou bien j'avais découvert au plus profond de moi-même un moyen de faire face à la situation. Lorsque je retournai chez Mme Moss ce lundi soir, elle fut étonnée en apprenant que j'avais changé d'avis et pris une autre place. Je lui montrai mon livret de banque et la mis au courant de mon projet de mettre de l'argent de côté pour faire venir ma mère à Memphis. Tout en lui parlant, j'essayais de démêler à son attitude si Bess avait ou non parlé de ce qui s'était passé entre nous ; mais Mme Moss était aussi aimable et aussi maternelle que d'habitude.

« Qu'est-ce qui s'est passé entre Bess et toi ? s'enquit-elle.

— Rien, répondis-je en rougissant de ce mensonge.

— On dirait que tu ne lui plais plus du tout, fit-elle. J'aurais bien aimé que ça s'arrange entre vous deux. »

Elle me scruta.

« Elle ne te plaît donc pas ? »

Je ne pus répondre ni la regarder ; je me demandais si elle avait dit à Bess de se donner à moi.

« Enfin..., dit-elle dans un long soupir. Je suppose que si les gens doivent se plaire, faut que ça leur vienne tout seul. On ne peut pas les forcer. » Les larmes ruisselèrent sur ses joues. « Bess trouvera bien quelqu'un. »

Je me sentais terriblement mal à l'aise devant le désarroi de cette femme, devant ses naïves espérances. Elle ne se lassait pas de me répéter que Bess m'aimait, qu'elle me désirait. Elle me suggéra même d'essayer Bess, pour voir si je l'aimais. « Y a pas de mal à ça », me dit-elle. Et ces mots suscitèrent en moi une pitié sans nom.

A la fin, cela devint intolérable. Un soir en rentrant de mon travail, je trouvai Mme Moss assise auprès du poêle à l'entrée. Elle cligna des yeux, sourit et me fit un petit signe de tête.

« Comment ça va, mon petit ? demanda-t-elle.

— Pas mal du tout, répondis-je.

— Alors, vous ne vous êtes pas encore décidés à être amis, ou quéq' chose, Bess et toi ?

— Non, m'dame, répondis-je à mi-voix.

— Comment ça se fait que Bess te plaît pas ?

— Oh ! je ne sais pas. »

Elle commençait à m'irriter.

« C'est-il à cause qu'elle a pas beaucoup de cervelle ?

— Non, m'dame, Bess est intelligente, dis-je sans y croire.

— Eh bien alors ? »

Je ne pouvais toujours pas lui expliquer.

« Bess et toi, vous pourriez avoir cette maison à vous deux, poursuivit-elle. Vous pourriez y élever vos enfants.

— Mais c'est aux gens eux-mêmes à se trouver et à se plaire, dis-je.

— La jeunesse d'aujourd'hui n'a pas de jugeote, conclut-elle. Si quelqu'un avait arrangé les choses pour moi quand j'avais l'âge de Bess, pour sûr que j'aurais accepté tout de suite.

— Madame Moss, dis-je, je crois que je ferais mieux de déménager.

— Eh bien, déménage ! fit-elle, exaspérée. Tu n'as pas pour deux sous de bon sens ! »

385

Je me rendis dans ma chambre et commençai à emballer. On frappa. J'ouvris. Mme Moss était devant la porte, en pleurs.

« Pardonne-moi, mon petit, fit-elle. J'ai dit ça sans le penser. Je ne voudrais te faire de la peine pour rien au monde. T'es comme un fils pour moi.

— Ça n'a pas d'importance, dis-je. Mais je ferais mieux de déménager.

— Non ! supplia-t-elle. Alors, c'est que tu m'en veux encore ! Quand un corps vivant implore le pardon, faut le prendre au sérieux ! »

Je la regardai avec étonnement, Bess apparut sur le pas de la porte.

« Ne pars pas, Richard, fit-elle.

— Nous ne te tourmenterons plus », dit Mme Moss.

Dérouté, honteux, plein de regrets, je finis par céder. Mme Moss prit Bess par la main et l'emmena.

Dès lors, je concentrai tous mes efforts en vue d'amasser suffisamment d'argent pour faire venir ma mère et mon frère. J'épargnais sou par sou, me restreignant sur la nourriture, me rendant à pied à mon travail, mangeant sur le pouce, me nourrissant d'un demi-litre de lait et de deux petits pains au petit déjeuner, d'un steak haché et de cacahuètes à midi, et d'une boîte de conserves de haricots le soir dans ma chambre. J'étais habitué à avoir faim et je n'avais pas besoin de beaucoup de nourriture pour me maintenir en vie.

J'avais maintenant plus d'argent que je n'en avais jamais eu, aussi commençai-je à fréquenter des librairies d'occasion pour y acheter des revues et des livres. C'est ainsi que j'appris à connaître des périodiques comme le *Harper's Magazine*, l'*Atlantic Monthly* et l'*American Mercury*. On me les vendait au rabais, pour quelques *cents*. Je les lisais, puis je les revendais au bouquiniste.

Un jour, Mme Moss m'interrogea au sujet de mes lectures.

« Pourquoi donc que tu lis tous ces livres, mon petit ?

— Ça me plaît.

— Tu étudies pour être avocat ?

— Non, m'dame.

— Enfin... tu dois avoir tes raisons, je suppose », dit-elle.

Bien que mon travail ne commençât pas avant neuf heures, j'arrivais à huit heures et je me rendais à la banque du rez-de-chaussée où je connaissais le portier, un Noir. Il me laissait lire le *Commercial Appeal*, de Memphis ; de cette façon, j'économisais tous les jours cinq *cents* que je dépensais pour mon déjeuner. Après ma lecture, je regardais le garçon de salle accomplir son rite matinal : il prenait une brosse, un seau, des paillettes de savon, de l'eau, puis faisait une pause dramatique, roulait des yeux au ciel, et s'écriait :

« O Seigneur !... Aujourd'hui... j' travaille encô pour les Blancs. »

Et il frottait et nettoyait jusqu'à ce que la sueur lui coulât de partout. Il détestait son emploi et parlait sans cesse de le plaquer pour aller travailler dans un bureau de poste.

Le plus pittoresque des Nègres qui travaillaient avec moi était Shorty, le petit liftier, un garçon au teint café au lait, replet et rondouillard. Entre leurs bourrelets de chair, ses petits yeux en vrille vous regardaient d'un air dur, mais amusé. Il avait un teint de Chinois, un front étroit et un triple menton. Au point de vue psychologique, c'était le type le plus étonnant de Nègre du Sud que j'eusse jamais rencontré. Intelligent et plein de bon sens, grand lecteur de livres et de revues, il était fier de sa race dont les malheurs l'indignaient, mais devant les Blancs, il jouait le rôle de bouffon du type le plus bas et le plus vil.

Un matin qu'il avait besoin de vingt-cinq *cents* pour se payer à déjeuner, il me dit, alors que je me préparais à monter avec lui dans l'ascenseur :

« Regarde-moi faire, tu vas voir comme je vais soutirer un quart de dollar au premier Blanc qui se présentera. »

A ce moment, un Blanc qui travaillait dans l'immeuble entra dans l'ascenseur et attendit le départ. Shorty se mit à chantonner entre ses dents, tout en souriant, en roulant des yeux et en regardant le Blanc d'un air canaille.

« J'ai faim, monsieur le Blanc, j'ai faim. J'ai besoin de vingt-cinq *cents* pour mon déjeuner. »

Le Blanc fit semblant de ne pas entendre. Shorty, la main sur la manette de l'ascenseur, se remit à chantonner :

388

« Ce foutu ascenseur de malheur ne partira pas tant que j'aurai pas mes vingt-cinq *cents*, monsieur le Blanc.

— Tu nous casses les pieds, Shorty, fit le Blanc en mâchonnant son cigare noir, sans se soucier de lui.

— J'ai faim, monsieur le Blanc, chantonna Shorty d'une voix éraillée, traînante, chevrotante. J' veux mes vingt-cinq *cents*, j'en crève !

— Si tu ne te dépêches pas de me monter à mon étage, je ne te donne plus longtemps à vivre, fit le Blanc, qui sourit pour la première fois.

— Mais cet enfant de putain de moricaud de Shorty a bougrement besoin de ses vingt-cinq *cents*, chantonna Shorty, avec force grimaces et contorsions, sans vouloir remarquer la menace du Blanc.

— Espèce de sale bâtard de Nègre ! grouille-toi, faut que j'aille à mon travail, fit le Blanc, intrigué et intéressé par le côté sadique des propos de Shorty.

— Ça vous coûtera vingt-cinq *cents*, monsieur le Blanc, un quart de dollar, pas plus », geignit Shorty.

Un silence s'ensuivit. Shorty poussa le levier, l'ascenseur monta et s'arrêta à environ cinq pieds de l'étage où travaillait le Blanc.

« Pas moyen d'aller plus loin, monsieur le Blanc, à moins qu' vous me donniez mes vingt-cinq *cents*, fit Shorty d'un ton larmoyant.

— Qu'est-ce que tu ferais, pour vingt-cinq *cents* ? demanda le Blanc, le regard ailleurs.

— N'importe quoi, chantonna Shorty.

— Quoi, par exemple ? »

Shorty se mit à rire, se retourna, se plia en deux et fit ressortir ses grosses fesses charnues.

« Vous pouvez me donner un coup de pied au cul, pour vingt-cinq *cents* », chanta-t-il, en lorgnant le Blanc du coin de l'œil d'un air espiègle.

Le Blanc eut un rire silencieux, fit tinter quelques pièces de monnaie dans sa poche, en sortit une et la jeta par terre. Shorty se baissa pour la ramasser, alors le Blanc, serrant les dents, lui lança un magistral coup de pied au derrière. Shorty poussa un formidable éclat de rire dont l'écho se répercuta du haut en bas de la cage de l'ascenseur.

« Et maintenant ouvre la porte, espèce d'enfant de cochon de Nègre ! fit le Blanc, les lèvres serrées dans un demi-sourire.

— Tout d' suiiiite ! » chantonna Shorty, mais d'abord il ramassa la pièce et la mit dans sa bouche.

« Il les a eues, ses cacahuètes, ce ouistiti de Shorty ! » gloussa-t-il.

Il ouvrit la porte, le Blanc sortit, fit quelques pas dans le vestibule et se retourna vers lui.

« Bougre d'enfant de garce ! fit-il. T'es un brave typte, Shorty !

— Je le sais ! » brailla Shorty, ponctuant ses mots d'un énorme rire qu'il étira un long moment et laissa doucement s'éteindre.

Je fus témoin de cette scène ou de ses variantes une dizaine de fois au moins. Je n'en éprouvais ni colère ni haine, mais simplement un profond écœurement. Je lui demandai un jour :

« Au nom du Ciel, comment peux-tu faire ça, Shorty ?

— J'avais besoin de vingt-cinq *cents* et je les ai eus, répondit-il calmement, non sans orgueil.

— Mais vingt-cinq *cents* ne rachèteront jamais ce qu'il t'a fait, dis-je.

— Écoute donc, caboche de Nègre, fit-il. Mon cul est coriace, et les quarts de dollar sont rares. »

Par la suite, je ne discutai plus jamais le sujet avec lui. Il y avait d'autres Noirs qui travaillaient dans l'immeuble : un vieux bonhomme que nous appelions Edison, son fils John et un veilleur de nuit qui répondait au nom de Dave. A l'heure de midi, quand je n'étais pas en courses, je retrouvais les autres Nègres dans une petite pièce qui donnait sur la rue. C'était là, dans ce repaire du monde inférieur de l'immeuble, que nous discutions des manières des Blancs tout en mastiquant notre déjeuner. Dès que nous étions deux ou plusieurs à bavarder, il devenait impossible de ne pas aborder ce sujet. Chacun de nous haïssait et craignait les Blancs et cependant si un Blanc était subitement apparu nous aurions arboré des sourires silencieux et soumis.

Dans notre esprit, les Blancs formaient une espèce de monde supérieur : là-haut, dans cette petite pièce, nous remâchions et pesions tout ce qu'ils nous avaient dit aux heures de travail ; nous parlions de leur allure, de leur façon de s'habiller, de leur humeur, d'un tel qui avait évincé tel concurrent, d'un tel qui avait pris la place de tel autre, d'un tel qui s'était fait renvoyer et de tel autre qui venait d'être embauché. Mais jamais il ne nous arriva d'admettre ouvertement que nous occupions des places subalternes dans l'immeuble. Notre conversation se bornait aux menus rapports journaliers qui constituaient pour nous l'essence de la vie.

Cependant, une sorte de sentiment de violence couvait dans toutes nos conversations. Les Blancs avaient tracé une ligne de démarcation que nous n'osions pas franchir et nous acceptions cette ligne parce que notre pain en constituait l'enjeu. Mais à l'intérieur de nos frontières, nous tracions, nous aussi, une ligne qui comprenait le droit au pain sans tenir compte des affronts ou de l'avilissement auquel nous nous soumettions pour le gagner. Si un Blanc avait cherché à nous empêcher d'obtenir une place ou de jouir de nos droits civiques, nous nous serions inclinés sans protester. Mais s'il avait tenté de nous frustrer de dix *cents,* le sang aurait pu couler. De ce fait, chaque instant de notre vie quotidienne était si intimement lié à un objectif immédiat et trivial, que de capituler quand on nous provoquait équivalait à renoncer purement et simplement à l'existence. Notre colère ressemblait à la colère des enfants, elle passait promptement d'un grief mesquin à un autre, du souvenir d'un tort léger à un autre.

« Tu sais ce que ce salaud d'Olin m'a dit, ce matin ? demandait par exemple John, en mordant dans un steak haché bien juteux.

— Quoi ? faisait Shorty.

392

— Eh ben ! fit John, je lui rapportais la monnaie de sa note de gaz et v'là qu'il me dit :

" — Mets-la dans ma poche, j'ai les mains sales. "

— Hum !... J'ai tout bonnement posé la monnaie sur la banc à côté de lui. J' suis pas son esclave personnel et j' veux bien êt' pendu si je lui mets *son* argent dans *sa* poche, bon Dieu !

— Eh ! merde ! t'as raison, disait Shorty.

— Les Blancs se donnent pas la peine de réfléchir avant de parler, faisait le vieux Edison.

— Pour sûr qu'il faut faire attention avec eux », disait Dave, le veilleur de nuit.

Il avait dormi sur un lit de camp après ses nettoyages de la nuit et maintenant il était prêt à se rendre à un rendez-vous avec son amie.

« Flak m'a envoyé faire repasser son complet, disais-je à mon tour. Il ne m'a pas donné un sou. M'a dit qu'il s'en rappellerait le jour de paie.

— C'est du culot ! faisait John.

— Tu ne peux pas te nourrir de sa mémoire, disait Shorty.

— Mais on est forcé de continuer à leur rendre des services, disait le vieil Edison. Sans ça, on n'est pas bien avec eux.

— Un de ces jours, je vais m'en aller dans le Nord », faisait Shorty.

Nous nous mettions tous à rire, parce que nous savions que Shorty ne partirait jamais, qu'il dépendait trop des Blancs pour sa nourriture.

« Et qu'est-ce que tu feras, dans le Nord ? demandai-je à Shorty.

— Je me ferai passer pour Chinois », répondait-
il.

Et nous riions de plus belle. L'heure du déjeuner
passait et nous retournions à notre travail, mais nos
visages ne trahissaient pas une parcelle des sentiments que nous avions éprouvés pendant l'heure de
nos discussions.

Un jour, j'allai dans un grand magasin livrer une
paire de lunettes au rayon d'optique. Le comptoir
était désert et un Blanc de haute taille au visage
sanguin me regarda avec curiosité. C'était à n'en pas
douter un Yankee, car sa carrure contrastait de
façon frappante avec la silhouette maigre et dégin-
gandée des méridionaux.

« Voulez-vous signer ici, s'il vous plaît, monsieur ? » demandai-je en lui tendant les lunettes et le
carnet de reçus.

Il prit le carnet et les lunettes, mais son regard ne
m'avait pas quitté.

« Dis donc, mon petit, je suis du Nord », fit-il à
mi-voix.

Je restais immobile. Était-ce un piège ? Il avait
mentionné un sujet tabou et j'attendais de savoir où
il voulait en venir. Parmi les sujets que les méridionaux se gardaient bien de discuter avec les Noirs,
Il y avait notamment : les Américaines blanches,
le Ku Klux Klan, la France et la façon dont
les soldats nègres y vivaient, les Françaises, Jack
Johnson, tout le Nord des États-Unis, la guerre de
Sécession, Abraham Lincoln, U.S. Grant, le général Sherman, les catholiques, le pape, les Juifs, le

Parti républicain, l'esclavage, l'égalité sociale, le communisme, le socialisme, les treizième, quatorzième et quinzième amendements à la Constitution, ou toute question dont la discussion eût témoigné de connaissances réelles de la part des Noirs ou leur eût permis d'affirmer leur personnalité. Les sujets couramment admis étaient la question sexuelle et la religion. Avec une seule phrase, le Blanc venait de faire surgir la question raciale du silence de la nuit, et j'étais au bord d'un précipice.

« N'aie pas peur de moi, poursuivit-il. Je voulais simplement te poser une question.

— Oui, monsieur, dis-je d'un ton neutre, attendant la suite.

— Dis-moi, mon garçon, fit-il avec gravité, as-tu faim ? »

Je le regardai avec de grands yeux. Il avait prononcé là une parole qui avait touché au plus profond de mon âme, mais il me fut impossible de lui parler, de lui dire que je mourais littéralement de faim pour économiser de quoi payer mon voyage dans le Nord. Je n'avais pas confiance en lui. Mais mon visage ne changea pas d'expression.

« Oh ! non, monsieur ! » dis-je avec un sourire forcé.

J'avais faim, il le savait, mais c'était un Blanc et j'avais l'impression qu'en lui disant que j'avais faim, je lui révélerais quelque chose de honteux.

« Allons, mon petit, fit-il. Je lis la faim dans tes yeux et sur ton visage.

— J'ai assez à manger, prétendis-je.

— Alors pourquoi es-tu si maigre ?

— Oh ! ça vient sans doute de ce que je suis fait comme ça, dis-je sans rougir.

— Tu as peur, mon petit, voilà ce que c'est, insista-t-il.

— Oh ! non, monsieur ! » protestai-je, mentant de plus belle.

Il me fut impossible de le regarder. Je voulais m'en aller, mais c'était un Blanc et on m'avait appris à ne pas quitter brusquement un Blanc quand il vous parlait. Je restai planté là, détournant mon regard. Il mit la main dans sa poche et en sortit un billet d'un dollar.

« Tiens, prends ce dollar et achète-toi à manger, fit-il.

— Non, monsieur, dis-je.

— Ne fais pas l'idiot, dit-il. Tu as honte de le prendre. Mais bon Dieu, mon petit, faut pas que des bêtises pareilles t'empêchent de prendre un dollar et de t'acheter à manger avec ! »

Plus il insistait, plus il me devenait impossible de prendre le dollar. J'en avais très envie, mais je ne pouvais pas le regarder. Je voulais parler, mais ma langue se figeait dans ma bouche. Je voulais qu'il me laisse tranquille. Il me faisait peur.

« Dis quelque chose », fit-il.

Autour de nous, des piles de marchandises s'étageaient dans le magasin. Des Blancs et des Blanches allaient d'un rayon à l'autre. On était en été et un immense ventilateur bourdonnait au plafond. J'attendais que le Blanc me donne le signal du départ.

« Je ne comprends pas, fit-il, jusqu'où as-tu été
en classe ?

— Jusqu'en neuvième, mais en réalité, c'était la
huitième, répondis-je. Vous comprenez, nos études
en neuvième étaient plus ou moins une révision de
ce qu'on nous avait appris en huitième. »

Silence. Il ne m'avait pas demandé une si longue
explication, mais je m'étais étendu sur le sujet afin
de remplir ce gouffre béant, honteux, qui s'étendait
entre nous, je m'étais efforcé de ramener la nature
irréelle de notre conversation sur le terrain plus sûr,
plus stable, des rapports entre Blancs et Noirs du
Sud. Bien entendu, notre entretien était réel ; il
concernait mon bien-être, mais il avait fait resurgir
à la lumière toutes les sombres peurs que j'avais
connues toute ma vie durant. Le Yankee blanc ne
savait pas combien ses paroles étaient dangereuses.

(Il est des choses insaisissables, profondes, obscu-
res, que les hommes trouvent difficiles de commu-
niquer à leurs semblables, mais chez le Nègre, ce
sont les petits événements de la vie qu'il devient
difficile d'exprimer, car ce sont ces menus détails
qui façonnent sa destinée. Un homme peut essayer
d'exprimer ses rapports avec les étoiles, mais lorsque l'âme d'un homme a été rivée sur un objectif tel
que l'obtention d'une miche de pain, cette miche de
pain est pour lui aussi importante que les étoiles.)

Un autre Blanc vint se présenter au rayon et je
poussai un soupir de soulagement.

« Tu le prends, ce dollar ? demanda l'homme.

— Non, monsieur, murmurai-je.

397

— Très bien, fit-il. N'en parlons plus. »

Il signa mon carnet et prit les lunettes. Je fourrai le carnet dans mon sac, me détournai du comptoir et longeai la galerie ; à l'idée que le Blanc savait que j'avais faim, je sentais un chatouillement me parcourir l'épine dorsale. Par la suite, je m'arrangeai pour l'éviter. Chaque fois que je l'apercevais, j'avais assez curieusement l'impression qu'il était mon ennemi, puisqu'il connaissait mes sentiments et que ma sécurité dans le Sud dépendait de la perfection avec laquelle je cachais aux Blancs tout ce que je ressentais.

Un matin, j'étais debout devant l'évier, dans le fond de l'atelier, en train de laver une paire de lunettes qui sortait des polissoirs dont les vibrations secouaient le plancher sous mes pieds. Sur chaque polissoir un Blanc était penché, absorbé dans son travail. A ma gauche, le soleil se déversait par la fenêtre, illuminant les machines enduites de boue rouge, intensifiant les couleurs et donnant à la scène un aspect violent et dangereux. Midi approchait et mes pensées allaient à mon déjeuner quotidien de hachis et de cacahuètes. Ç'avait été une journée comme les autres, entièrement prise par le train-train quotidien : les courses et le lavage des verres de lunettes. J'étais en paix avec le monde, en paix tout au moins comme un jeune Noir, dans le Sud, peut être en paix avec le monde des Blancs.

Peut-être est-ce la ressemblance même de ce jour avec tous les autres qui eut tôt fait de le différencier des autres ; peut-être les Blancs qui faisaient mar-

cher les machines s'ennuyaient-ils de leur tâche
monotone et automatique. Peut-être étaient-ils avi-
des de distraction. Quoi qu'il en soit, j'entendis des
pas derrière moi et je tournai la tête. A côté de moi
se trouvait M. Olin, un jeune homme blanc, le
contremaître sous les ordres immédiats duquel je
me trouvais. Il souriait et m'observait tandis que je
m'affairais à enlever la poussière d'émeri des
lunettes.

« Alors, mon garçon, comment ça va ? fit-il.

— Oh ! très bien, monsieur ! » répondis-je avec
un entrain simulé, adoptant aussitôt le genre
« brave-petit-Nègre-en-présence-du-Blanc », genre
auquel je m'adaptais maintenant avec facilité ; mais
je me demandais s'il avait une critique à m'adresser
à propos de mon travail.

Il continua de rôder silencieusement autour de
moi. Que voulait-il ? D'ordinaire, il ne restait jamais
planté là à m'observer, j'avais envie de tourner la
tête pour le regarder, mais je n'osais pas.

« Dis-moi, Richard, crois-tu que je sois ton
ami ? » fit-il soudain.

La question était si chargée de danger que je ne
pus articuler une réponse. Je connaissais à peine
M. Olin. Mes rapports avec lui n'avaient pas été au-
delà des relations habituelles entre Nègres et Blancs
du Sud. Il me donnait des ordres, je disais : « Oui,
monsieur », et je les exécutais. Et voilà que, de but
en blanc, il me demandait si je pensais qu'il était
mon ami, et je savais que tous les Blancs du Sud se
prenaient pour des amis des Nègres. Tout en me

creusant la cervelle pour trouver une réponse ano-
dine, je souris.

« Non, sérieusement, fit-il. Crois-tu que je sois
ton ami ?

— Eh bien, répondis-je, en côtoyant le vaste
abîme racial qui nous séparait, j'espère que vous
l'êtes.

— Je le suis », dit-il énergiquement.

Je repris mon travail en me demandant où il
voulait en venir. Déjà l'appréhension commençait à
m'envahir.

« Je vais te dire quelque chose, fit-il.

— Oui, monsieur.

— Nous ne voudrions pas qu'il t'arrive du mal,
expliqua-t-il. Nous t'aimons bien ici. Tu te conduis
comme un brave garçon.

— Oui, monsieur, dis-je. Qu'est-ce qu'il y a qui
ne va pas ?

— Tu ne mérites pas qu'il t'arrive des ennuis,
poursuivit-il.

— Ai-je fait quelque chose qui a déplu à quelqu'un ? » demandai-je, cherchant désespérément
dans tous mes actes et mes gestes passés, et les
pesant à la lumière de l'attitude que les Blancs du
Sud veulent voir adopter aux Noirs.

« Ma foi, je ne sais pas trop », répondit-il. Là-
dessus, il fit une pause de manière à ce que je me
pénètre bien de la signification de ses mots. Puis,
allumant une cigarette :

« Tu connais Harrisson ? »

Il faisait allusion à un Nègre de mon âge qui

travaillait en face, dans la même rue, pour une maison concurrente. Nous nous connaissions, Harrisson et moi, mais jamais la moindre querelle ne s'était élevée entre nous.

« Oui, monsieur, je le connais, dis-je.

— Eh bien, fais attention, me recommanda M. Olin. Il veut ta peau.

— A moi ? Pourquoi ?

— Il t'en veut à mort, expliqua le Blanc. Qu'est-ce que tu lui as fait ? »

J'en oubliai les verres que j'étais en train de laver. Mes yeux se portèrent sur le visage de M. Olin, cherchant à comprendre ce qu'il voulait dire. Était-ce vraiment sérieux ? Le Blanc ne m'inspirait aucune confiance et Harrisson non plus. Les Nègres qui travaillaient dans le Sud étaient en général loyaux envers leur patron blanc ; ils savaient que c'était le meilleur moyen de conserver leur place. Harrisson avait-il l'impression que je cherchais à compromettre sa situation ? Lequel était mon ami ? L'homme blanc ou le garçon noir ?

« Je n'ai rien fait à Harrisson, dis-je.

— En tout cas, je te conseille de le surveiller, fit M. Olin à mi-voix, d'un ton confidentiel. Tout à l'heure comme je descendais au bar prendre un coca-cola, Harrisson était là qui t'attendait avec un couteau. Il m'a demandé à quelle heure tu sortais. Il voulait ta peau, il m'a dit. Paraît que tu l'as traité de je ne sais quoi. Fais attention, je ne veux pas de bagarre ni de coups de couteau dans l'atelier. »

Je ne le croyais pas encore tout à fait, tout en me

disant que Harrisson avait pu mal interpréter quelque chose que je lui avais dit.

« Je ferais bien d'aller lui parler, dis-je, exprimant tout haut ma pensée.

— Non, ne fais pas ça. Vaut mieux que ce soient des Blancs qui lui parlent. Nous allons nous en occuper.

— Mais comment ça a commencé ? demandai-je, à demi incrédule et à demi convaincu.

— Il m'a juste dit que tu n'emporterais pas ça en paradis, qu'il allait te faire tâter de sa lame, pour t'apprendre, répondit-il. Mais ne t'en fais pas. J'arrangerai ça. »

Il me tapota l'épaule et retourna à sa machine. C'était un personnage important dans l'atelier et j'avais toujours respecté sa parole. Il avait autorité pour m'ordonner de faire ceci ou cela. Pourquoi irait-il plaisanter avec moi ? Les Blancs plaisantaient rarement avec les Nègres ; de ce fait, ce qu'il venait de m'apprendre était sérieux. J'étais bouleversé. Nous autres, jeunes Noirs, devions nous échiner durant des heures et des heures pour gagner quelques sous, et nous étions dans un état de nervosité et d'irritabilité constant. Peut-être ce fou d'Harrisson m'en voulait-il réellement ? Mon appétit était parti. Il fallait que j'arrange cette affaire. Un Blanc s'était introduit dans mon univers et en avait détruit le fragile équilibre. Il fallait à tout prix que je le rétablisse si je voulais me retrouver en sécurité.

Oui, j'irais trouver immédiatement Harrisson et je lui demanderais ce qui en était, ce que j'avais bien pu dire pour le froisser. Harrisson était noir et moi aussi ; je passerais outre à l'avertissement du Blanc et je parlerais d'homme à homme avec quelqu'un de ma race.

A midi, je traversai la rue et je trouvai Harrisson assis sur une caisse, au sous-sol. Il déjeunait tout en lisant un magazine bon marché. Lorsque je m'approchai de lui, il mit la main dans sa poche et m'examina d'un air froid et méfiant.

« Dis donc, Harrisson, qu'est-ce que c'est que cette histoire ? » demandai-je, ayant soin de me tenir à distance respectable.

Il me regarda un long moment et ne répondit pas.

« Je ne t'ai rien fait, dis-je.

— Et moi je n'ai rien contre toi, murmura-t-il, toujours sur le qui-vive. Je ne cherche d'histoires à personne.

— Mais M. Olin m'a dit que tu étais venu m'attendre avec un couteau à la porte de l'atelier.

— Oh ! penses-tu ! fit-il, en se détendant un peu. Je ne suis pas passé par là de la journée ».

Il avait parlé sans me regarder.

« Alors, pourquoi M. Olin m'a-t-il dit ça ? demandai-je. Je n'ai rien contre toi.

— Oh ! zut ! Moi, je croyais que c'était *toi* qui voulais avoir ma peau, expliqua Harrisson. M. Olin, il est venu ce matin et m'a dit que tu me cherchais avec un couteau pour me tuer. Il a dit que tu m'en voulais parce que je t'avais insulté. Mais je n'ai rien contre toi. »

Il n'avait toujours pas affronté mon regard. Il se leva.

Finalement, il me regarda et je me sentis plus à l'aise. Nous étions plantés là face à face, deux jeunes Noirs qui gagnions péniblement nos dix dollars par semaine, en train de nous dévisager, de réfléchir, d'essayer de deviner quels pouvaient bien être les mobiles du Blanc, de nous épier mutuellement en nous demandant si nous pouvions nous fier l'un à l'autre.

« Mais pourquoi M. Olin irait-il raconter des choses pareilles ? » demandai-je.

Harrisson baissa la tête et posa son sandwich à côté de lui.

« J'a... j'a... », bégaya-t-il en tirant de sa poche un long couteau à la lame étincelante, il était tout ouvert dans sa poche. « J'attendais pour voir ce que tu allais faire. »

Je me sentis faiblir et dus m'appuyer au mur ; le cœur me tournait. Mes yeux étaient rivés sur la lame d'acier pointu.

« Tu m'aurais donné un coup de couteau ? demandai-je.

— Si tu avais essayé de m'en donner un coup, je ne t'aurais pas attendu, répondit-il.

— Tu es fâché avec moi pour quelque chose ?

— Mais non, mon vieux, j'suis fâché avec personne », répondit-il d'un air gêné.

Je me rendis compte que j'avais failli me faire charcuter. Si j'étais arrivé brusquement sur Harrisson, il aurait cru que je voulais le tuer et m'aurait frappé, peut-être même m'aurait-il tué. Et quelle importance cela avait-il qu'un Nègre en tue un autre ?

« Écoute bien, lui dis-je. Ne va surtout pas croire ce que dit M. Olin.

— Je me rends compte, maintenant, dit Harrisson. Il veut nous faire une vacherie.

— Il cherche à nous faire tuer l'un l'autre, sans raison.

— Mais pourquoi ? Qu'est-ce qui peut bien le pousser à faire ça ? » demanda Harrisson. Je branlai la tête d'un air perplexe. Harrisson s'était assis, mais il continuait à jouer avec le couteau ouvert. Le doute me prit. Était-il vraiment fâché avec moi ? Attendait-il que j'aie le dos tourné pour me frapper ? J'étais au supplice.

« Ça doit être amusant, pour les Blancs, de voir les Noirs se battre, dis-je avec un rire forcé.

— Mais t'aurais pu me tuer, dit Harrisson.

— Pour les Blancs, nous ne sommes pas autre chose que des chiens ou des coqs, dis-je.

— Je n'ai pas envie de te donner un coup de couteau, fit-il.

— Et moi, je n'ai pas envie de t'en donner un non plus », dis-je.

A bonne distance l'un de l'autre, nous discutâmes le problème et décidâmes de garder le silence sur notre entretien. Nous ne dirions pas à M. Olin que nous savions qu'il nous excitait à nous battre. Nous convînmes donc de ne plus prêter attention à ce genre de provocations. A une heure, je retournai à l'atelier. M. Olin m'attendait, il avait le visage grave, l'allure solennelle.

« Tu as vu ce moricaud d'Harrisson ? me demanda-t-il.

— Non, monsieur, dis-je.

— Tu sais qu'il t'attend avec son couteau. »

De haine, mon corps se crispa. Mais je gardai un visage fermé.

« T'es-tu acheté un couteau ? me demanda-t-il.

— Non, monsieur, répondis-je.

— Tu n'es qu'un idiot de Nègre, bredouilla-t-il. Et moi qui te croyais intelligent ! Alors tu vas te laisser charcuter sans rien dire ? Son patron lui a donné un couteau, entends-tu ? Un couteau pour te transpercer le cœur ! Prends celui-là, mon vieux, et cesse de faire l'imbécile ! »

J'avais peur de le regarder ; si je l'avais regardé, j'aurais été obligé de lui dire de me laisser tranquille, que je savais qu'il mentait, que je savais qu'il n'était pas mon ami, que je savais que si on m'avait transpercé le cœur il aurait simplement ri. Mais je me tus. Il était le patron et pouvait me renvoyer si je ne lui plaisais pas. Il posa un couteau ouvert sur le bord de l'établi, à portée de ma main. L'espace d'un éclair, l'envie me prit de m'en emparer et de le lui entrer dans le ventre. Mais je n'en fis rien. Je pris le couteau et le mis dans ma poche.

« Bravo ! au moins tu montres un peu de bon sens », fit-il.

Pendant que je travaillais, M. Olin, planté devant

sa machine, ne cessait de m'observer. Un peu plus tard, je passai devant lui, il m'appela.

« Écoute-moi, mon garçon, commença-t-il. Nous avons prévenu ce moricaud d'Harrisson d'avoir à se tenir tranquille et de ne pas s'approcher de cette maison, comprends-tu ? Mais quand tu rentreras chez toi, je ne serai plus là pour te protéger. Si ce salaud-là te rencontre et te saute dessus, sors ta lame et tape le premier, t'as compris ? »

J'évitai son regard et restai muet.

« A ta guise, noiraud, fit M. Olin. Mais tu ne pourras pas dire que je ne t'ai pas prévenu. »

Au moment de partir pour ma tournée de livraison, je pris quelques minutes et traversai la rue pour dire deux mots à Harrisson. Il avait l'air maussade et gêné, il aurait voulu avoir confiance en moi, mais il avait peur. Il me raconta que M. Olin avait téléphoné à son patron pour lui dire d'avertir Harrisson que j'avais projeté de l'attendre à l'entrée de service de l'atelier à six heures pour le tuer. Nous éprouvions, Harrisson et moi, une certaine difficulté à nous regarder, nous étions bouleversés et gênés. Nous n'étions pas réellement fâchés l'un contre l'autre, car nous savions que l'idée de meurtre avait été implantée en nous par nos employeurs blancs. Nous ne cessions de nous répéter que nous n'étions pas d'accord avec les Blancs, nous nous encouragions à garder une confiance réciproque. Et malgré tout, au fond de chacun de nous, demeurait un vestige de méfiance, le vague soupçon que l'un de nous projetait vraiment de tuer l'autre.

« Je n'ai rien contre toi, Harrisson, déclarai-je.

— Et moi je ne veux me battre avec personne », dit pudiquement Harrisson, mais en disant cela, il gardait néanmoins sa main dans sa poche.

Chacun de nous ressentait la même honte et réalisait à quel point nous nous sentions stupides, faibles et désemparés devant le pouvoir des Blancs.

« Je voudrais bien qu'ils nous laissent tranquilles, dis-je.

— Moi aussi, fit Harrisson.

— Des garçons des courses noirs, il y en a un million comme nous, dis-je. Ils se ficheraient pas mal qu'on s'entre-tue.

— Je le sais bien », fit Harrisson.

Jouait-il la comédie ? Je n'arrivais pas à me convaincre de sa sincérité. Nous jouions avec l'idée de la mort pour des raisons qui n'émanaient pas de nous, simplement parce que les hommes qui nous dominaient en avaient implanté l'idée dans nos cerveaux. Chacun de nous dépendait des Blancs pour sa nourriture, et dans le fond, nous nous fiions plus aux Blancs qu'à nous-mêmes. Et cependant, il existait en nous un désir ardent de croire aux hommes de notre propre race. Nous nous séparâmes une fois de plus, Harrisson et moi, nous promettant de ne pas nous laisser influencer par ce que nous diraient nos patrons blancs.

Ce petit jeu, qui consistait à nous exciter l'un contre l'autre, Harrisson et moi, dura huit jours.

Nous avions peur de dire aux Blancs que nous ne les croyions pas, ce qui revenait à les traiter de menteurs, ou à risquer de provoquer une discussion qui aurait pu se terminer par des actes de violence dirigés contre nous.

Quelques jours plus tard, M. Olin, accompagné d'un groupe de Blancs, vint me trouver et me demanda si j'étais d'accord pour régler cette affaire avec des gants, selon les règles de la boxe. Je leur répondis que Harrisson ne me faisait pas peur, mais que je ne voulais pas me battre avec lui et que je ne savais pas boxer. Je me rendis compte qu'ils savaient maintenant que je ne les croyais plus.

Lorsque je quittai l'atelier ce soir-là, Harrisson me cria quelque chose de l'autre côté de la rue. J'attendis et il accourut vers moi. Avait-il l'intention de m'attaquer ? Je reculai à son approche. Nous restâmes face à face, souriant d'un air inquiet et embarrassé. Nous parlions sans hésitation, en pesant nos mots.

« Ils t'ont proposé de te battre avec des gants de boxe ? demanda Harrisson.

— Oui, répondis-je. Mais je n'ai pas voulu. »

Son visage s'anima.

« Ils veulent qu'on fasse quatre rounds et ils nous donneront cinq dollars chacun, dit-il. Oh ! dis donc ! Avec cinq dollars, je pourrais me payer un complet. Cinq dollars, c'est la moitié de ma paie d'une semaine.

— Moi, je ne veux pas, dis-je.

— On ne se ferait pas de mal, fit-il.

— Pourquoi aller faire une chose pareille pour les Blancs ?

— Pour empocher leur cinq dollars.

— Je n'en ai pas besoin à ce point-là.

— Oh ! tu es bête », fit-il.

Il s'empressa de racheter cette réflexion par un sourire.

« Mais dis donc... Peut-être que tu m'en veux, après tout ? dis-je.

— Jamais de la vie ! s'exclama-t-il en secouant la tête avec énergie.

— Je ne veux pas me battre pour amuser les Blancs. Je ne suis ni un chien, ni un coq ! »

J'observais attentivement Harrisson et je sentais qu'il m'épiait. Avait-il une raison personnelle pour vouloir se battre avec moi, ou étais-ce vraiment pour l'argent ?

Harrisson me considérait d'un air perplexe. Il fit un pas vers moi, et je reculai d'un pas. Il eut un sourire crispé.

« J'ai besoin de cet argent, fit-il.

— Rien à faire », dis-je.

Il s'éloigna sans mot dire, l'air irrité. Peut-être va-t-il me frapper pour de bon maintenant, me dis-je. Il va falloir que je surveille cet imbécile...

Durant toute une semaine encore, les Blancs des deux usines nous exhortèrent à nous battre. Ils me racontaient des propos que Harrisson était censé avoir tenus sur mon compte ; et quand ils voyaient Harrisson, ils lui mentaient de la même manière. Si bien que nous étions arrivés à nous méfier réellement l'un de l'autre. Chaque fois que nous nous rencontrions, nous échangions un sourire, mais nous nous tenions à distance respectable, honteux de notre propre attitude et de celle de l'autre.

Un soir que je rentrais chez moi, Harrisson m'aborda de nouveau.

« Accepte de te battre, implora-t-il.

— Je t'ai dit que je ne voulais pas. Il n'y a rien à faire, cesse de m'embêter », dis-je un peu plus haut et un peu plus durement que je ne l'aurais voulu.

Harrisson me regarda d'un drôle d'air ; de mon côté, je l'épiais. Nous avions sur nous les couteaux que nous avaient donnés les Blancs.

« Je voudrais m'acheter un costume à tempérament, et faire le premier versement avec ces cinq dollars, dit Harrisson.

— Mais ces Blancs vont être là à nous regarder, à se fiche de nous, répliquai-je.

— Qu'ça peut foutre ! Ils te regardent et se fichent de toi toute la journée, non ? »

C'était vrai. Mais je lui en voulus de l'avoir dit. J'avais une furieuse envie de le frapper sur la bouche, de lui faire mal.

« Qu'est-ce qu'on a à perdre ? reprit-il.

— Non, bien sûr.

— Tu vois bien, insista-t-il. Prenons leur argent. On s'en fout.

— D'ailleurs, maintenant ils savent que nous savons ce qu'ils ont manigancé, dis-je malgré moi. Et ils nous en veulent à cause de ça.

411

— Bien sûr, fit Harrisson. Alors prenons l'argent. T'en as besoin comme moi, non ?

— Oui.

— Alors battons-nous pour eux.

— Je me ferais l'effet d'être moins qu'une bête, dis-je.

— Pour eux, nous ne sommes pas aut'chose que des bêtes, fit-il.

— C'est juste », convins-je. Mais de nouveau, j'eus envie de lui faire rentrer ses mots dans sa gorge.

« Écoute, fit Harrisson. On va les rouler. On n'aura qu'à ne pas se faire de mal. On fera ça au chiqué. On leur montrera qu'on n'est pas aussi bêtes qu'ils se le figurent, comprends-tu ?

— Oh ! j'sais pas...

— Ça ne sera pas fatigant. Quatre rounds pour cinq dollars. T'as peur ?

— Non.

— Alors, viens te battre.

— C'est bon, dis-je. Une séance d'entraînement. D'accord. »

Harrisson était heureux. Je trouvais, pour ma part, que tout cela était idiot. Mais que diable ! Autant en finir, qu'on n'en parle plus. J'éprouvais malgré tout une vague mais persistante irritation.

Lorsque les Blancs de l'usine apprirent que nous acceptions de nous battre, leur surexcitation ne connut plus de bornes. Ils offraient de m'enseigner de nouveaux coups. Chaque matin ils venaient me confier en grand secret que Harrisson mangeait des oignons crus pour se donner des forces. Et — par Harrisson — j'appris qu'on lui racontait que je ne me nourrissais que de viande crue. Ils m'offraient chaque jour de me payer mes repas, mais je refusais. J'avais honte d'avoir accepté et j'aurais voulu me dédire, mais j'avais peur de les fâcher. Je sentais bien que si deux Blancs essayaient de convaincre deux jeunes Noirs de se poignarder mutuellement, et cela uniquement pour s'amuser à leurs dépens, ils hésiteraient d'autant moins à donner un mauvais coup à l'un deux s'il s'avisait de les décevoir.

Le combat eut lieu un samedi après-midi dans le sous-sol d'un immeuble de Main Street : chacun des spectateurs blancs mettait sa quote-part dans un chapeau posé sur le sol en ciment. Seuls les Blancs étaient autorisés à pénétrer au sous-sol ; l'entrée en était interdite aux femmes et aux Nègres. Harrisson et moi étions nus jusqu'à la ceinture. Une forte ampoule électrique brillait au-dessus de nous. Tandis qu'on m'attachait mes gants, je regardai Harrisson et je vis qu'il m'épiait. Tiendrait-il sa promesse ? Le doute me rendit nerveux.

Nous nous mîmes en garde et je me rendis compte aussitôt que je n'avais pas suffisamment réfléchi au marché que j'avais conclu. Pas question de faire semblant de nous battre. Ni Harrisson ni moi n'étions suffisamment versés dans l'art de la boxe pour donner le change, ne fût-ce qu'une minute, à un enfant de quatre ans. La honte m'envahit. Les Blancs fumaient et nous invectivaient grossièrement.

413

« Allez, moricaud, rentre-lui dans le chou, à ce cochon de nègre !

— Sors-lui les tripes, bon Dieu !

— Eh bien, quoi, les mal blanchis ! Vous allez vous décider à vous battre, oui ?

— Mais tape, b....l à c.l de vache, tape !

— Mouche-le, fais-le saigner, nom de Dieu ! »

Je lançai un timide gauche. Harrisson riposta par un large swing qui m'atteignit au sommet du crâne et, sans même m'en rendre compte, je lui assenai sur la bouche une méchante droite qui fit couler le sang. Harrisson me donna un coup sur le nez. Nous nous battions pour de bon, malgré nous. J'étais honteux et furieux d'avoir été ainsi pris au piège. Je mis plus de force dans mes coups, et plus je tapais fort, plus Harrisson tapait fort. Nos projets et nos promesses ne tenaient plus désormais. Pendant quatre rounds, quatre rounds épuisants, nous ne cessâmes de combattre avec ardeur, frappant, cognant méchamment, grognant, crachant, jurant, saignant. La honte et la colère de nous être laissé duper s'infiltrait dans nos coups et le sang coulait de nos yeux, nous aveuglant à moitié. Notre haine pour les hommes que nous avions essayé de tromper passait dans les coups que nous nous donnions. Les Blancs faisaient durer les rounds jusqu'à cinq minutes et nous n'osions ni l'un ni l'autre nous arrêter pour demander l'heure de peur d'être mis knock-out par surprise. Quand nous fûmes sur le point de nous effondrer d'épuisement, ils nous séparèrent.

414

Je me sentais incapable de regarder Harrisson. Je le haïssais autant que je me haïssais moi-même. Serrant mes cinq dollars dans mon poing, je rentrai à pied chez moi. Par la suite, nous nous évitâmes, Harrisson et moi, et ne nous parlâmes plus qu'en de rares occasions. Les Blancs essayèrent d'organiser un nouveau combat, mais nous eûmes assez de bon sens pour refuser. J'entendis parler d'autres exhibitions du même genre avec d'autres Noirs, mais chaque fois que j'entendais les Blancs parler de matches de boxe, je me défilais prestement. Je sentais que j'avais fait quelque chose de malpropre, quelque chose que je ne pourrais jamais expier vraiment.

CHAPITRE XIII

Un matin, arrivant de bonne heure à mon travail, j'entrai dans le hall de la banque, où le concierge nègre était en train de nettoyer. Debout devant un guichet, je pris le *Commercial Appeal* de Memphis et commençai ma lecture gratis de la presse. J'arrivai finalement à la page de l'éditorial et je vis un article sur un certain H. L. Mencken. Je savais par ouï-dire qu'il était le directeur de l'*American Mercury*, mais à part cela, j'ignorais tout de lui. L'article n'était qu'une furieuse diatribe contre Mencken, et se terminait par une phrase courte et incisive : Mencken est un imbécile.

Que diable ce Mencken a-t-il bien pu faire pour s'attirer le mépris du Sud ? me demandai-je. Les seules gens qu'à ma connaissance on eût jamais attaqués dans le Sud, c'étaient les Nègres, et cet homme n'était pas un Nègre. Quelles idées Mencken pouvait-il donc soutenir pour qu'un journal comme le *Commercial Appeal* le flétrisse publiquement ? Sans doute avait-il dû se faire le défenseur d'idées que le Sud n'aimait pas. Y avait-il donc d'autres gens que les Nègres pour critiquer le Sud ? Je savais que, pendant la guerre de Sécession, le Sud avait détesté les Blancs du Nord, mais personnellement je n'avais jamais été témoin d'aucune manifestation de cette haine. Je n'en savais pas plus sur Mencken à ce moment, mais j'éprouvais pour lui une vague sympathie. Le Sud, qui m'avait refusé le titre d'homme, ne l'avait-il pas traîné dans la boue ?

Mais comment faire pour me renseigner au sujet de ce Mencken ? Il existait bien une magnifique bibliothèque non loin du fleuve, mais je savais que les Nègres n'étaient pas admis à la fréquenter, pas plus que les parcs et terrains de jeux de la ville. J'étais allé plusieurs fois à la bibliothèque chercher des livres pour des Blancs de l'atelier. Lequel d'entre eux m'aiderait à me procurer des livres ? Et comment me serait-il possible de les lire sans attirer l'attention des Blancs avec qui je travaillais ? Jusqu'à présent j'avais réussi à leur cacher mes pensées et mes sentiments, mais je savais qu'en m'y prenant de façon maladroite, pour cette question de lecture, je m'attirerais de l'animosité de leur part.

Je réfléchis mûrement, pesant, analysant le caractère de chacun des employés blancs de l'atelier. Il y avait Don, un Juif, mais je me méfiais de lui. Sa situation n'était pas beaucoup meilleure que la mienne, et je savais qu'il était inquiet et ne se sentait pas en sûreté. Il m'avait toujours traité d'une façon désinvolte et goguenarde, qui cachait à peine son mépris. J'avais peur de lui demander ce service ;

l'empressement qu'il mettait à montrer sa solidarité raciale avec les Blancs contre les Nègres aurait pu l'amener à me trahir.

Et le patron ? Non, il était anabaptiste et je le soupçonnais d'être incapable de comprendre pourquoi un jeune Nègre voudrait lire du Mencken. Il y avait par ailleurs d'autres Blancs dont l'attitude montrait clairement qu'ils étaient membres ou sympathisants du Ku Klux Klan, et ceux-là étaient à éliminer d'office.

Il ne restait qu'un seul homme que son attitude ne classait pas dans la catégorie Négrophobe. Car j'avais entendu les Blancs en parler comme d'un « suppôt du pape ». C'était un catholique irlandais, et les Blancs du Sud le détestaient. Je savais qu'il lisait, car à plusieurs reprises j'avais été lui chercher des livres à la bibliothèque. Puisqu'il était lui aussi un objet de haine, je sentais qu'il pouvait m'opposer un refus, mais que vraisemblablement il ne me trahirait pas. J'hésitais, estimant, jaugeant et pesant les impondérables.

Un matin je m'arrêtai devant le bureau du catholique.

« J'ai un service à vous demander, lui chuchotai-je.

— Qu'est-ce que c'est ?

— J'ai envie de lire. Je ne peux pas me procurer des livres à la bibliothèque. Je me demandais si vous voudriez me prêter votre carte ? »

Il me regarda d'un air soupçonneux.

« Ma carte est presque toujours remplie.

— Je comprends », dis-je et j'attendis, dans une attitude de muette interrogation.

« Tu ne chercherais pas à m'attirer des ennuis, par hasard ? fit-il en me fixant dans les yeux.

— Oh ! non, monsieur.

— Quel livre veux-tu ?

— Un livre d'un nommé H. L. Mencken.

— Lequel ?

— Je ne sais pas. Il en a écrit plus d'un ?

— Oui, plusieurs.

— Je ne savais pas.

— Qu'est-ce qui t'a donné l'idée de lire Mencken ?

— Oh ! j'ai simplement vu son nom dans le journal, répondis-je.

— C'est bien d'avoir envie de lire, mon petit, fit-il. Mais encore faudrait-il savoir choisir tes lectures. »

Je restai muet. Avait-il l'intention de contrôler mes lectures ?

« Laisse-moi réfléchir, dit-il. Je vais trouver un moyen. »

Comme je m'éloignais, il me rappela et me regarda avec curiosité.

« Richard, ne dis pas un mot de ça aux autres Blancs, fit-il.

— Je comprends, dis-je. Soyez sans crainte, je ne dirai rien. »

Quelques jours plus tard, il m'appela auprès de lui.

« J'ai une carte au nom de ma femme, fit-il. Prends la mienne.

— Merci, monsieur.

— Tu crois que tu sauras te débrouiller ?

— Ne craignez rien, ça ira, répondis-je.

— S'ils te soupçonnent, tu t'attireras des ennuis.

— J'imiterai votre écriture et je ferai des petits mots comme ceux que vous m'envoyiez porter à la bibliothèque, dis-je. Et je les signerai de votre nom. »

Il se mit à rire.

« Vas-y. Tu me montreras ce que tu auras choisi. »

Cet après-midi-là, je m'exerçai à contrefaire un billet. Oui, mais quels étaient les titres des livres de H. L. Mencken ?

Je n'en connaissais pas un seul. Finalement, je rédigeai un mot qui me parut être d'une sûreté à toute épreuve :

« Chère madame, voulez-vous, je vous prie, donner à ce *petit moricaud* — ceci pour bien faire sentir à la bibliothécaire que je ne pouvais pas être l'auteur du billet — quelques livres de H. L. Mencken ? » Et je contrefis la signature.

J'entrai comme à l'habitude dans la bibliothèque, mais cette fois j'avais l'impression que j'allais faire une boulette et me trahir. J'ôtai mon chapeau, me tins à distance respectueuse, et j'attendis que les clients blancs fussent servis. Quand ils se furent éloignés, j'attendis encore. La bibliothécaire blanche me regarda.

« Qu'est-ce que vous voulez, mon garçon ? »

Comme si j'eusse été privé du don de la parole, je m'avançai, et sans desserrer les dents je lui tendis le billet contrefait.

« Quels livres de Mencken veut-il ? demanda-t-elle.

— Je ne sais pas, m'dame, répondis-je en évitant son regard.

— Qui vous a donné cette carte ?

— M. Falk, dis-je.

— Où est-il ?

— Il travaille à la Maison d'Optique M..., répondis-je. Je suis déjà venu ici en courses pour lui.

— Je me rappelle, dit la femme. Mais il ne m'a jamais envoyé de billets de ce genre. »

Grand Dieu ! elle a des soupçons ! Peut-être ne me donnerait-elle pas les livres ? Si à ce moment, elle m'avait tourné le dos, je me serais esquivé par la porte pour ne plus jamais revenir. Puis j'eus une idée hardie.

« Vous pouvez lui téléphoner, m'dame, dis-je, sentant mon cœur battre à grands coups.

— Ce n'est pas vous qui lisez ces livres, non ? demanda-t-elle en me regardant de travers.

— Oh ! non, m'dame. Je ne sais pas lire.

— Je ne sais pas ce qu'il peut bien vouloir, de Mencken », fit-elle entre ses dents.

Je compris que j'avais gagné la partie ; elle pensait à autre chose et la question raciale lui était sortie de l'idée. Elle se dirigea vers les rayons. Une ou deux fois, elle me regarda par-dessus son épaule, comme si elle eût encore douté. Finalement elle s'avança, deux livres à la main.

« Je lui envoie ces deux-là, fit-elle. Mais dites à M. Falk de venir lui-même, la prochaine fois, ou de me donner les noms des livres qu'il désire. Je ne peux pas savoir ce qu'il a envie de lire. »

Je ne dis rien. Elle tamponna la carte et me tendit les livres. Sans oser la regarder, je sortis de la bibliothèque, craignant que cette femme ne me rappelle pour recommencer à m'interroger. Au premier tournant, j'ouvris l'un des livres et je lus le titre : *Un livre de préfaces.* J'approchais de mon dix-neuvième anniversaire et j'ignorais comment se prononçait le mot « préface ». Je feuilletai le livre et j'y vis des mots étranges et des noms étranges. Déçu, je secouai la tête. Puis j'ouvris l'autre livre ; il s'appelait *Préjugés.* Je savais ce que ce mot voulait dire, toute ma vie je l'avais eu dans les oreilles. Si bien que ce livre de Mencken m'inspira immédiate-ment de la méfiance. Pourquoi appeler un livre *Préjugés ?* Le mot était souillé par mes souvenirs de haine raciale au point que je ne concevais pas qu'on pût l'employer comme titre. Peut-être m'étais-je trompé sur le compte de Mencken ? Un homme qui avait des préjugés devait être dans l'erreur.

Lorsque je montrai les livres à M. Falk, il me regarda en fronçant les sourcils.

« La bibliothécaire va peut-être vous téléphoner, lui dis-je.

— Ça ne fait rien, répondit-il. Mais quand tu

auras fini de lire ces livres, je voudrais que tu me dises ce que tu en penses. »

Ce soir-là, dans ma chambre meublée, tout en faisant couler l'eau chaude sur ma boîte de porc aux haricots dans l'évier, j'ouvris le *Livre de préfaces* et commençai à le lire. Je fus immédiatement frappé et choqué par le style, par les phrases nettes, claires, tranchantes. Pourquoi écrivait-il ainsi ? Et comment arrivait-on à écrire ainsi ? Je me représentais l'homme comme un démon enragé, se servant de sa plume comme d'un fouet, dévoré par la haine, attaquant tout ce qui était américain, exaltant tout ce qui était européen ou allemand, raillant la faiblesse des gens, défiant Dieu, l'autorité. Qu'est-ce que cela signifiait ? Je me levai, m'efforçant de discerner quelle réalité se cachait derrière les mots... Oui, cet homme luttait, combattait avec des mots. Il employait des mots pour armes, il s'en servait comme d'une matraque. Les mots pouvaient-ils donc devenir des armes ? Oui, bien sûr, puisque tel était le cas. Mais alors, peut-être pourrais-je moi aussi les utiliser comme des armes ? Non, cette seule idée m'effrayait. Je poursuivis ma lecture et ce qui me stupéfia ce fut, non pas ce qu'il disait, mais le fait que quelqu'un eût assez de courage pour le dire.

De temps à autre je levais les yeux pour m'assurer que j'étais bien seul dans la chambre. Qui étaient les hommes dont Mencken parlait avec tant de passion ? Qui était Anatole France ? Joseph Conrad ? Sinclair Lewis ? Sherwood Anderson, Dostoïevski,

George Moore, Gustave Flaubert, Maupassant, Tolstoï, Frank Harris, Mark Twain, Thomas Hardy, Arnold Bennett, Stephen Crane, Zola, Norris, Gorki, Bergson, Ibsen, Balzac, Bernard Shaw, Dumas, Poe, Thomas Mann, O'Henry, Dreiser, H. G. Wells, Gogol, T. S. Eliot, Gide, Baudelaire, Edgar Lee Masters, Stendhal, Tourgueniev, Huncker, Nietzsche, et des douzaines d'autres ? Ces hommes étaient-ils réels ? Existaient-ils ou avaient-ils existé ? Et comment prononçait-on leurs noms ?

Je tombai sur beaucoup de mots dont je ne connaissais pas le sens, et je les cherchais dans le dictionnaire, à moins que je ne rencontre le mot dans un contexte qui m'en rendait le sens intelligible. Mais quel étrange univers était-ce là ? Je terminai le livre avec la conviction que j'avais négligé quelque chose de terriblement important dans ma vie. J'avais un jour essayé d'écrire, je m'étais un jour abandonné à mes sentiments, j'avais laissé errer mon imagination primitive, mais la vie avait refoulé en moi tout élan vers le rêve. Mais voici qu'ils surgissaient de nouveau ; j'avais soif de livres, de nouvelles façons de voir et de concevoir. L'important n'était pas de croire ou de ne pas croire à mes lectures, mais de ressentir du neuf, d'être affecté par quelque chose qui transformât l'aspect du monde.

A la pointe du jour, je mangeai mon porc et mes haricots ; je me sentais hébété, somnolent. Je me rendis à mon travail, mais l'influence du livre ne s'effaçait pas ; elle persistait et colorait tout ce que je voyais, faisais ou entendais. J'avais l'impression que maintenant je connaissais les sentiments des Blancs. Pour avoir simplement lu un livre qui décrivait leur façon de vivre et de penser, je m'identifiais avec ce livre. Je me sentais vaguement coupable. Imbu de mes connaissances livresques, allais-je agir d'une façon qui m'attirerait la haine des Blancs ?

Je contrefis d'autres billets et mes visites à la bibliothèque devinrent plus fréquentes. La lecture devint pour moi une passion. Mon premier roman important fut *Grande Rue*, de Sinclair Lewis. Il me fit comprendre mon patron, M. Gerald, et me permit de l'identifier et de le classer dans une catégorie bien définie d'Américains. Je souriais quand je le voyais s'amener au bureau avec son sac de golf. J'avais toujours senti qu'un abîme me séparait du patron, mais maintenant je me sentais plus près de lui, bien que distant encore. A présent j'avais l'impression de bien le connaître, de toucher aux limites mêmes de sa mesquine existence. Et tout cela venait simplement d'avoir lu un roman dans lequel il était question d'un personnage imaginaire, nommé George F. Babbitt.

Les intrigues et l'action des romans m'intéressaient moins que le point de vue qu'ils révélaient. Je me donnais sans réserve à chaque roman, sans chercher à le critiquer. La lecture était comme une drogue, un stupéfiant. Les romans créaient en moi des états d'âme qui persistaient durant des semaines. Mais je n'arrivais pas à surmonter mon sentiment de culpabilité, le sentiment que les Blancs qui m'entouraient savaient que je changeais, que je commençais à les voir d'un autre œil.

Chaque fois que j'apportais un livre à l'atelier, je l'enveloppais dans un journal — habitude qui devait persister durant des années, dans d'autres villes et dans d'autres circonstances — mais certains Blancs fouillaient dans mes paquets quand j'étais absent et me questionnaient :

« Mais dis donc, mon garçon, pourquoi lis-tu ces livres ?

— Oh ! je ne sais pas, monsieur.

— C'est profond, ces trucs-là, tu sais ?

— Oh ! c'est juste pour tuer le temps, monsieur.

— Tu vas te détraquer la cervelle si tu n'y prends pas garde. »

J'avais lu *Jennie Gehrardt* et *Sœur Carrie* de Dreiser, et ils avivèrent en moi le sentiment aigu des souffrances endurées par ma mère. J'étais confondu. Il m'eût été impossible de raconter à quiconque ce que je tirais de ces romans, car ce n'était rien moins que le sens de la vie elle-même. Mon existence tout entière m'avait façonné pour le réalisme, le naturalisme du roman moderne, et je n'arrivais pas à m'en rassasier.

Pénétré d'impressions et d'idées neuves, j'achetai une rame de papier et j'essayai d'écrire, mais rien ne vint, ou du moins ce qui vint était d'une platitude désespérante. Je découvris que le désir et la sensibilité ne suffisaient pas à faire un écrivain et j'abandonnai l'idée. Et cependant, je persistais à me demander par quels moyens on pouvait connaître suffisamment les hommes pour les décrire. Apprendrais-je jamais à connaître la vie et les gens ? Conscient de ma profonde ignorance, de ma situation difficile de Noir dans un monde blanc hostile, cela m'apparaissait comme une tâche impossible à accomplir. Je savais maintenant ce que représentait le fait d'être nègre. J'étais capable de supporter la faim. J'avais appris à vivre dans la haine. Mais de sentir que certains sentiments m'étaient refusés, que l'essence même de la vie était inaccessible, cela me faisait mal, me blessant par-dessus tout. Une faim nouvelle était née en moi.

La lecture me stimulait, mais me déprimait aussi, car elle me montrait ce qui était possible, tout ce qui m'avait été refusé. Ma tension revint, une tension nouvelle, terrible, amère, envahissante, presque trop grande pour être contenue. Je n'avais plus simplement l'impression que le monde autour de moi m'était hostile, me tuait, je le *savais.* Des milliers de fois je me demandai ce que je pourrais bien faire pour me sauver, sans jamais trouver de réponse. Il semblait que je fusse condamné, emmuré à tout jamais.

Je ne discutai pas de mes lectures avec M. Falk, qui m'avait prêté sa carte. Il m'aurait fallu parler de moi-même, chose qui m'eût été trop pénible. Chaque jour, je me forçais à sourire, luttant désespérément pour conserver mon ancienne attitude, pour garder un semblant de bonne humeur. Mais certains Blancs s'étaient aperçus que je devenais songeur.

« Réveille-toi un peu, mon gars ! me dit un jour M. Olin.

— Monsieur !... fis-je, prit de court.

— On dirait que tu viens de voler quelque chose », dit-il.

Je ris de la façon dont je savais qu'il s'attendait à me voir rire, mais je résolus d'être plus circonspect, dorénavant, de surveiller tous mes gestes et de cacher les nouvelles connaissances qui se développaient en moi.

Si j'allais dans le Nord, me serait-il possible de me faire une nouvelle vie ? Mais comment un homme pouvait-il établir sa vie sur des désirs vagues, à peine ébauchés ? Je voulais écrire et je ne connaissais même pas la langue anglaise. J'achetai des grammaires anglaises et les trouvai ennuyeuses. Il me semblait que les romans me donnaient un meilleur sens de la langue que les grammaires. Je lisais ferme, abandonnant un auteur aussitôt que j'avais saisi son point de vue. La nuit, les pages imprimées venaient hanter mon sommeil.

Mme Moss, ma propriétaire, me demanda un dimanche matin :

« Mais qu'est-ce que tu lis donc comme ça sans arrêt, mon petit ?

— Oh ! rien, des romans.

— Qu'est-ce que tu en tires ?

— C'est simplement pour tuer le temps, répondis-je.

— J'espère que tu sais ce que tu fais », dit-elle d'un ton impliquant qu'elle en doutait fortement.

Je ne connaissais aucun Nègre qui possédât des livres que j'aimais, et je me demandais s'il y en avait qui les eussent jamais connus. Je savais qu'il y avait des médecins nègres, des avocats, des journalistes, mais je n'en voyais jamais. Lorsque je lisais un journal nègre, je n'y trouvais jamais le moindre écho de mes préoccupations. Je me sentais comme pris au piège et il m'arrivait de cesser de lire pendant plusieurs jours d'affilée. Mais une vague soif de livres me reprenait, de ces livres qui m'ouvraient de nouvelles perspectives de connaissance et de senti-ments, et je confectionnais de nouveaux billets pour la bibliothécaire blanche. Je recommençais à lire et à m'émerveiller comme seul peut lire et s'émerveil-ler le naïf et l'illettré, avec l'impression que je traînais chaque jour avec moi un criminel fardeau.

Cet hiver-là ma mère et mon frère vinrent me retrouver ; nous nous installâmes chez nous, ache-tant des meubles à tempérament, nous faisant voler et ne sachant comment l'éviter. Je commençai à manger des plats chauds et, à ma grande surprise, je remarquai qu'une nourriture régulière me permet-tait de lire plus vite. Il se peut que j'aie eu de nombreuses maladies auxquelles j'ai survécu sans m'en être jamais douté. Mon frère trouva un emploi et nous commençâmes à mettre de l'argent de côté pour notre voyage dans le Nord. Nous faisions des projets, fixions des dates approximatives pour notre départ. Je me gardai bien d'informer les Blancs avec lesquels je travaillais de mon intention d'aller dans le Nord. Je savais que s'ils l'apprenaient, ils changeraient d'attitude envers moi. Ils auraient le sentiment que je n'aimais pas la vie que je menais, et comme ma vie dépendait entièrement de ce qu'ils disaient ou faisaient, cela équivalait à une provocation de ma part.

Je pouvais calculer maintenant assez nettement mes chances de vie dans le Sud comme Nègre.

Je pouvais combattre les Blancs du Sud en entrant dans une organisation avec d'autres Nègres, comme l'avait fait mon grand-père. Mais je savais que de cette façon, je ne gagnerais pas la partie ; il y avait beaucoup de Blancs et peu de Noirs. Ils étaient forts, et nous étions faibles. Une franche rébellion noire ne pourrait jamais réussir. Si je combattais ouvertement, je mourrais, et je ne voulais pas mourir. On entendait fréquemment parler de lynchages.

Je pouvais me soumettre et mener la vie d'un esclave jovial, mais c'était impossible. Toute ma vie m'avait façonné à vivre selon mes sentiments et mes idées. Je pouvais me réconcilier avec Bess, l'épouser et hériter de la maison. Mais ce serait également une vie d'esclave ; en le faisant, j'anéantirais quelque chose en moi et je me haïrais autant que les Blancs haïssaient déjà, d'après ce que je savais, les Noirs qui se soumettraient. Je ne pourrais jamais me présenter volontairement pour recevoir des coups de pied comme le faisait Shorty. Je préférais mourir.

Je pouvais détourner l'inquiétude qui me rongeait en me battant avec Shorty et Harrisson. J'avais vu beaucoup d'autres Noirs résoudre leur problème racial en transférant leur propre haine sur d'autres Noirs, et en se battant avec eux. Il fallait être insensible pour le faire ; je n'étais pas insensible et ne pourrais jamais l'être.

Je pouvais naturellement oublier ce que j'avais lu, rejeter les Blancs de mon esprit, les oublier, et trouver un soulagement à mon angoisse et à mes aspirations dans les histoires de femmes et la boisson. Mais le souvenir de la conduite de mon père me fit repousser cette solution avec dégoût. Si je ne voulais pas que les autres violent mon existence, comment pouvais-je la violer volontairement moi-même ?

Je n'avais pas le moindre espoir d'embrasser une carrière libérale. Non seulement mes expériences auraient suffi à m'en ôter le désir, mais la réalisation d'une telle ambition dépassait mes possibilités. Les Nègres aisés vivaient dans un monde qui m'était presque aussi étranger que le monde habité par les Blancs.

Alors que restait-il ? Chaque jour, j'avais ma vie présente à l'esprit, dans ma conscience, et à certains moments il me semblait que j'allais trébucher et la laisser tomber, la gâcher à tout jamais. Mes lectures avaient créé chez moi un sens profond des distances qui existaient entre moi et le monde dans lequel je vivais, et ce sentiment croissait chaque jour. Mes

jours et mes nuits n'étaient qu'un long rêve silencieux et sans cesse refoulé, un rêve de terreur,
d'angoisse et de crainte. Je me demandais combien
de temps je pourrais le supporter.

CHAPITRE XIV

L'arrivée fortuite de tante Maggie à Memphis me fournit une base tangible pour mes projets de départ. Le mari de tante Maggie, l' « oncle » qui s'était enfui de l'Arkansas au milieu de la nuit, l'avait quittée ; et maintenant elle cherchait un moyen de gagner sa vie. Ma mère, tante Maggie, mon frère et moi-même, nous eûmes de longs entretiens, calculant les possibilités de trouver du travail, le prix des appartements à Chicago, etc. Et chaque nouvel entretien ne faisait que confirmer cette constatation décevante : il était impossible de partir tous les quatre à la fois ; nous n'avions pas assez d'argent.

Finalement, la vertu du simple désir et de l'espoir l'emporta sur le bon sens et les faits. Nous découvrîmes que si nous attendions d'être fin prêts, jamais nous ne partirions, jamais nous n'amasserions assez d'argent pour entreprendre le voyage. Il fallait tenter notre chance. Bien qu'on fût en hiver, nous décidâmes finalement de partir, d'abord tante Maggie et moi, afin de tout préparer pour l'arrivée de ma mère et de mon frère. A quoi bon attendre la semaine suivante ou le mois suivant ? Si nous partions, pourquoi ne pas partir tout de suite ?

Ensuite surgit le problème de quitter mon emploi proprement, sans heurts, sans discussions et sans scènes. Sous quel angle présenter mon départ au patron ? C'est cela, je jouerais l'innocence. Je lui dirais que ma tante nous emmenait, ma mère paralysée et moi, à Chicago. Je lui donnerais ainsi l'impression que je n'agissais pas de par ma propre volonté, de cette façon j'éviterais toute espèce d'animosité ou toute objection que cette décision eût pu soulever. Je savais que les Blancs du Sud détestaient voir les Nègres aller vivre dans des endroits où l'ambiance raciale était différente.

Tout marcha comme je l'avais prévu. Lorsque j'annonçai la nouvelle deux jours avant mon départ — l'annoncer plus tôt eût été maladroit et eût risqué de m'exposer à leur hostilité — le patron se renversa en arrière dans son fauteuil tournant et me regarda plus longtemps et plus attentivement qu'il ne l'avait jamais fait.

« Chicago ? répéta-t-il à mi-voix.

— Oui, monsieur.

— Tu ne t'y plairas pas, là-bas, mon garçon, fit-il.

— Il faut bien que j'aille là où est ma famille, monsieur », dis-je.

Les autres employés blancs interrompirent leur besogne pour écouter. Je me sentis gêné, énervé.

« Il fait froid, là-haut, reprit-il.

— Oui, monsieur, il paraît », dis-je, m'efforçant de garder un ton neutre.

Se rendant compte que je l'observais, il détourna les yeux et eut un rire embarrassé pour cacher son inquiétude et son mécontentement.

« Tâche de ne pas tomber dans le lac, là-bas, fit-il d'un ton goguenard.

— Oh ! non, monsieur », dis-je comme si vraiment il eût existé une possibilité de tomber accidentellement dans le lac Michigan.

Il redevint sérieux et me dévisagea. Je fixai le sol.

« Tu crois que tu réussiras mieux qu'ici ? interrogea-t-il.

— Je ne sais pas, monsieur.

— Il me semble pourtant que tu ne te débrouillais pas mal ici ?

— Oh ! oui, monsieur. S'il n'y avait pas ma mère qui est forcée de partir, je resterais ici à travailler, dis-je en m'efforçant de mettre le plus de sincérité possible dans ma voix.

— Alors pourquoi ne pas rester et lui envoyer de l'argent ? »

J'étais coincé. Je savais que désormais il ne me serait plus possible de rester. Pas après leur avoir annoncé que je voulais aller dans le Nord.

« C'est que je veux rester auprès de ma mère, dis-je.

— Tu veux rester auprès de ta mère, répéta-t-il nonchalamment. Eh bien, Richard, nous avons été contents de toi.

— Et moi, j'ai été content de travailler pour vous, monsieur », dis-je, sans remords.

Il y eut un silence. Je me tenais gauchement debout devant lui ; puis je me dirigeai vers la porte. Le silence persistait : les figures blanches me dévisageaient de façon bizarre. En montant l'escalier, je me faisais l'effet d'être un criminel. La nouvelle se répandit bientôt à travers l'atelier, et les Blancs me regardèrent avec un intérêt nouveau. Ils venaient me trouver.

« Alors, tu t'en vas dans le Nord, hein ?

— Oui, monsieur. Ma famille m'emmène.

— Le Nord ne vaut rien pour les tiens, mon garçon.

— Je tâcherai de m'y faire, monsieur.

— N'écoute pas toutes les histoires qu'on raconte sur le Nord.

— Oh ! non, monsieur.

— Tu reviendras ici, c'est là que sont tes amis.

— Ben, ça, j' sais pas, monsieur.

— Comment vas-tu te conduire, là-haut ?

— Exactement comme ici, monsieur.

— Est-ce que tu adresserais la parole à une Blanche, là-haut ?

— Oh ! non, monsieur. Je ferais juste comme je fais ici.

— Je suis tranquille que non. Tu changeras. Tous les moricauds changent quand ils vont dans le Nord. »

J'avais envie de leur dire que j'allais précisément

438

dans le Nord pour changer, mais je m'en gardai bien.

« Je resterai comme je suis », dis-je, m'efforçant de les convaincre que j'étais dépourvu de la moindre parcelle d'imagination.

En disant cela, j'avais l'impression d'agir dans un rêve. Je ne voulais pas mentir, et j'étais néanmoins obligé de mentir pour cacher mes sentiments. Le censeur blanc se penchait sur moi, et de même que les rêves forment un rideau de protection pour le sommeil, mes mensonges étaient l'écran de protection de ces moments d'existence.

« Tu as lu trop de ces sacrés livres, mon garçon. Voilà ce que c'est !

— Oh ! non, monsieur. »

Je fis ma dernière course à la poste, rangeai mon sac, me lavai les mains et mis ma casquette. Je donnai un rapide coup d'œil à l'atelier ; la plupart des employés travaillaient tard. Quelques-uns levèrent les yeux. M. Falk, à qui j'avais rendu sa carte de bibliothèque, m'adressa un sourire complice. Je gagnai l'ascenseur et descendis avec Shorty :

« T'es verni, mon salaud ! dit-il avec envie.

— Pourquoi dis-tu ça ?

— T'as économisé tes sous, et maintenant tu fous le camp.

— Ça ne va pas être tout rose. Mes problèmes ne font que commencer.

— Jamais tu n'auras une vie aussi dure que celle que tu avais ici, dit-il.

— Je l'espère, fis-je. Mais la vie vous réserve parfois des surprises. »

Je sortis de l'ascenseur et je gagnai la rue, m'attendant presque à ce qu'on me rappelle pour me dire que tout cela n'était qu'un rêve, que je ne partais pas.

Et c'est nanti de cette culture que je pris mon élan vers l'existence. C'est à cette terreur que j'échappai.

Le lendemain, alors que j'étais déjà en pleine fuite, dans un train qui m'emmenait vers le Nord, j'aurais été incapable de dire exactement pour quelles raisons j'avais rejeté la culture qui m'avait formé, façonné. Je partais sans remords, sans un seul regard en arrière. Le Sud ne m'avait montré qu'un visage hostile et rébarbatif, et malgré tout, parmi les conflits et les injures, les coups et la colère, l'angoisse et la terreur, j'étais arrivé à concevoir l'idée d'une vie différente, plus pleine et plus riche. Comme lorsque je m'étais échappé de l'orphelinat, je fuyais quelque chose plutôt que je n'allais vers quelque chose. Mais pour moi cela n'avait pas d'importance. Je n'avais qu'une idée en tête : Il faut que je m'en aille, je ne puis rester ici. Mais qu'est-ce qui m'avait donné ce sentiment ? Qu'est-ce qui m'avait rendu conscient de certaines possibilités ? Où avais-je donc, dans ces ténèbres du Sud, pris le sens de la liberté ? Comment se faisait-il que je fusse à même d'agir d'après de vagues intuitions ? Qu'était-ce donc qui me faisait sentir les choses avec assez d'acuité pour que j'essaie de régler ma vie d'après mes sentiments ? Le monde extérieur des Blancs et des Noirs, qui était le seul monde que j'eusse jamais connu, ne m'avait sûrement inspiré aucune confiance en moi-même. Les gens que j'avais rencontrés m'avaient conseillé ou avaient exigé de moi la soumission. Dès lors, qu'étais-je en train de chercher ? Comment pouvais-je considérer mes sentiments comme supérieurs à ceux du milieu primitif qui tentait de me revendiquer comme sien ? Ce n'était que par les livres — ces transfusions de culture par procuration — en mettant les choses au mieux — que j'étais parvenu à rester en vie, d'une façon négativement vitale. Chaque fois que mon entourage s'était montré incapable de m'aider ou de m'alimenter, je m'étais rabattu sur les livres, si bien que ma foi dans les livres provenait plus d'un sentiment de désespoir que d'une conviction bien ancrée de leur valeur ultime. D'une façon assez bizarre, la vie m'avait, au point de vue émotif, coincé dans un domaine strictement négatif. Ce n'était pas à la suite d'un choix délibéré que j'avais embrassé la cause de l'insurrection. Vivant, émotionnellement parlant, sur la marge étroite et dangereuse de la culture du Sud, j'avais senti que chacune de mes actions et de mes décisions mettait en cause ma vie tout entière. Je m'étais accoutumé au changement, au mouvement, à me réadapter constamment.

Dans l'ensemble, mon espoir était simplement une sorte d'autodéfense, la conviction que si je ne partais pas, je périrais, soit par le fait de violences exercées contre moi, ou par moi contre d'autres. La substance de mon espoir était informe et ne s'orientait en direction d'aucun objet précis, car dans ma vie méridionale je n'avais pas vu se dresser de point de repère grâce auquel j'eusse pu orienter mes actes quotidiens. Les heurts de la vie que j'avais menée dans le Sud avaient endolori ma personnalité, l'avaient rendue volatile, sensible à l'extrême, et si je partais, c'était plus pour fuir des dangers extérieurs que pour essayer de réaliser mes confuses aspirations.

C'est la lecture fortuite de romans d'imagination et de critiques littéraires qui m'avait donné de vagues aperçus des possibilités de la vie. Je n'avais naturellement jamais vu ou rencontré les auteurs des livres que je lisais, et le genre de monde dans lequel ils vivaient m'était aussi étranger que la lune. Mais ce qui m'avait permis de vaincre ma méfiance chronique, c'est le fait que ces livres — écrits par des hommes tels que Dreiser, Masters, Mencken, Anderson et Lewis — me paraissaient être une critique défensive du milieu américain bigot et rétréci. Ces auteurs semblaient trouver que l'Amérique pouvait être façonnée selon les vœux de ses habitants. Et c'est grâce à ces romans, à ces nouvelles et à ces articles, grâce au choc émotionnel des constructions imaginatives de faits héroïques ou tragiques, que j'avais senti sur mon visage la douce chaleur d'un rayon de lumière inconnue ; et en partant, je me dirigeais instinctivement vers cette lumière invisible, en tâchant toujours de tourner et d'orienter mon visage de façon à ne pas perdre l'espoir qu'avait fait naître sa faible promesse, et en m'en servant comme d'une justification de mes actes.

Le Sud blanc prétendait qu'il connaissait les « moricauds », et j'étais ce que le Sud blanc appelait un « moricaud ». Mais le Sud blanc ne m'avait jamais connu, n'avait jamais su ce que je pensais, ce que je sentais. Le Sud blanc prétendait que j'avais une « place » dans la vie. Mais là-bas je ne m'étais jamais senti à la « place » que le Sud blanc m'avait assignée. Jamais je n'avais pu me considérer comme un être inférieur. Et aucune des paroles que j'avais entendues tomber des lèvres des Blancs n'avait pu me faire douter réellement de ma propre valeur humaine. Il est vrai que j'avais menti. J'avais volé. J'avais lutté pour contenir une colère envahissante. Je m'étais battu. Et c'était peut-être par pur hasard que je n'avais jamais tué... Mais de quelle façon le Sud m'avait-il permis d'être naturel, d'être réel, d'être moi-même, sinon dans la négation, la rébellion et l'agression ?

Non seulement les Blancs du Sud ne m'avaient pas connu mais, fait plus important encore, la façon dont j'avais vécu dans le Sud ne m'avait pas permis de me connaître moi-même. Étouffée, comprimée par les conditions d'existence dans le Sud, ma vie n'avait pas été ce qu'elle aurait dû être. Je m'étais conformé à ce que mon entourage, ma famille — conformément aux lois édictées par les Blancs qui les dominaient — avait exigé de moi, j'avais été le personnage que les Blancs m'avaient assigné. Je n'avais jamais pu être réellement moi-même, et j'appris peu à peu que le Sud ne pouvait reconnaître qu'une partie de l'homme, ne pouvait admettre qu'un fragment de sa personnalité, et qu'il rejetait le reste — le plus profond et le meilleur du cœur et de l'esprit — par ignorance aveugle et par haine.

Je quittais le Sud pour me lancer dans l'inconnu, à la rencontre de situations nouvelles qui m'arracheraient peut-être d'autres réactions. Et si je pouvais trouver une vie différente, alors peut-être pourrais-je, lentement et graduellement, apprendre qui j'étais, et ce que je pourrais devenir. Je quittais le Sud non pour oublier le Sud, mais afin de pouvoir un jour le comprendre, savoir ce que ses rigueurs m'avaient fait, à moi et à tous ses enfants. Je fuyais pour que fonde cette insensibilité consécutive à des années de vie défensive et pour pouvoir sentir (beaucoup plus tard et loin de là) les cicatrices douloureuses laissées par ma vie dans le Sud.

Et cependant, au profond de moi-même, je savais que je ne pourrais jamais quitter réellement le Sud, car mes sentiments avaient déjà été façonnés par le Sud, car, tout noir que je fusse, la culture du Sud s'était peu à peu infiltrée dans ma personnalité et dans ma conscience. Aussi, en partant, j'emportais une parcelle du Sud pour la transplanter dans un sol étranger, afin de voir si elle pouvait croître différemment, si elle pouvait boire une eau fraîche et nouvelle, se courber au souffle de vents étrangers, réagir à la chaleur de soleils nouveaux, et peut-être fleurir... Et si ce miracle s'accomplissait, je saurais alors qu'il y a encore de l'espoir dans cette fondrière de désespoir et de violence qu'est le Sud, je saurais que la lumière peut naître même des ténèbres les plus noires. Je saurais que le Sud lui aussi pourrait vaincre sa peur, sa haine, sa lâcheté, son héritage de crimes et de sang, son fardeau d'angoisse et de cruauté forcenée.

L'œil aux aguets, portant des cicatrices visibles et invisibles, je pris le chemin du Nord, imbu de la notion brumeuse que la vie pouvait être vécue avec dignité, qu'il ne fallait pas violer la personnalité d'autrui, que les hommes devraient pouvoir affronter d'autres hommes sans crainte ni honte et qu'avec de la chance — dans leur existence terrestre — ils pourraient peut-être trouver une sorte de compensation aux luttes et aux souffrances qu'ils endurent ici-bas sous les étoiles.

DU MÊME AUTEUR

Aux Éditions Gallimard

BLACK BOY, 1947 (Folio n° 965)

LE TRANSFUGE, 1955 (Folio n° 1089)

UNE FAIM D'ÉGALITÉ, 1979 (Folio n° 3783)

UN ENFANT DU PAYS, 1987 (Folio n° 1855)

LES ENFANTS DE L'ONCLE TOM, 1988 (Folio n° 1960)

FISHBELLY, 1989 (Folio n° 2044)

HUIT HOMMES, 1989 (Folio n° 2076)

L'HOMME QUI VIVAIT SOUS TERRE (Folio n° 3970)

Au Mercure de France

BON SANG DE BONSOIR, 1965 (Folio n° 1206)

Impression Maury-Eurolivres
45300 Manchecourt
le 5 mars 2004.
Dépôt légal : mars 2004.
1ᵉʳ dépôt légal dans la collection : juin 1974.
Numéro d'imprimeur : 04/03/105868.
ISBN 2-07-036965-X./Imprimé en France

129998